Fabien Cerutti

L'OMBRE DU POUVOIR

Le Bâtard de Kosigan, I

Gallimard

Fabien Cerutti est agrégé d'histoire et enseigne en région parisienne. Il passe une partie de sa jeunesse en Guyane et en Afrique et se passionne très tôt pour les cultures de l'imaginaire et les médias interactifs, dont le jeu de rôle et le jeu vidéo. Inspiré par *Le Trône de fer* qu'il considère comme une œuvre majeure, il commence par inventer pour le jeu en ligne *Neverwinter Nights* des scénarios se déroulant dans l'univers du Bâtard de Kosigan. Il se crée alors autour de son personnage une belle communauté d'aficionados. Encouragé par ce premier succès, Fabien Cerutti se lance dans son aventure personnelle : écrire une série de romans foisonnants et surprenants, *Le Bâtard de Kosigan*, dans lesquels il conjugue à la fois sa connaissance des genres et son habileté de conteur. *L'ombre du pouvoir* a obtenu le prix Imaginales des lycéens et le prix Futuriales Révélation en 2015.

À Mnémos et à André-François Ruaud pour la confiance qu'ils m'ont spontanément témoignée, à Édouard qui a bien fait de m'encourager à écrire, aux frères Baudrand et à Ginni, toujours là pour m'épauler, à Gérard, Gilles, Arnaud et Edwin, qui ont apprécié et parfois su critiquer, à Ethan et Jason pour qu'eux aussi puissent lire quelque chose de moi, à Lucia et à Pierrot, sur la Terre et au Ciel, et à Laure pour son cœur, qui bat avec le mien et son soutien indéfectible.

PRÉLUDE

Première page des *Chroniques du chevalier Pierre Cordwain de Kosigan.* **Traduit du vieux français par le professeur Léopold Delisle, administrateur général de la Bibliothèque nationale de France et membre de la Société des anciens textes français. Paris, 2 août 1899.**

Comté de Champagne, le 31 du mois d'octobre de l'an de grâce 1339.

À mon grand héritier,

Certains événements récents m'ont poussé à mettre mes chroniques par écrit pour la postérité. J'essaierai de rendre mes raisons compréhensibles peu à peu, mais il m'est impossible d'en dire davantage pour l'instant. J'écrirai aussi souvent que je le peux et décrirai ce que je vois aussi précisément que possible. Cependant je tairai, autant que je le pourrai, et mes plans et mes motivations, afin que, s'il advenait que mon journal tombe entre de mauvaises mains, personne ne puisse avoir une vue complète de mes actions ou de mes commanditaires.

Il se peut que je mente aussi. Parfois. Mais jamais sur les événements, ni sur ce que mes yeux auront pu voir.

ROYAUME DE FRANCE
ET DUCHÉ DE BOURGOGNE
EN 1339

Illustration de la carte : Fabien Cerutti

1

Marches du comté de Champagne, premier novembre de l'an de grâce 1339.

C'est l'heure de la prière des laudes et il fait un froid de glace. Emmitouflé dans des peaux de loups et assis sur la vieille selle de mon cheval, j'attends ma proie.

Dans le gel du matin, le gué de Sainte-Anne est une pure merveille : le ciel est limpide et d'une clarté incomparable, l'eau de la rivière Arnance scintille comme de l'or, et les arbres, comme les rochers, sont illuminés par les rayons glacés du soleil de l'aurore.

Je suppose que c'est un bel endroit pour mourir.

L'homme que ma compagnie doit tuer est à l'heure, comme prévu. À l'image de tous les êtres vivants de ce monde, il file à vive allure vers le lieu où l'attend son destin. Et il a beau avoir du sang des peuples anciens dans les veines, il a beau être rapide, puissant et sûr de lui, son arrogance le pousse à commettre dès le début une grave erreur de jugement : il a esquivé facilement les flèches mal taillées que trois de mes hommes ont tirées sur lui par l'arrière, il est donc convaincu que le danger vient de cette direction. Cela ne l'inquiète pas outre mesure : il sait ses assaillants peu nombreux et les estime mal entraînés. Des gueux ou de quelconques déserteurs sans doute, il est par conséquent persuadé de pouvoir échapper aisément à la piètre embuscade qui lui est tendue.

Il se trompe.

Il traverse le gué de l'Arnance au triple galop, tout en s'entaillant légèrement les veines afin de tisser un sort de protection sur ses arrières. On aperçoit bien son visage à présent et on voit ses longs cheveux finement nattés voler dans le vent et dégager clairement ses oreilles élancées. Envoyer un Elfe a été une sage précaution de leur part, mais si tout se déroule selon ce que j'ai prévu, cela ne sera pas suffisant.

Le destin est rarement en retard aux rendez-vous que je lui fixe et les répits qu'il accorde sont toujours de courte durée. J'ai choisi comme point d'observation un petit promontoire, à peine quatre ou cinq toises au-dessus de l'endroit où, en toute logique, le cavalier elfique devrait bientôt trouver la mort. Trois autres des miens l'attendent en contrebas, au détour du chemin. Ils se tiennent prêts à relever d'un coup sec et brutal la corde dissimulée et attachée au vieux chêne qui leur fait face, à une coudée et demie du sol, pour faire s'effondrer sans crier gare, et la monture et le cavalier.

Le cheval de notre cible file comme si le cœur de Sleipnir lui-même battait dans son poitrail et il est en train de distancer allègrement ses poursuivants. C'est un pur-sang elfique de toute beauté, tellement rapide que ses sabots effleurent à peine le sol dans son galop. *Une bonne chose que cette poursuite ne soit pas faite pour durer plus longtemps.* La corde du piège se tend soudainement, alors que l'Elfe se retournait pour jeter un coup d'œil vers l'arrière, et sa monture la heurte avec la rudesse d'un bélier de combat frappant les épais vantaux d'une forteresse. Le choc est si lourd que mes trois hommes, pourtant aguerris et préparés, sont arrachés au sol et projetés dans les airs sur cinq ou six pas. Dans un bruit de tonnerre, le cheval s'effondre et son cavalier, vidant ses étriers, se retrouve catapulté hors de sa selle. Tout a été prévu pour qu'il aille percuter de plein fouet l'un des grands rochers de grès blanc qui parsèment la verdure des abords du chemin, et son atterrissage est d'une brutalité inouïe. La pierre se teinte de sang et de grosses taches rouges éclaboussent les alentours, à plus de trois coudées à la ronde.

Pour autant, la partie n'est pas gagnée, elle ne peut pas l'être encore. Les renseignements dont je dispose me portent à croire qu'un ensorcellement de flammes relie le message sur lequel je dois à tout prix mettre la main à l'essence vitale de son porteur. Si le cœur de ce dernier venait à cesser de battre alors que le parchemin est encore en sa possession, un charme de feu les réduirait tous deux instantanément à l'état de cendres fumantes et inutilisables. Tout ce qui se trouverait alors à moins de cinq pas subirait immanquablement le même sort.

Il est évidemment hors de question que cela arrive.

D'après mes prévisions, le choc et la brutalité douloureuse de la chute auraient dû avoir raison de la conscience de l'Elfe. Malheureusement ce n'est pas le cas. Tout ensanglanté, il bouge encore, s'agrippe à la pierre et commence même à se remettre debout. Voilà qui est à la fois impressionnant et particulièrement ennuyeux.

Mes hommes réagissent avec leur efficacité coutumière : ils sont déjà sur pied et s'élancent en courant en direction de l'ennemi. Ils sont rapides et bien entraînés, pourtant cela n'est pas suffisant : couvert de son propre sang, un bras visiblement brisé, l'Elfe a réussi à se relever, et les regarde approcher d'un air froid et déterminé.

Bon Dieu, je n'aime pas ça !

Une arabesque de sa main valide, quelques mouvements habiles de ses doigts, une incantation murmurée du bout des lèvres, l'Elfe en appelle aux sources du vent et de l'acier. Je perçois d'ici l'énergie magique et métallique qui se focalise subitement autour de lui. Vingt sifflements suraigus accompagnent la volée de plumes sombres, aiguisées comme des rasoirs, que sa magie projette sur les miens, en pleine course.

Petit-Jacques et La Balafre s'effondrent, déchiquetés dans leur élan sans qu'ils aient eu le temps de comprendre ce qui leur arrivait. Presque une belle mort, sans souffrance en tout cas. Le Sournois a davantage de chance parce qu'il était partiellement couvert par ses camarades, il a cependant été touché au bras et surtout à la jambe droite. Malgré cela, il parvient à continuer jusqu'à la cible et à lui asséner en hurlant un coup brutal de sa masse, juste avant que sa jambe blessée ne se dérobe, refusant finalement de supporter son poids. L'esquive de l'Elfe est maladroite, à l'évidence ses réflexes ont été émoussés par la chute et la douleur le paralyse presque. Titubant vers l'arrière tout en crachant une bonne rasade de son sang si précieux, il cherche, presque à tâtons, le chêne le plus proche. Sans essayer le moins du monde d'achever le Sournois. Voilà qui est plutôt bon signe, cela signifie qu'il est à bout de force et qu'il concentre toute son énergie sur son seul espoir de survie : puiser dans la sève de l'arbre pour soigner ses blessures. S'il y parvenait, il ne lui faudrait que peu de temps pour se régénérer et alors l'issue de la bataille pourrait en être radicalement changée.

« Rends-toi, l'Elfe, et n'espère même pas t'approcher de cet arbre ! »

Ma voix est ferme et en l'entendant il comprend que j'ai pleinement conscience de ses intentions. Malheureusement, lui non plus n'a guère le choix. Désobéissant à mon ordre, il vacille contre le vieux chêne gris, y plaque son dos et, de sa main valide, tente désespérément d'insérer sa magie à l'intérieur pour y puiser la vie. C'était prévisible, mais c'est une erreur de sa part, et cela va l'amener à souffrir bien davantage qu'il ne le mérite.

« Cloue-le à l'arbre ! »

Le surnom de mon meilleur arbalétrier est « Qu'un-Coup ». Il est capable de toucher une pièce d'un denier à plus de deux cents pas de distance et il ne manque pratiquement jamais sa cible. Le carreau mortel de son arme déchire l'air et le trait va se ficher avec un bruit sourd dans les chairs de l'épaule gauche de l'Elfe, les liant durement au chêne contre lequel il est adossé. Notre cible bronche sous la brutalité du choc, mais sa main libre cherche encore, dans un ultime effort, à tisser un enchevêtrement de lumière pour dresser un ultime sortilège de défense. *Impressionnant.* Je sais d'expérience que se faire transpercer par un carreau d'arbalète lourde équivaut à encaisser la charge d'un cheval de guerre lancé au galop. *Cet adversaire force décidément le respect.* Malheureusement pour lui, je n'ai aucunement le droit d'en tenir compte.

« Encore ! »

L'arbalète byzantine que porte Qu'un-Coup est un spécimen très rare en Occident. Elle dispose d'une petite réserve de trois carreaux et d'un mécanisme extrêmement précis qui permet de recharger l'arme presque instantanément entre deux tirs. Le deuxième impact arrache un râle de douleur à l'Elfe. Quant au troisième, il lui fracture les os de la main droite et le fixe définitivement contre l'arbre. Son souffle et son menton se relâchent, son sang souille son corps et cherche un peu partout à rejoindre le sol. C'est fini.

Le Sournois s'est relevé tant bien que mal et il claudique jusqu'à notre adversaire pour s'assurer qu'il est bien hors d'état de nuire. Ce qui est le cas. Mon officier en second, le chevalier Gérard de Rais, celui qui a mené la diversion sur les arrières de l'Elfe, arrête son cheval à côté des corps sans vie de La Balafre et de Petit-Jacques. Tous les deux avaient servi sous ses ordres en Italie et je crois qu'il les aimait bien. Moi aussi. Le recrutement de mes hommes se fait individuellement et il y a peu de choses que je déteste davantage que de tailler une croix afin de la placer sur leur tombe. Il s'agit d'un prix bien trop élevé pour récupérer un simple morceau de parchemin, malheureusement, chacun sait que ce sont les risques du métier. Celui qui vit par l'épée finit presque toujours par s'en prendre une dans le ventre. Il y a là comme une sorte de règle. Chacun d'entre nous espère secrètement y échapper, par on ne sait quel miracle, mais il faut admettre que les chances pour que cela arrive sont plus minces que celles d'un crucifié de survivre à sa mise à mort.

Encore que, d'après les Évangiles, ce genre de chose peut parfois arriver. De temps à autre.

Accompagné par les trois hommes que j'avais gardés en réserve, je passe, à mon tour, devant La Balafre et Petit-Jacques. Il est toujours bon de montrer aux gars que, même si je n'ai pas de prise sur la mort, je respecte la leur si jamais elle advient. Je m'arrête donc près des corps pour observer un court moment de silence et de prière, sorte de marque dérisoire de mon recueillement. Puis je prends le temps de signifier à Qu'un-Coup et à Janvier qu'il faut porter les corps de leurs camarades en terre, un peu plus loin dans la forêt.

Je me tourne ensuite vers l'Elfe et m'agenouille à ses côtés.

Aucune de ses blessures n'est mortelle, mais je lis dans ses yeux qu'il sait son destin scellé. Il grogne doucement, cloué à l'arbre, en attendant l'hallali. Après l'avoir observé quelques instants, j'utilise ma dague pour détacher avec précaution l'étui de cuir sombre accroché à sa ceinture. Celui-ci est cacheté par les armoiries du haut seigneur qui est son maître et son cuir est entièrement recouvert de runes de protection. Elles sont tissées en fil de Solibor sacré et enchantées de filaments de soie noire d'Andale. Une union mortelle pour qui ignore la formule d'ouverture de l'objet.

L'Elfe ne peut s'empêcher d'esquisser un sourire de soulagement et de victoire, persuadé qu'il est que les secondes qui viennent vont nous emporter, lui et moi, vers une mort affreuse, brûlés jusqu'aux os par le feu infernal d'une formidable explosion.

Une fois encore, il se trompe.

Son regard s'écarquille doucement lorsqu'il me

voit desceller l'étui sans être terrassé par la Flamme sombre qui devrait normalement le protéger. Et plus encore quand il assiste à la *substitution* de son précieux message par un autre, que je sors de sous mes vêtements, et qui paraît ressembler en tous points à l'original. Ses yeux cillent alors, et il comprend l'étendue totale de sa défaite et de son déshonneur.

« La... la mort... soit sur les tiens ! »

S'il savait à quel point j'apprécierais que son vœu se réalise !

Je lui souris tristement en achevant de remplacer son précieux message par le mien. Les Elfes sont un grand peuple et il en reste si peu de par le monde. C'est un grand malheur que l'un d'eux soit encore contraint de le quitter aujourd'hui. Je pose calmement la main sur son épaule et mes yeux s'accrochent aux siens dans un échange d'une longue intensité. Rien de personnel, je crois qu'il le comprend. Je n'ai simplement pas d'autre choix que de le renvoyer dans les Havres sombres de l'au-delà, et je dois le faire maintenant.

Il ne serait pas correct de ma part de demander à quelqu'un d'autre d'accomplir cette funeste tâche à ma place. Alors, d'un geste précis et sûr, je frappe de ma lame aux trois endroits nécessaires pour achever la vie d'un Elfe, et son esprit le quitte.

Sale métier.

Je regarde le ciel, dont son âme est peut-être issue, je regarde l'Arnance qui continue à briller de mille reflets comme si de rien n'était, je regarde la beauté des arbres et des rochers, la clarté de l'air ainsi que les magnifiques éclaboussures de soleil qui illuminent le paysage. Je sens la pureté du froid qui, malgré la tension, s'insinue dans mes chairs. Et j'adresse une prière pour l'Elfe.

Le conserver en vie n'était pas envisageable.

La seule et unique chose que je pouvais faire, c'était de lui trouver un bel endroit pour mourir.

2

Correspondance du professeur d'archéologie médiévale, Michaël Konnigan, avec Edward Maunde Thomson, directeur et bibliothécaire principal du British Museum. Saint-Pétersbourg, le 21 mars 1899.

Monsieur le directeur,

Les nouvelles de ce jour sont, tout à la fois, bonnes et mauvaises.

Vous serez tout d'abord heureux d'apprendre que les dernières expéditions de Kubinka et de Zvenigorod ont porté leurs fruits. La chance a voulu qu'il me soit permis de travailler avec le professeur Leonid Katchenovski, le directeur du cabinet d'histoire germanique de l'université Lomonossov. Un homme des plus précieux qui, outre le fait qu'il connaît tout le monde ici, se trouve être le précepteur attitré du grand duc Mikhaïl Alexandrovitch Romanov, le jeune frère du tsar. Sa fille, Tatiana Katchenovskaïa, travaille avec lui et c'est une raison supplémentaire, pour moi, d'apprécier sa compagnie.

Malgré le froid, les recherches que nous menons avancent bien et nous continuons à suivre les traces du passage de l'armée du roi goth Athalaric en direction de la rivière Oka. Je serais surpris que son peuple soit allé beaucoup plus loin, pour-

suivi qu'il était par les Khazars des steppes et harcelé par les loups. L'amulette sacrée qui fait l'objet de notre quête, l'Œil d'Odin, ne doit plus se trouver loin à présent, et nous avons, je crois, une bonne longueur d'avance sur nos concurrents autri-chiens.

Malheureusement, il me faut vous informer d'une difficulté d'une autre nature qui risque de nous ralentir au cours des prochaines semaines. En effet des affaires de la plus haute importance concernant mon hypothétique ancêtre médiéval, le chevalier de Kosigan, m'appellent de toute urgence à Paris. Katchenovski va devoir conduire seul les recherches. Mon inten-tion, cependant, est d'être de retour à Moscou dans le courant du mois de mai, ce qui, je l'espère, devrait suffire pour ne pas laisser l'équipe d'Eberweizer nous prendre de vitesse.

En comptant sur votre compréhension, veuillez agréer, mon-sieur le directeur et bibliothécaire principal, l'expression de mes sentiments respectueux.

Michaël Konnigan

3

Cité comtale de Troyes, 5 novembre de l'an de grâce 1339, le fief de la comtesse Catherine de Champagne.

Une ville grouillante et affairée, pleine de bourgeois, de charrettes et d'étals d'artisans, aux rues et aux marchés envahis de badauds et de filles de joie, de marchands de rien, de tire-laine et de crieurs de rue, une ville vivante et bruissante qui s'enivre au rythme des saltimbanques et des gargotes des grandes foires d'hiver de la Saint-Rémi.

La Champagne est célèbre dans toute la chrétienté et jusqu'aux portes de l'Orient. Deux fois par an, les plus importants marchands du monde s'y donnent rendez-vous et, pour quelques semaines, le commerce devient roi. On y voit les gros teutoniques de la Ligue hanséatique y négocier pied à pied avec de fiers Vénitiens ou de rusés Génois, les marchands parisiens et anglais discutent ensemble comme si leurs souverains respectifs étaient amis, quant aux Catalans, aux Maures et aux Byzantins, ils se mélangent, sans sourciller, aux Elfelins de Bretagne, aux Korrigans de Tarane ou aux Tagalls de Dalmanie. Durant trois semaines, l'argent n'a plus ni patrie, ni race, et Troyes devient le centre d'un monde en effervescence, qui tinte au son des écus en or, des gros en argent et des billons en cuivre. Tout s'y vend et tout s'y achète. Aussi bien de la soie et des épices de Syrie ou de la lointaine Cathay, que de la dentelle de Flandre, ou des tissus enchantés du Norval. On y négocie à bon prix de l'ambre de Riga, de l'or fin d'Assyrie, des gemmes bleues de Bithynie ou d'immenses défenses d'ivoire venues, paraît-il, des lointains confins du désert. Beaucoup de bétail aussi, du blé de Beauce, de la bière naine d'Arbundingen et certains vins fins du sud, cédés aux enchères, qui ne trouvent acquéreur qu'à des prix indécemment élevés.

Je suis arrivé dans la cité il y a deux jours, officiellement accompagné par un seul des hommes de ma compagnie. Un jeune gaillard d'une bonne intelligence, débrouillard et plutôt habile de ses dix doigts, du nom d'Edric de Gray. C'est également l'un des seuls nobles de ma « meute » et il m'en fallait un pour me servir d'écuyer pour le tournoi.

Quatre autres de mes hommes sont également présents en ville, mais ils sont tous arrivés quelques jours avant moi. Chacun de leur côté. C'est plus prudent. Et beaucoup plus discret.

Mon nom est Pierre Cordwain de Kosigan et je suis capitaine d'une compagnie de mercenaires d'élite. J'offre mes services à ceux qui sont assez riches pour se les payer et mes affaires sont florissantes. Cela étant dit, ça ne m'empêche pas de m'intéresser à toutes sortes d'autres activités.

Un événement exceptionnel que ce tournoi de la Saint-Rémi, à Troyes. Il aura lieu dans deux jours pour clôturer la grande foire, et la comtesse Catherine s'est arrangée pour qu'il attire les meilleurs chevaliers de tout l'Occident en mettant en jeu une récompense indécente de près de deux mille livres parisis. Largement de quoi pourvoir aux frais de mes hommes pendant trois années et préparer mes projets d'avenir avec sérénité.

Il était impensable que je ne sois pas là.

Le reste de ma troupe a été renvoyé à Bruges, sous les ordres de Gérard de Rais. La compagnie a, là-bas, ses quartiers d'hiver, ainsi qu'un contrat important qu'elle doit commencer à honorer en attendant que j'en aie fini ici.

À mon arrivée, je me suis installé dans une auberge choisie par mes hommes dans la modeste rue de la Houille, plutôt qu'au château de la comtesse, même si mon rang aurait pu, théoriquement, m'en donner le droit. Ici, je suis davantage à mon aise. Libre de mes mouvements. Et je peux tranquillement établir ce qui doit l'être.

Une lourde porte de bois sombre en ogive, une volée de marches de pierres crasseuses qui mènent à une grande salle, voûtée et basse de plafond. C'est le genre d'endroit que j'apprécie. Il a gelé la nuit dernière et, dehors, la respiration des chevaux laisse toujours exhaler un épais nuage de vapeur. À l'intérieur en revanche, la chaleur est aussi forte que le feu de l'immense cheminée, et la bière noire des tribus du Nord, qu'ils servent dans des chopes en terre cuite, coule à flots et tache les épaisses tables de chêne. J'aperçois un groupe de Gamäards, aux cheveux teints en rouge, qui rit fort et s'égosille avec les accents rocailleux des Nains des Forges glacées d'Enibelungen. Leur apparence est rugueuse et grossière mais leur intelligence est aussi aiguisée que le fil de leurs lames, et les armures qu'ils fabriquent n'ont pas leur pareil dans tout le monde connu. Peu importe, ce n'est pas eux que je cherche. Mes yeux se posent ensuite sur la serveuse, elle est avenante et ronde, comme une jolie pomme. Son sourire enjoué montre qu'elle apprécie à leur juste valeur les rires gras et les quolibets explicites des soldats du guet qu'elle est en train de servir, et qui lui disent à quel point le patron de l'auberge a bien fait de l'engager à son service.

Enfin, je repère l'homme dont je surveille les allées et venues depuis avant-hier. Mes gars en ont choisi trois comme lui à prendre en filature : des serviteurs importants du palais qui apprécient de venir quotidiennement se rincer le gosier dans l'une ou l'autre des tavernes de la ville. Les garder tous à l'œil est un boulot de patience et de discrétion, long et fastidieux, souvent ingrat, mais les renseignements que l'on peut espérer recueillir de la sorte valent, bien souvent, les efforts consentis pour les obtenir.

L'homme est assis avec un groupe d'amis, à l'évidence des habitués. Le genre de clients qu'on trouve dans toutes les tavernes du monde, des gars simples qui ont la plaisanterie facile, qui connaissent le patron par son prénom et se comportent exactement comme si l'auberge leur appartenait.

Je m'installe à une table, pas trop loin d'eux.

La bouteille d'hypocras que j'ai commandée arrive rapidement, à peu près en même temps que mon écuyer, qui revient de s'occuper des chevaux à l'écurie. Je sors mon vieux jeu de cartes. Nous jouons. Au bout de cinq parties, de trois verres et d'une grosse assiettée de pain et de fromage, la discussion de la table d'à côté commence à tourner dans la direction qui m'intéresse.

« À croire que les gamins de la truandaille ils doivent pousser trois fois plus vite que les nôtres ! Y en a partout maintenant du brigand. Il paraît que du côté de l'Arnance, c'est au moins une caravane sur cinq qu'est forcée de payer rançon, et en ville c'est pas tellement mieux, y a trois jours mon frangin, il s'est fait larronner sa mule, à même pas vingt pas de la maison du bailli !

— Sans compter les Ogres qui se remettent à tailler du marchand sur la route des Vosges ! Avant-hier, le convoi pour Hambourg… Le vieux Louis, il jure qu'ils ont tous été bouffés !

— Sûr que depuis que le comte a clamsé, c'est de pire en pire. Je sais pas où ça va nous mener, tout ça, mais, si vous voulez mon avis, pas dans le bon sens. Ils en disent quoi, là-haut, au château, Roger ? »

L'homme qui va prendre la parole est celui qui m'intéresse. Un type dans la force de l'âge, moustachu, brun et épais, du genre de ceux qui savent de quoi ils parlent. Il travaille dans les écuries de la maison de Champagne. Chef palefrenier, à ce que j'en sais.

« Ils en disent que la brigande, les Ogres, et tout le tremblement, ça ne va pas tarder à être de l'histoire ancienne… Pour l'ordre, ça, je vous jure qu'on va être servis. Par contre, vu ce qui se profile, je ne suis pas tellement sûr que ça va trop nous plaire ! »

Les autres s'entreregardent un court moment en attendant la suite. Elle ne vient pas. Alors, ils se mettent à presser ledit Roger de questions. Lui, hausse les épaules, faisant mine d'en avoir déjà trop dit. Il va même jusqu'à se faire payer deux chopes supplémentaires pour prix de son indiscrétion. Lorsque, finalement, il estime que ses amis ont suffisamment insisté, il se penche doucement vers eux et, après avoir observé les tables voisines d'un œil qu'il espère, à tort, à même de déceler toute attention suspecte, il commence à parler à voix basse.

À ma naissance, sainte Honorine, la guérisseuse des sourds, a dû se pencher sur mon berceau, et j'ai la chance d'avoir une ouïe excellente – même si, pour une raison qui m'échappe, elle semble n'avoir tenu à s'intéresser qu'à ma seule oreille gauche. En tout cas, mon audition, de ce côté-là, est exceptionnelle. En forêt, pour peu que ce soit dans la bonne direction, je peux entendre le chant d'un merle à deux cents toises de distance et, du moment que c'est par la gauche, si un oiseau s'approche de moi à moins de vingt pas, je suis capable de percevoir distinctement le battement de ses ailes. *Alors un palefrenier qui chuchote en buvant de la bière…*

Il raconte aux autres que, le matin même, alors qu'il était en train de travailler dans les écuries du château, il avait vu arriver la comtesse Catherine, accompagnée de sa fille, Solenne. Elles étaient là toutes les deux pour une de leurs fréquentes promenades matinales. Comme elles se pensaient seules, puisque lui vaquait à ses occupations à l'intérieur d'une des stalles, les deux femmes avaient parlé « tout leur saoul ». La jeune princesse notamment paraissait particulièrement agitée, et il semble que la discussion avec sa mère ait rapidement tourné à l'orage. Le palefrenier n'avait pas tout entendu clairement, mais il en ressortait que la comtesse avait décidé de donner sa fille à marier à l'issue du banquet de clôture du tournoi de la Saint-Rémi et que, bien évidemment, cette décision n'était pas de nature à plaire à la fille en question.

«Pour le marié, la comtesse veut quelqu'un qui soit capable de rétablir l'ordre en Champagne… Du coup, ce sera soit un prince de France, soit un grand de Bourgogne ! »

Les autres s'entreregardent comme s'il venait de leur annoncer que le Diable en personne avait l'intention d'élire domicile à l'intérieur de leur cathédrale.

« Chierie !

— Par les Furies, elle devrait pas avoir le droit de faire ça !

— Autant la peste ou le choléra ! »

Le royaume de France ou le duché de Bourgogne.

Deux prédateurs, voisins de la Champagne, ennemis jurés l'un de l'autre, et suffisamment assoiffés de puissance pour être prêts à tout pour s'emparer du plus riche comté d'Occident. Depuis plus de deux cents ans, la maison champenoise s'enorgueillit d'avoir toujours su louvoyer entre ces deux géants pour conserver sa précieuse indépendance et éviter de tomber dans leurs filets. *Mais, apparemment, cela risque de changer.*

Je trouve cela dommage.

Il y a des générations que les comtes de Champagne jouent avec adresse la carte des alliances, des mariages et des allégeances, afin de conserver les mains libres dans leur domaine. J'apprécie ce genre d'habileté. De père en fils ils se sont débrouillés pour que certains de leurs enfants, de leurs frères ou de leurs neveux deviennent maîtres du puissant Ordre des Templiers, rois de Jérusalem ou princes de Nauplie, et ils ont fait en sorte que chacune de leurs châtellenies – y compris les deux principautés elfiques d'Aëlenwil et des Ardennes – soient tenues en fief des mains d'un seigneur *différent*. Abbés, archevêques, princes, seigneurs des Marches, duc de Bourgogne, roi de France, empereur du Saint Empire romain germanique, *tous* sont officiellement les suzerains des comtes de Champagne, ce qui revient à dire qu'en réalité, *aucun* d'entre eux ne peut l'être réellement. Une sacrée prouesse politique qui a permis aux comtes de faire en sorte que, sur leurs terres, chacun puisse célébrer librement les solstices et les équinoxes elfiques tout autant que les fêtes chrétiennes, et prier les dieux des ruisseaux à l'intérieur de certaines églises. Chaque hiver, la famille des comtes distribue deux setiers de blé à l'intention des foyers les plus pauvres et, comme personne ne paye la taille royale, ni la gabelle, les impôts sont, dans la région, deux fois moins élevés qu'ailleurs en Occident. *Pas étonnant que la nouvelle du palefrenier ait provoqué un tollé.*

Malheureusement pour le comté de Champagne, ses anciennes alliances ont fini par s'éteindre ou se sont grandement affaiblies : il a perdu le royaume de Jérusalem au profit des Sarrasins et des Djinns d'Harakhïm Jebilan, quant à l'Ordre du Temple, il a disparu, étouffé par le roi de France pour avoir osé prendre le parti des races anciennes, à la suite des Croisades noires. Pire, depuis la mort du dernier comte, le brigandage a l'air de se répandre partout, comme un incendie au milieu d'un champ de blé. Il profite du désordre ambiant dû aux migrations des clans ogres et gobelins provenant des monts des Vosges, et déstabilise la quasi-totalité de la région. L'insécurité a toujours été le pire ennemi du commerce, or, le commerce, c'est le sang qui bat au cœur de la Champagne.

Jamais le comté n'avait connu une telle situation

de faiblesse par le passé, et le fait qu'il soit à présent dirigé par une femme, une Elfe, qui plus est, princesse de la maison d'Aëlenwil, le fragilise encore davantage. Les évêques de l'Inquisition s'en donnent à cœur joie dans leurs prêches, ils surnomment la comtesse *la putain elfique*, et ils appellent à demi-mot tous les bons chrétiens à œuvrer à sa destitution. Leur influence n'est pas assez importante pour que la dame de Champagne ait véritablement à s'en inquiéter de manière directe, mais cette prise de position est suffisante pour aiguiser les appétits du puissant, et très chrétien, royaume de France. Celui-ci n'a de cesse de rappeler, haut et fort, que c'est *lui* qui a placé le premier comte de la famille actuelle au pouvoir, en lui octroyant une certaine indépendance, il y a de cela deux siècles.

Heureusement pour la Champagne, elle a encore les moyens de faire fonctionner son petit jeu d'équilibriste. Au sud, face à l'appétit des Français, se dresse un autre pouvoir en pleine expansion : la puissante Bourgogne, héritière du vieux royaume des Burgondes et de la France médiane. Pour moitié plus petite que son adversaire, elle possède cependant la force militaire et surtout la richesse pour défier le royaume dont elle est issue, droit dans les yeux. Et elle aussi rappelle depuis quelque temps à qui veut l'entendre qu'*avant* l'implantation de la lignée champenoise actuelle par les Français, c'est aux ancêtres des Bourguignons que les fils de Charlemagne avaient confié les terres de Champagne.

Pour le royaume comme pour le duché, ce très riche comté représente donc un mets de choix. Seulement, pour chacun d'entre eux, tenter de s'en emparer par la force signifierait, automatiquement, entrer dans une guerre sans merci, l'un contre l'autre. Avec le risque inévitable de s'affaiblir mutuellement et d'ouvrir ainsi une brèche dans laquelle d'autres ennemis – à commencer par les Anglais – pourraient bien, à leur tour, décider de s'engouffrer.

Alors, l'idée d'un mariage…

La comtesse elfique ne peut, à l'évidence, plus se permettre de diriger seule son comté. Elle a *besoin* d'un appui puissant, et une alliance matrimoniale serait le moyen de résoudre une bonne partie de ses problèmes, sans pour autant l'entraîner dans un conflit, long, dangereux et, sans nul doute, particulièrement coûteux. Ce qui va se passer paraît donc très clair : chaque camp va lui proposer un prétendant et celui qu'elle choisira emportera le pucelage de la jeune Solenne, en même temps que la Champagne tout entière, en cadeau de mariage.

D'après ce que le palefrenier raconte en ce moment même à ses amis, l'idée de perdre sa virginité au service de sa famille n'enchante que très modérément la principale intéressée. Il explique l'avoir entendue tempêter autant que son statut de princesse le lui avait permis, allant même jusqu'à menacer de s'enfuir si on ne tenait pas compte de ses avis et de ses envies. Le son de la claque qu'elle avait alors sèchement reçue de sa mère avait, selon l'homme, résonné dans toute l'écurie. Puis la comtesse avait pris sa fille dans ses bras et lui avait expliqué, avec une ferme douceur, que les princesses de Champagne se devaient, avant tout, de faire leur devoir et de protéger le comté, quoi qu'il puisse leur en coûter. Tel était le prix du pouvoir. Là-dessus, les chevaux étant prêts et sellés, elle avait donné l'ordre du départ, et ledit Roger n'en savait pas davantage.

Quelques instants de silence.

« Vains dieux de merde !

— Craché, que j'aimerais autant le retour de l'Inquisition. »

À la tablée, chacun avale quelques gorgées, puis les conversations reprennent, on débat sur le parti qui a le plus de chances de l'emporter, et on imagine ce qui se passerait si jamais les tribunaux de la Très Sainte Inquisition finissaient par revenir mettre leur nez dans les affaires du brave peuple de Champagne.

Edric m'a battu, six parties à quatre. Pour la première fois je n'ai pas réussi à repérer la manière dont il a triché. Il progresse vite. C'est une qualité que j'apprécie particulièrement chez mes hommes.

Correspondance du professeur d'archéologie médiévale, Michaël Konnigan, avec Charles Chevais Deighton, rédacteur au *Times*. Saint-Pétersbourg, le 22 mars 1899.

Cher Charles,

Il fait un froid de loup ici, et je ne suis pas mécontent que la jolie Tatiana Katchenovskaïa nous ait accompagnés dans notre périple. Son père et moi avons réussi à mettre au jour les deux mausolées de Kubinka et Zvenigorod, et son aide nous a été précieuse pour déchiffrer les symboles rituels des céno-taphes. Je t'enverrai des photographies des tombes, de la jeune fille, des ossements et des différents objets funéraires sous peu, en même temps que l'article que je compte rédiger, pendant que je serai dans le train qui, dès demain matin, va entreprendre de me mener à Paris.

Le danger que présente un tel voyage est loin de m'échapper. Si d'aventure les sbires du Baron de Caronne me mettent le grappin dessus, j'aurai intérêt à numéroter mes abattis. Pour autant, l'occasion qui vient de se présenter est de celles que l'on ne peut refuser, comme tu vas pouvoir en juger : il y a trois jours, un homme est descendu à mon hôtel en demandant à me voir. Un

Français, Auvergnat à son accent, grand et large d'épaules, en costume trois-pièces, sans fourrures malgré le froid. Il avait été commandité, selon ses propres dires, afin de me remettre en main propre un colis en provenance de France, et il était accompagné par quatre autres armoires à glace du même acabit que lui. Une véritable armée privée dans le but d'escorter un simple paquet…

Mais quel paquet, mon ami ! Adressé à mon nom véritable de Kergaël de Kosigan et émanant d'un certain notaire parisien : maître Isidore de Broglie, il contenait bien plus d'énigmes qu'il n'en fallait pour me détourner de mes recherches, ici, en Russie. À commencer par une lettre, qui mentionnait une affaire d'héritage, sous la forme d'un coffre provenant d'un de mes lointains ancêtres. Et pas n'importe lequel. Nul autre que le chevalier Pierre Cordwain de Kosigan, dont j'ai rebattu tes grandes oreilles décollées durant l'essentiel de nos années de jeunesse ! À titre de confirmation, le notaire a eu l'obligeance d'ajouter à l'envoi un sceau ancien lui ayant appartenu. Un sigil de deux pouces un quart, en argent, abîmé par deux rayures profondes sur son pommeau, mais dont la matrice correspond à la perfection à celle qui cachetait la lettre accompagnant mon berceau, lorsque j'ai été recueilli par l'Institution des innocents. Et comme si cela ne suffisait pas, une avance de deux mille livres sterling accompagnait le tout ! Sans doute pour le cas où me prendrait l'envie folle d'acheter le Nord-Express qui, par l'intermédiaire d'un wagon-lit de première classe, va se charger de me ramener à Paris via Königsberg, Varsovie, Berlin, Cologne et Bruxelles.

Si c'était Noël je dirais que je n'en ai jamais connu d'aussi extraordinaire, seulement nous ne sommes qu'en mars… Qui a bien pu réussir à faire le lien entre un jeune escroc parisien mort noyé dans la Seine il y a plus de dix ans et le très honorable professeur d'archéologie britannique, collaborateur du British Museum, que je suis devenu ? Est-ce que personne ne leur a dit que l'on n'était pas censé rechercher les morts ? Et quel est donc ce fantôme de chevalier dont l'héritage semble tomber du ciel, alors que – tu es bien placé pour le savoir – j'ai fouillé pendant des années toutes les archives possibles et imaginables sans jamais réussir à trouver la moindre preuve tangible de son existence ?

Tout cela oscille entre le singulièrement-suspect et le trop-beau-pour-être-vrai, mais la curiosité, tout autant que le danger, m'excitent comme un gamin de huit ans qui viendrait de découvrir un coffret de pistolets de duel dans un vieux grenier. Aurais-tu l'obligeance de voir avec ton beau-père si Scotland Yard a un dossier sur le notaire en question ? Éplucher un peu tes archives dans le département « escroqueries à l'héritage » pourrait également s'avérer instructif.

De mon côté, la prudence va être mon maître-mot désormais, car si jamais c'est la fille du Baron, ou son frère, qui ont découvert toi et moi étions encore en vie, il est très possible que cette affaire ait alors un goût de vengeance cachée qui pourrait s'avérer des plus désagréables. En homme soucieux de ma propre sécurité, je finirai la route à cheval depuis Bruxelles, resterai toujours armé et te tiendrai au courant très régulièrement des tenants et des aboutissants de ce que je pourrai découvrir. N'hésite pas, toi aussi, à prendre quelques précautions. Mon nombre de meilleurs amis est trop limité pour que je puisse me permettre d'en perdre un en ce moment.

Mes amitiés à Mary.

Kergaël.

Post-scriptum : pour me contacter, écris ou télégraphie à mon nom officiel de Michaël Konnigan, au petit hôtel que nous avons déjà utilisé une fois et dont tu connais l'adresse.

Cité comtale de Troyes, le 6 novembre de l'an de grâce 1339, à l'extérieur des remparts.

C'est le jour des inscriptions. Le froid est humide et une brume matinale, un peu déchiquetée, plane aux abords des remparts blancs des murs d'enceinte. Elle a remplacé la grêle qui, durant toute la nuit, a fait résonner les toits et les murs de la ville.

L'endroit où va se dérouler le tournoi est déjà noir de monde. Pas encore de spectateurs bien sûr, mais un grand nombre d'artisans, de chevaliers, et toute une armée d'écuyers et de serviteurs, plus affairés et pressés les uns que les autres. Pas mal de gamins aussi, un peu plus à l'écart, attirés comme des papillons de nuit par leur curiosité et leur désir d'héroïsme. Les enfants aiment à s'imaginer le panache au vent et la lance fendant l'air, bravant mille dangers aux couleurs de leur belle ou au nom de l'honneur de leur suzerain. Tous, ils jouent à être des guerriers, tous ils rêvent de combat et de faits d'armes. Tous les garçons en tout cas. Peut-être que quelqu'un devrait se charger de les avertir que le sang et la mort transforment immanqua-blement ce genre de rêves en cauchemars, et que, sur dix chevaliers faits, neuf ne dépasseront jamais le bel âge de trente ans.

Sur la droite, accolés aux murailles, les charpentiers finissent de construire les gradins et les lices nécessaires à un tournoi de cette envergure. Aux alentours, une forêt de tentes s'est installée. Elle s'étend sur plus de trois cents toises à la ronde. Les armoiries, les oriflammes et les couleurs chatoyantes des toiles sont toutes attristées par la grisaille ambiante et amollies par l'humidité. Elles n'en révèlent pas moins les origines de leurs propriétaires. Des chevaliers venus de toute la chrétienté ont fait le déplacement afin de se disputer les prix offerts par la comtesse. Les moins connus devront s'affronter dès cet après-midi, en joutes et en combats préliminaires. Ce ne sera pas mon cas. J'ai ma petite réputation au jeu des lances et des épées et il m'arrive de remporter un tournoi, de temps à autre. Ma place est donc entièrement acquise.

J'avance, accompagné par Edric. Nos bottes sont rapidement couvertes de la boue des flaques et des chemins, mais elles sont épaisses et solides et nous n'en avons cure. Je note, en passant, la présence d'un abri de feuillage elfique, je repère des Teutoniques et des Espagnols, et il y a également tout un quartier de tentes réservé aux Anglais. La configuration de certains éléments de gradin me paraît intéressante.

Les Français sont venus en masse, on croirait une véritable invasion. J'aperçois quelques grises mines qui détournent le regard en rencontrant le mien. Certains doivent avoir eu le douloureux honneur de croiser ma route par le passé. Les Bourguignons sont nombreux également. Mes pires ennemis à ce qu'il paraît. Je reconnais beaucoup d'entre eux, du temps, dans ma jeunesse, où j'étais encore l'un des leurs. Il y a là le puissant Gérard d'Auxois, comte et baron de Semur et d'Armançon, ami proche du duc de Bourgogne et, au passage, de mon oncle paternel, le comte Borogar de Kosigan ; Gauvain de Dole, toujours un peu bossu, mais vicieux comme la peste ; le petit mais râblé Jean de Vicrey dont la sœur, Roxane, a été l'une des premières à m'accorder ses faveurs ; les trois frères d'Arcy également, dont je n'ai jamais réussi à me rappeler les prénoms dans l'ordre, et bien d'autres encore. Leurs visages me sont familiers mais leurs regards me dévisagent avec sévérité.

Il est trop tôt pour les provocations, alors je poursuis mon chemin.

Français et Bourguignons sont trop nombreux pour être à Troyes uniquement pour le tournoi, c'est la Champagne tout entière qui est leur véritable enjeu, et chacun va chercher à peser sur le choix de la comtesse pour l'attirer dans son camp. Il va falloir que je joue particulièrement serré.

La file de ceux qui attendent de s'inscrire apparaît au détour de la tente bleue et or d'un chevalier champenois. Edric et moi, nous nous y joignons. Juste derrière nous, comme s'ils nous avaient suivis, se placent Gérard d'Auxois et quelques autres de ses amis bourguignons. Le d'Auxois en question, j'avoue que j'ai un peu hâte d'en découdre avec lui. Souvenirs d'une ou deux fois où il m'avait mis une tannée dans la cour du château de mon oncle, quand on était plus jeunes. Les quatre ans de plus qui lui donnaient autrefois un avantage considérable ne devraient plus faire tellement de différence aujourd'hui. Et je n'ai jamais dédaigné les plats qui se mangent froids.

La file avance et c'est mon tour.

Derrière la large table de chêne plus ou moins plantée dans la boue, couverte de papiers et de plumes d'écriture et protégée par un toit de toile, officient deux échansons, sous l'œil attentif du vieux Gaston de Tailly. Celui-ci, chambellan et premier conseiller de la comtesse Catherine, a la grande taille voûtée, ainsi que la mâchoire prognathe et le regard calme et serein, de celui qui est plus intelligent que la personne à qui il s'adresse. C'est son sceau qui est apposé en bas de chaque nouvelle inscription au tournoi et c'est lui qui a le pouvoir de décider qui peut, ou qui ne peut pas, prétendre à concourir. De nombreux gardes de la maison de Champagne sont également présents autour de lui et un archer elfe observe la scène, posté devant une tente, à une quinzaine de pas. De toute évidence, on veut décourager les fauteurs de troubles et éviter les échauffourées entre les chevaliers des différentes factions rivales.

« Vous êtes le fils de Gregor de Kosigan, n'est-ce pas ? Le neveu du comte Borogar ? Celui qu'on surnomme le Bâtard de Kosigan ? »

C'est de Tailly qui vient de s'adresser à moi en plaçant une main autoritaire sur le bras de l'échanson qui s'apprêtait à écrire mon nom sur le registre. Son visage est dur et le froncement de ses sourcils montre clairement à qui veut la voir son évidente hostilité à mon égard.

« Bien malgré moi monseigneur. Comme la plupart d'entre nous, je n'ai pas eu le loisir de choisir ma famille. »

Beaucoup de monde me connaît en Flandre, en

France et en Bourgogne, et mon épée est allée se battre jusqu'en Italie, et plus récemment jusqu'en Angleterre, pourtant, je dois l'admettre, ma réputation est loin d'être partout des plus reluisantes. Chevalier bâtard, sans vergogne, exilé de son comté natal. Mercenaire, capable des pires bassesses pour arriver à ses fins. Traître. Bonimenteur. Assassin. Homme à femmes. Détourneur de jeunes filles. D'aucuns m'accusent d'avoir échangé mon âme avec le Diable et beaucoup aimeraient m'envoyer en enfer pour discuter avec lui de l'avenir d'un tel pacte.

« Je vais aller droit au but, Kosigan, je ne pense pas que vous ayez votre place dans notre tournoi. »

La réaction exacte que j'espérais. Ce qui ne m'empêche pas de la trouver d'une grande injustice. Je n'ai jamais rencontré le chambellan par le passé, ni ne lui ai causé le moindre tort. À ma connaissance, je n'ai jamais non plus fait de mal à une quelconque personne de sa famille, ni lésé un de ses proches. Il aura donc suffi que ma mauvaise réputation et moi nous nous rendions hier à la messe dominicale de la cathédrale Saint-Paul, et que, lors de la sortie, nous nous approchions, quelques courts instants, pour adresser de simples hommages à sa fille, pour que l'inquiétude et la méfiance ne poussent le chambellan à nous vouer instantanément une hostilité soupçonneuse. Il est bien triste de voir que de tels préjugés gouvernent ainsi le monde. Fort heureusement pour moi, en cette occasion, il faut admettre que cela m'arrange.

« *Votre* tournoi ? Je croyais que l'invitation venait de la comtesse en personne.

— Inutile de jouer sur les mots, chevalier. C'est

moi qui suis en charge des inscriptions ici. Et je veux que vous partiez. »

Avec une intensité silencieuse, mes yeux s'emparent du regard de Tailly et ne le lâchent pas pendant une bonne poignée de secondes.

« Vous comptez réellement *m'interdire* de me présenter ? »

Ses sourcils se froncent mais il mord légèrement sa lèvre supérieure, signe que, malgré son animosité, il n'est pas entièrement sûr de son fait. Il sait pertinemment qu'il n'a pas affaire au premier venu et que mes faits de tournoi, ainsi que mon appartenance au prestigieux ordre de chevalerie de Saint-George, devraient me donner le droit de m'inscrire sans l'ombre d'une hésitation. Sans compter que certains grands seigneurs de mes amis pourraient prendre ombrage de ce qu'on m'interdise de participer.

« Messire de Kosigan, il y a ici bon nombre de chevaliers bourguignons, amis de votre oncle. Et donc potentiellement dangereux pour vous… »

Il cherche une échappatoire.

« Et alors ? »

Il hésite.

« Je ne souhaite pas que quelque chose de fâcheux vous arrive. »

Nous y voilà.

« Dans ce cas, n'ayez aucune crainte pour moi. Les chevaliers bourguignons sont des pleutres et ils ne se battent guère mieux que des puterelles effrayées, je ne risque absolument rien ! »

Il ne faut guère plus de quelques secondes aux Bourguignons, derrière moi dans la file, pour réagir à mes paroles. Une lourde main gantée s'abat sur

mon épaule et une grosse voix rauque gronde sour-
dement dans mon dos.

« Surveille tes paroles, Kosigan ! »

Je me retourne pour faire face à un baron d'Auxois
dont la poigne, les pupilles et les mâchoires serrées
proclament l'indignation.

Cela faisait un certain temps que j'attendais ça.

Je le fixe droit dans les yeux.

« Je ne dis rien d'autre que la vérité, d'Auxois.
Regardez-vous, avec votre gros ventre et votre barbe
à bière. Et regardez les d'Arcy, on croirait trois cha-
tons tout mouillés. Entre vous et les petites damoi-
selles en armure qui vous accompagnent, je ne vois
vraiment pas ce que je pourrais avoir à craindre sur
un champ de bataille. Vous n'êtes pas de cet avis,
chambellan ? »

Je pose la question sans quitter le Bourguignon
du regard. Tourner sciemment le dos à un taureau
qui commence à voir rouge risquerait d'être une très
mauvaise idée.

« Espèce de sale... de sale petit...

— Bâtard ? C'est le mot que vous cherchez,
d'Auxois ? N'ayez crainte, on m'appelle souvent
comme ça, je ne le prendrai pas mal, surtout si cela
vient de vous. »

Après tout, c'est très exactement ce que je suis : un
bâtard. Le fils illégitime d'un des plus puissants seigneurs de Bourgogne et d'une simple cuisinière. Une
marque de honte cinglante pour une grande famille
comme la mienne. Bien sûr, les enfants bâtards sont
monnaie courante sur les terres de Bourgogne – le
moindre des chevaliers en compte, au bas mot, cinq
ou six, disséminés dans les champs ou les ateliers
d'artisans de son domaine – mais on a en général le

bon goût de les renier et le seul choix qui leur est donné est de demeurer sagement dans la fange et dans la roture dont ils sont partiellement issus.

Mon père, lui, adorait ma mère. Il lui vouait un amour profond. Bien plus fort que tous les sentiments qu'il a jamais pu ressentir pour moi, d'ailleurs. C'est pour elle qu'il a bravé la colère familiale en décidant de reconnaître officiellement mon existence, faisant ainsi de moi son fils à part entière et son héritier légitime. Il ne me l'a jamais vraiment pardonné. Du plus loin que je me souvienne, il m'a toujours appelé *bâtard*, et ça a d'ailleurs été également le cas des autres membres de ma famille, exception faite de ma mère…

Une espèce de deuxième prénom en quelque sorte.

Alors, quand l'exil a fait de moi un mercenaire et que tuer est devenu mon lot quotidien, j'ai choisi d'adopter cette insulte en tant que nom de guerre : *le Bâtard de Kosigan*. J'en aime la sonorité, l'impact qu'il peut avoir sur mes ennemis et, jusqu'à présent, je n'ai jamais eu à le regretter.

« Vous êtes un moins que rien, Kosigan ! Je peux vous jurer que si j'étais votre oncle, il y a longtemps que je vous aurais dressé. Une bonne fois pour toutes !

— Il s'y est cassé les dents, figurez-vous. Mais peut-être que vous auriez envie de tenter votre chance ? »

Cette fois, il m'empoigne à deux mains par le col de mon surcot et me transperce du regard.

« Je vous conseille sincèrement de ne pas me le proposer deux fois. »

Je souris. D'un air volontairement un petit peu

trop sûr de moi afin de ne pas prendre le risque de faire retomber la tension.

« Trêve de gamineries, d'Auxois. Lâchez mes vêtements ! Sinon, je vais être obligé de vous donner la leçon que vous méritez.

— Tu crois vraiment que tu peux jouer au malin comme ça et t'en tirer à si bon compte, *bâtard* ? Je te lâcherai quand je l'aurai décidé, c'est bien compris ? »

Mon genou droit remonte brutalement dans son entrejambe et heurte sa cible avec une violence sèche.

« C'est bien compris. »

J'ai en partie retenu mon coup mais il s'effondre tout de même au sol. Et ses yeux exorbités se joignent à un long râle rauque, pour exprimer la note aiguë de sa douleur.

« Quelqu'un d'autre ici souhaite me témoigner son affection ? »

Les cinq chevaliers bourguignons qui accompagnaient le baron tirent leur épée presque comme un seul homme. Je dégaine moi aussi. L'aîné des frères d'Arcy me foudroie du regard en s'approchant de moi.

« La peste soit sur toi, sale faussard ! »

Son arme fend l'air à la recherche de ma jambe droite mais elle ne rencontre que le vide. Une esquive, un coup sec pour dévier sa lame et la pointe de mon épée finit sur son cœur, prête à s'enfoncer au moindre signe d'agressivité des autres à mon égard.

Le bruit mat d'une flèche qui se plante dans le sol à moins d'un empan de mes pieds fige la scène d'un seul coup.

« Il suffit vous tous ! Rengainez vos lames ! Si vous voulez vous battre, vous pourrez le faire demain ! »

De Tailly a attendu aussi longtemps qu'il le pouvait avant de faire signe à l'archer elfe de tirer pour mettre fin à l'échauffourée. Il a offert à mes adversaires une chance de me blesser pour que la question de ma participation au tournoi ne se pose plus. Cela n'a pas fonctionné.

« Quant à vous, messire de Kosigan, puisque vous tenez *tant* à participer à ce tournoi, nous allons nous faire une joie de vous y inscrire ! »

Je rengaine mon épée sans quitter du regard les Bourguignons.

« Il était temps, messire chambellan, je commençais à croire que vous aviez quelque chose de personnel contre moi. »

Sans plus perdre de temps, j'appose mon sceau sur le registre des échansons, tandis que d'Auxois se relève avec difficulté.

« Tu me paieras ça, Bâtard, je jure que tu me paieras ça !

— Je reste à votre entière disposition, d'Auxois, ainsi qu'à celle de vos amis. Mais pour l'heure, je vais vous laisser vous inscrire, c'est votre tour il me semble, et j'ai d'autres obligations qui m'attendent. »

Je fais quelques pas à reculons avant de juger la distance suffisante pour me retourner et quitter les lieux.

Edric me rejoint un peu plus loin, au détour d'une tente.

« Vous aimez bien chercher les ennuis, vous, pas vrai, messire ?

— Tu as fait ce qui était prévu, Edric ? »

Il me tend le sceau dérobé au chambellan.

« Si fait, monseigneur, ça a été facile, ils avaient tous les yeux rivés sur vous. Mais, si je peux me

permettre, qu'est-ce que vous allez en faire maintenant?»

Je lui adresse un demi-sourire et lui place la main
sur l'épaule.

«Mon jeune ami, si quelqu'un décide de te torturer pour te le demander, n'hésite pas à lui raconter
une belle histoire de ton cru.»

Je le pousse fermement en direction des portes de
la ville. «En attendant, file, tu as encore du travail.»

Une bonne recrue, ce petit. J'espère sincèrement
que les événements à venir ne m'obligeront pas à le
sacrifier.

Paris, le 29 mars 1899.
Correspondance de Kergaël de Kosigan avec Charles Chevais Deighton.

J'y suis mon vieil ami,

Paris, enfin. Après toutes ces années !
À mon arrivée, mon cœur ne m'a pas laissé le choix, il m'a entraîné droit en direction du port, autant pour semer toute filature éventuelle que pour retrouver le goût brumeux de mes souvenirs. Rien n'a changé ici ou peu s'en faut. L'énorme dédale de pontons, de quais, de magasins, de hangars, de grues fixes et roulantes, de bigues, d'entrepôts, de rails s'étend toujours, accroché comme un bébé monstrueux le long des coques sombres et des gréements des navires. Les remorqueurs à vapeur sont bien plus nombreux qu'il y a dix ans, leurs sombres expirations se nourrissent de charbon et d'acier et, mêlés aux chalands et aux navires de la Compagnie générale des bateaux parisiens, on croirait assister au ballet insensé d'une immense flotte de guerre devenue folle. Comme par le passé, les dockers, les marins et les vendeurs-de-rien crient et haranguent, et, toujours, on trouve quelques bandes d'apaches[1]

1. Voyous parisiens.

désœuvrés ici et là, à l'affût de quelque mauvais coup. Exactement comme au bon vieux temps, lorsque nous nous échappions en douce de l'Internat pour venir rejoindre les Arfeuilles et préparer nos plans pour suborner quelques étudiants de la Sorbonne.

Demeurer constamment sur mes gardes gâche, évidemment, une partie du plaisir, mais avoir à nouveau l'opportunité de se promener dans Paris tient tout à la fois du miracle et du délice. Au matin, la pâleur du soleil de mars se mêle aux volutes de la surface de l'eau pour figer la Seine dans une langueur paresseuse et dorée, et le pont d'Austerlitz semble faire le gros dos pour accueillir les rails du tramway qui lui chatouillent l'échine. Les fleurs des marronniers débordent du Jardin des plantes, en saupoudrant les passages qu'ils surplombent de sel et de flocons, quant aux dentelles des robes corsetées de quelques élégantes, elles rappellent aux promeneurs que malgré la froidure encore tenace et la misère des pauvres, le printemps se dirige peut-être vers des jours meilleurs.

De la récente tentative de coup d'État de Déroulède, on ne repère trace nulle part.

Si tu voyais comme le reste de la ville a changé. Le carrousel des Jacobins a été fermé il y a cinq ans et le Café des Rossignols, l'année dernière. En revanche sur la rive droite, les travaux en vue de la prochaine exposition universelle sont presque achevés et le résultat arrache littéralement les abords des Champs-Élysées à leur vieille chrysalide. Et je ne te parle même pas de la fameuse tour Eiffel ! Des dizaines de milliers de tonnes de métal, dressées comme une sorte de flèche de Babel, élégante et mystérieuse, en direction du ciel. Trois cents mètres de délicatesse pointés vers le haut, inutiles mais farouchement impressionnants. Les Britanniques ont sans nul doute l'intelligence froide de ceux qui se savent supérieurs aux autres, mais de retour ici, je me rends compte à quel point l'habileté et le génie français ont pu me manquer.

Presque par réflexe, mes pas m'ont peu à peu mené vers l'île de la Cité et nos anciens terrains de jeu du Quartier latin. Au détour de la rue de la Bûcherie, comme c'était prévisible, j'ai eu l'occasion d'apercevoir Petit-Pierre et Cent-Doigts occupés à faire un passe-passe, l'un et l'autre ont pris un coup de vieux mais à l'évidence les Arlequins de Caronne sont toujours en activité. Comme je te l'ai dit, je fais preuve d'une grande prudence et je peux mettre ma main au feu que, pour l'instant, personne n'a eu le loisir de me reconnaître. L'eau a coulé sous les ponts depuis notre fuite pour l'Angleterre, Charles, et le meurtre du Baron remonte à belle lurette. Selon moi, venir à Paris aujourd'hui ne comporte plus grand risque ; pour autant, bien sûr, que nous sachions demeurer à la place qui doit rester la nôtre, dans l'ombre.

Mon rendez-vous avec maître Isidore de Broglie, le notaire dont je t'ai parlé et qui m'a contacté à propos de l'héritage de mon grand aïeul, le chevalier de Kosigan, est pour demain. Je me suis procuré de la dynamite. Au cas où l'entrevue s'avère être un piège dont il faudrait s'extirper aux forceps. Mais j'espère ne pas en avoir l'utilité. En tout cas je suis sacrément pressé d'avoir le fin mot de toute cette histoire.

Compte sur moi pour te tenir au courant au plus vite,

Bien à toi,

K.

7

Cité comtale de Troyes, nuit du 6 au 7 novembre de l'an de grâce 1339, aux environs de la mi-nuit.

La chaude couverture de laine et de peau me préserve du froid intense de cette période de l'année, et le lit confortable et matelassé de la meilleure chambre de l'auberge devrait pouvoir m'offrir un sommeil réparateur. Pourtant ce n'est pas le cas. Les brumes du repos ne m'empêchent pas d'avoir plus ou moins conscience de la pluie qui tombe au-dehors. Elle cliquette et clapote sur les toits et répand partout une atmosphère de froide humidité.

J'ai encore fait ce rêve affreux, celui avec les loups et ma mère, celui où je cours dans les bois comme un dératé, une course effrénée, désespérée, poussée par une peur sans nom et par la sensation viscérale que le monde entier, derrière moi, est en train de s'effondrer et de tomber en lambeaux. Mon cœur bat au rythme de l'accélération, presque à exploser, et je suis submergé par un sentiment d'urgence et de danger, alors qu'une pluie de plumes rouge sang tombe du ciel. Pour quelle raison étrange fait-on parfois ce genre de rêves? Et pourquoi certains d'entre eux s'acharnent-ils à se répéter, encore et encore, comme s'ils étaient dotés d'une volonté propre ?

Je l'ignore.

Le vieux Cray Ildën Haldoravin, le très sage et très respecté Gardien des runes de la forteresse naine de Tol Amos, en Haute Bretagne, prétend que les rêves dérivent dans un monde d'ombres et de ténèbres issu des restes de l'esprit des dieux des dragons. Ces restes, selon lui, se seraient, depuis des milliers et des milliers d'années, mélangés aux échos des magies les plus sombres et aux hurlements des âmes tourmentées par la violence de leur propre mort, afin de faire naître l'essence des cauchemars. Il affirme que certains mages très puissants des temps anciens avaient le pouvoir de contrôler le flot incessant de cette essence, et que certaines des images les plus dangereuses de l'Oniros étaient capables d'influencer les esprits, au point parfois de les rendre fous, ou même de les détruire.

Je souris dans les brumes qui marquent la fin du rêve.

Le cauchemar, cette fois, n'a réussi à m'éveiller qu'à demi. À croire qu'avec le temps, je deviens plus fort que lui. Le flot chaotique des rêves s'apaise peu à peu et commence à distiller dans mon esprit des images plus agréables de couleurs claires et de navires lumineux, glissant sur un océan mouvant de hautes herbes pâles. Voilà qui est mieux.

Du fond de mon inconscient, quelque chose, cependant, me tire vers le réveil. Des bruits, légers mais inhabituels. Le flou du sommeil s'éloigne, remplacé presque instantanément par la clarté et la tension qui précèdent le danger. On est en train de forcer la fenêtre. Depuis l'extérieur. Quelqu'un cherche à entrer. Et il tente de faire preuve de la plus grande discrétion. Ses mouvements sont lents et les bruits qu'il produit seraient quasiment inaudibles pour toute personne normale. Le loquet de la fenêtre est déjà poussé, les battants déjà écartés et il est en train de découper délicatement la peau de veau huilée qui isole la chambre du froid de l'extérieur. La voie est libre, il peut entrer.

Je serre les dents et me prépare à ce qui ne va pas manquer d'arriver. Edric respire fort et se retourne dans son lit, côté mur.

Je referme la main sur la garde de mon épée nue, glissée, comme à l'habitude, le long du côté du sommier et, tout en feignant de continuer à dormir, j'observe l'intrusion de mes yeux mi-clos.

Ce n'est pas une, mais trois formes qui se glissent dans la chambre, avec la souplesse de chats de gouttière. La troisième replace une plaque de bois sur la fenêtre pour atténuer les bruits provenant de l'extérieur, ainsi que la faible luminosité lunaire. *De vrais professionnels.*

Et ils sont à trois contre un.

Mon cœur bat un peu plus vite.

Les silhouettes qui ont envahi la chambre sont petites. Pas plus de deux coudées et demie de haut. Peut-être des Semi-Hommes ou des Babelets. L'une d'elles passe devant Edric endormi sans ralentir d'un pouce et se rapproche prestement de mon lit. Je devine une lame, serrée dans sa main droite.

Tout va se jouer maintenant.

J'attends aussi longtemps que je le peux.

Encore un peu.

Encore.

Alors que le poignard effilé s'abat sur moi, ma

main gauche jaillit et bloque net le poignet qui le tient. La garde de mon épée, tenue dans ma main droite, frappe avec violence la gorge de mon assaillant. La surprise et la brutalité du coup compensent la gêne occasionnée par les couvertures, et le corps de mon ennemi s'effondre, sans le moindre cri.

La réaction des deux autres n'en est pas moins instantanée.

Je hurle en me levant d'un bond dans l'espoir de jouer sur leur frayeur, mais il est déjà trop tard. Les couteaux de lancer sifflent dangereusement dans les airs. Dans un réflexe désespéré, je me jette au sol, mais cela ne suffit pas. Leur vitesse d'exécution a été trop grande. La première lame s'enfonce d'un coup dans mon ventre, juste au-dessous du nombril, quant à la seconde, elle se loge en plein entre deux côtes, du côté droit. J'essaie de me relever pour leur faire face mais la douleur me vrille le corps et je ne peux que retomber lourdement à terre, en criant.

8

Edric de Gray est originaire d'une petite bourgade de Haute-Saône, à deux jours de voyage de la capitale des ducs de Bourgogne. Alors que certaines familles, même royales, se lamentent que Dieu leur refuse un héritier mâle, il est, quant à lui, le neuvième fils d'un de mes vieux amis, Bernon de Gray, et de la très féconde Richehilde d'Ancier.

Son père et moi, nous nous sommes connus au temps de notre jeunesse. Il était attaché au château des Kosigan comme écuyer de sir Edmère de Changres, un banneret de mon oncle. Aujourd'hui large de pantalon et fort en voix, il avait été, à l'époque, un ami rugueux mais fidèle, dont le soutien m'avait plus d'une fois sauvé la mise face aux autres gamins du château. Et Dieu sait que cela n'était pas toujours une mince affaire. C'est également avec lui que j'avais placé un seau de fumier au-dessus de la porte d'entrée de l'écurie, afin de signifier au maître des palefreniers que nous étions en désaccord. Une nuit, Bernon et moi avions en effet eu le malheur d'emprunter deux de ce que l'homme considérait comme étant « *ses* meilleurs chevaux », juste histoire d'aller s'amuser un peu à battre la campagne. Malheureusement, l'aîné de mes cousins et un de ses amis avaient été témoins de notre départ et ils s'étaient tous deux empressés de nous dénoncer à qui de droit. Le maître palefrenier avait qualifié notre petite escapade de « vol » et il nous avait collé au pain sec et à l'eau pendant deux semaines, avec cinq bons coups de fouet chacun en prime. Des bêtises de gosses. Quant au seau de fumier que nous avions décidé de lui offrir en remerciement de ses gentilles attentions, nous avions calculé notre coup de façon à ce qu'il lui tombe en plein sur la tête. Et pour faire bonne mesure, nous avions aussi pris soin d'emprunter les bottes de mon cousin Vladimir, ainsi que celles de son ami, Geoffrey d'Arcy, de manière à ce que ce soient *leurs traces à eux* que l'on retrouve aux abords de l'écurie. Une modeste contribution à l'immanence de la Justice…

Enfin, toujours est-il que, de son neuvième fils, Bernon de Gray ne savait pas quoi faire. Outre son héritier, traditionnellement rattaché à la maison de Changres, affiliée à Kosigan, il s'était débrouillé pour placer ses triplés, en tant que pages ou écuyers, dans diverses maisons mineures de Bourgogne. Les deux suivants avaient pris les ordres. Quant aux jumeaux qui étaient nés par la suite, il avait eu toutes les peines du monde à trouver un maître à qui les confier. Des guildes d'artisans avaient finalement accepté de se charger d'eux. Et Bernon s'était promis, craché, juré, qu'il n'aurait plus jamais d'enfants. Pour en être bien sûr, il avait d'ailleurs cousu une croix rouge sur sa cape et son surcot, et s'en était allé guerroyer contre les Orcs d'Espagne et les Sarrasins.

À son retour, huit ans plus tard tout de même, il ne put que constater que, soit la belle, large et voluptueuse Richilde descendait en ligne directe de la Vierge Marie en personne, soit il lui était poussé deux belles cornes pendant son absence. Rien d'étonnant à cela d'ailleurs, lorsque l'on abandonne ainsi une femme plusieurs années durant, il paraît évident qu'il ne faut guère s'attendre, en rentrant, à retrouver une sainte.

Bernon le savait très bien, seulement il ne pouvait décemment pas se permettre de reconnaître cet enfant, et il se refusait catégoriquement à lui payer une éducation. En même temps, ce n'était pas non plus un mauvais bougre, et il ne lui voulait pas spécialement de mal, au gamin. Alors il avait fini par penser à son vieil ami. Un bâtard, pour s'occuper d'un bâtard, c'était parfait. Je l'avais d'abord proprement envoyé sur les roses – comme si on avait besoin d'un chiard de huit ans dans une compagnie de mercenaires – mais chaque année Bernon me renvoyait le gosse avec une lettre de recommandation et, de refus en refus, le garçon avait grandi. J'avais fini par me laisser convaincre le jour de son quatorzième anniversaire. Et voilà comment je m'étais retrouvé avec Edric dans ma troupe.

Aujourd'hui, je ne peux que me féliciter d'avoir changé d'avis.

Dans la pénombre de la chambre, alors que la douleur déchire mon corps et que les deux assassins restants sont sur le point de m'achever, mon écuyer se jette, par-derrière, sur le plus éloigné d'entre eux. Sans expérience du combat au corps à corps, il saisit son adversaire à la gorge, hurlant sa peur et sa rage pour se donner du courage, et tous deux basculent sur le sol.

L'autre tueur, qui s'approchait de moi pour finir le travail, se détourne de son but dans l'intention manifeste d'intervenir. De son point de vue, je ne représente visiblement plus une menace. *Il va falloir trouver la force de lui prouver qu'il a tort!* Je serre les dents, à les broyer. Et, dans un cri unique, j'arrache, l'un après l'autre, les deux couteaux de mes plaies brûlantes. La douleur me cingle de part en part, mais, malgré le sang qui éclabousse le sol, je réussis à me relever. Tout sanguinolent. Les deux armes de lancer à la main. Je fais face, à nouveau, à mon agresseur.

« Hé, le nabot! Viens un peu par ici, j'ai… j'ai deux mots à te dire… »

J'ignore par quel miracle cette phrase a pu sortir de ma bouche sur un ton suffisamment ferme pour être crédible, mais il est vital qu'il croie que je suis toujours en état de me battre.

Mes jambes flageolent et la tête me tourne comme si je venais d'être balancé par une catapulte.

Bon sang, je ne vais pas tenir.

Le petit assassin s'est arrêté. Il jette un coup d'œil dans ma direction. Puis dans celle d'Edric, qui vient juste d'égorger son camarade à l'aide de son canni-vet[1]. Devant cette évolution inattendue qui le laisse face à deux adversaires, le dernier tueur choisit l'option de la retraite. En trois petits bonds rapides il est à la fenêtre, fait voler la plaque de bois qui la masquait et commence à l'enjamber. *S'il s'en sort il va chercher à se venger.* Je lance l'un des couteaux, tout poisseux de mon propre sang, aussi fort que je

---

1. Couteau de petite taille.

le peux dans sa direction, pour tenter de l'arrêter. Mais c'est trop tard, il a déjà disparu dans la nuit.

Non loin de là, Edric, toujours à terre, s'acharne sur le corps sans vie de notre ennemi. À bout de force et à tâtons, j'essaie de rejoindre le bord de mon lit. Mon sang dégoutte de mes plaies, mes genoux chancellent, le bourdonnement de mes oreilles se fait de plus en plus fort, et je m'effondre doucement dans l'inconscience.

9

Troyes, nuit du 6 au 7 novembre, peu de temps avant l'aube.

Les brumes de la douleur m'assaillent et me tiraillent. Mon abdomen me brûle et m'élance, comme une profonde déchirure, et chacune de mes inspirations cisaille mon côté droit comme si quelqu'un le lacérait avec un rasoir. Je connais malheureusement ce genre de sensations. Pour pénibles qu'elles soient, elles ne devraient durer que quelques heures.

À l'âge de dix ans, je me suis fait éventrer.

J'habitais encore chez ma mère au village de Kerbuck, à quelques lieues de Kosigan, et nous étions de ramassage de bois au bosquet des Limaces avec la famille de Thomas Burel, le fils du meunier. C'était l'automne et au moins une fois par semaine, il fallait aller faire des réserves pour préparer l'hiver qui approchait. Tom et moi, nous étions partis de notre côté. Tout en emplissant peu à peu notre brouette de branches sèches et de brindilles pour l'allumage, on s'était confectionné deux petits arcs en bois avec nos cannivets. Des flèches aussi, mais elles n'étaient pas bien droites.

Soudain, alors que nous étions sur le point de rejoindre les autres pour rentrer, j'ai entendu comme des cris de bébé, provenant d'un buisson, à une vingtaine de pas. Nous nous sommes approchés, poussés par la curiosité, l'arc à la main et le courage dans le cœur. On a prudemment écarté les feuilles dorées et rouges du petit buisson d'automne, et là... Petit, tout nu et tout rose, emberlificoté dans l'enchevêtrement des branches fines : un bébé. Comment est-ce qu'il avait bien pu arriver là, ça, on n'en savait rien, et comme on était très jeunes, la question ne nous a même pas effleuré l'esprit.

Tom, qui était de deux ans mon aîné et qui avait une petite sœur encore en couches, a, tout naturellement, pris les choses en main. Il a attrapé le nourrisson dans ses bras et a commencé à le bercer doucement. Puis il s'est tourné vers moi le sourire aux lèvres. Je me rappelle clairement ses grosses dents carrées sur le devant, sa peau pâle, un peu salie par l'après-midi passé dans les bois, et ses boucles de cheveux d'un roux très sombre. Il m'a fièrement montré le bébé en lançant : «Tu as vu, il a arrêté de pleurer. Je crois qu'il m'aime bien.»

C'est la dernière chose qu'ait dite Thomas Burel.

Mon regard s'est posé sur le bébé et c'est là que j'ai remarqué que son petit ventre, tout rose et tout propre, était entièrement lisse, dépourvu de nombril. Tous les bébés doivent avoir un nombril. Ce n'était pas normal. J'aurais dû réagir, repousser Thomas, lui faire tomber le bébé des mains. J'aurais peut-être pu le sauver.

Ça n'a pas été le cas.

Le visage encore poupin de mon ami s'est figé d'un coup et son sang m'a littéralement pissé dessus. Dans un cri suraigu, l'esprit maléfique s'était métamorphosé, brisant le charme de son illusion. En fait de bébé, c'était une espèce d'horrible farfadet, sombre et vigoureux, aux poils huileux et noirs, avec des crocs et des barbillons un peu partout sur le corps. Sa queue, aussi aiguisée qu'une épée de guerre, venait d'éventrer Tom. Juste devant mes yeux.

J'ai hurlé. En repoussant violemment le monstre noirâtre, éclaboussé de sang. Je me suis mis à courir. Comme un dératé. En criant et en appelant au secours, encore et encore. Et en essayant de choisir les passages dont les branches basses, relâchées à la volée, paraissaient pouvoir gêner la bête. Mon cœur battait la chamade. Je l'entendais courir. Je l'entendais se rapprocher. Il crissait, bavait de rage et grognait, il m'avait presque rattrapé. Alors j'ai volontairement percuté un arbre et j'ai fait demi-tour, pour lui faire face. À peine ai-je eu le temps de le voir arriver qu'il se projetait déjà sur moi. De toutes mes forces je l'ai frappé, avec mon pauvre arc en guise de bâton, qui, d'ailleurs, s'est brisé sous le choc. J'ai cru un instant être tiré d'affaire. Mais pas du tout. À peine le monstre avait-il boulé à terre qu'il était déjà sur pied et qu'il me sautait à nouveau à la gorge comme une bête enragée. J'ai réussi à le bloquer de justesse en attrapant ses bras dans une tentative désespérée pour l'empêcher de m'atteindre. Seulement, il donnait des coups et il remuait brutalement, avec la force hurlante d'un chien sauvage. Impossible de le tenir bien longtemps. Je n'avais pas assez de force. Partout, ses barbillons métalliques me lacéraient les paumes et les avant-bras. Et sa queue… Elle avait pris de l'élan en hauteur avant de s'abattre, fulgurante, en plein milieu de mon ventre, le traversant d'un coup, jusqu'au tronc de l'arbre derrière moi. La douleur s'était ruée comme un torrent en furie à l'intérieur de tout mon corps. Elle s'était répandue instantanément tout au long de ma colonne vertébrale, comme si des milliers d'éclats d'acier issus d'un feu infernal l'avaient subitement transpercée. Mais j'avais tenu bon. Alors, il m'avait frappé encore. Deux fois. Jusqu'à ce que je finisse par sombrer dans la souffrance et dans ce que je croyais, avec horreur et appréhension, devoir être la mort.

Fort heureusement, je me trompais. Et la dernière chose que j'avais pu voir, avant de perdre conscience, avait été le père de Tom, qui transperçait l'immonde démon de sa fourche, en hurlant de rage.

Il ne m'avait fallu que trois jours pour me remettre de ces blessures gravissimes. Alors que le pauvre Thomas, lui, était mort sur le coup d'une seule d'entre elles. Ma mère avait caché la gravité de mon état au reste du village, et elle avait fait jurer à Roger Burel, le père de Tom, de ne jamais en parler à personne.

Ma guérison était un miracle.

À moins que ça n'ait été l'œuvre du Diable.

Vu la force des superstitions en cette époque troublée, tout porte à croire que c'est cette dernière hypothèse qu'auraient choisie les autres habitants, s'ils avaient su.

Le père Burel a tenu sa langue, j'ignore encore exactement pourquoi. Mais en tout cas, il ne m'a plus jamais adressé la parole après cela. Il m'évitait comme la peste et je le sentais tendu et nerveux à chaque fois que j'étais dans les parages. Un jour que personne ne le voyait, je l'ai même aperçu faire le signe de croix dans ma direction.

J'ignore pour quelle raison j'ai survécu en ce jour d'octobre, mais une fois atteint l'âge adulte, je suis devenu coutumier de ce genre de miracles. Je n'ai pas la moindre idée de la raison pour laquelle je suis si résistant. Si fort aussi. Ni pourquoi mon oreille gauche a la faculté d'entendre aussi bien. Il m'arrive également parfois de ressentir des choses que personne d'autre ne ressent, et certaines des magies les plus noires se révèlent sans effet sur moi. La vie m'a donné de curieuses cartes à la naissance. Je ne vais certes pas m'en plaindre, mais plus je suis confronté à ce genre de mystères, plus je ressens l'envie de comprendre.

Il arrive que cela me réveille la nuit.

J'ai commencé à faire des recherches sur la magie et les pouvoirs interdits par l'Église, il y a cinq ans. J'ai interrogé des inquisiteurs, j'ai rencontré des sorciers en secret, j'ai pu converser avec des Faiseurs elfiques, mais personne, nulle part, n'a pu me dire d'où je tenais ces étranges facultés. Je ne suis le fils d'aucune race connue et il n'existe pas un seul enchantement répertorié qui pourrait être assez puissant pour produire de tels effets sur un temps aussi long. Quant à l'œuvre du Diable – qui, somme toute, paraît peut-être la plus plausible – la seule chose que je peux dire, c'est qu'il n'y a en moi aucune pulsion maléfique, et ce, malgré le nombre de personnes, malheureusement très élevé, qui sont mortes de mes mains. Le plaisir d'ôter la vie n'a jamais fait partie de mes vices, je n'ai recours à cette extrémité que lorsqu'il m'est impossible de trouver d'autres solutions, et uniquement parce que c'est là mon métier.

Il m'aura fallu un bon quart de la nuit, allongé dans mon lit à l'auberge, pour reprendre mes esprits, ainsi que les forces nécessaires pour réussir à me relever. Edric s'est occupé de calmer les voisins en prétextant pour moi de vives douleurs à l'estomac. Il a aussi lavé le bois du plancher et utilisé des plantes odoriférantes pour masquer l'odeur écœurante du sang. Le sol en gardera de larges taches sombres, mais vu l'âge du bâtiment, elles se mêleront simplement aux autres, de différentes natures, qui le parsèment déjà, et il est peu probable que quiconque trouve à y redire.

Ayant repris suffisamment de forces, je nettoie lentement ma plaie avec de l'eau d'estamine elfique, je demande à Edric de me préparer une décoction chaude de livèche de montagne et, en attendant qu'il me l'apporte, j'applique sur mon ventre et mon côté droit un linge propre, ébouillanté et imprégné de garance sauvage.

L'homme qui m'a servi de maître a été, et est peut-être encore, l'un des meilleurs espions de tout l'Occident. Il connaît tout ce qu'il y a à savoir sur les poisons et sur les médecines qui vous empêchent de passer de vie à trépas. Il m'a enseigné l'art de réduire les plantes en poudre, de les doser et de les mélanger. Selon lui, la meilleure façon de tuer efficacement quelqu'un est de savoir précisément comment le sauver, et un bon assassin doit se montrer capable de l'un comme de l'autre.

Peu à peu, l'effet de mes soins se fait sentir. La douleur est, certes, encore là, mais elle s'est largement estompée. Je peux me lever, je peux marcher, je peux m'approcher du petit tueur ficelé sur une chaise par Edric, et m'asseoir à côté de lui. Mon écuyer me lance un regard inquiet et curieux à la fois.

«Par la Vierge, monseigneur, j'ai bien cru qu'ils vous avaient cloué! C'est vrai alors ce qu'on raconte? Vous ne pouvez pas mourir?»

Il n'est pas inutile que mes hommes puissent le croire en tout cas. Je hoche la tête affirmativement.

«Mes ennemis prétendent que je n'ai pas de cœur, par conséquent, il ne peut pas s'arrêter. C'est la logique même, n'est-ce pas? Où est le corps de celui que tu as voulu transformer en pelote de laine?»

Il hésite un instant, ne sachant pas vraiment comment prendre ce que je viens de lui dire. Mais comme il se rend compte que je n'ai pas l'intention d'ajouter quoi que ce soit, il répond:

«Je l'ai roulé dans une couverture, messire. Dans le coin là-bas. Ça devrait être facile de le bazarder tant qu'il fait nuit. C'est pratique, il est tout petit.»

Je jette un coup d'œil à la couverture roulée. Les assassins ont rarement la chance d'avoir une sépulture honorable. *Celui-ci finira sans doute au fond de la rivière avant que le soleil ne se lève demain matin.* Je reviens à la créature entravée, assise sur la chaise à côté de moi, celle que j'avais réussi à assommer au tout début du combat. Edric l'a attachée, bâillonnée et il lui a bandé les yeux. C'est du bon travail.

«Qu'est-ce que c'est que ces petits monstres, messire, des sortes de Semi-Hommes… sauvages?»

J'attrape les cheveux de mon prisonnier à pleine main et je renverse sèchement sa tête vers l'arrière, de manière à observer plus facilement son visage et plus particulièrement sa bouche. Il mord son bâillon avec force.

«Non. Regarde. Les Semi-Hommes n'ont pas de

dents pointues comme celles-là. Et puis ils sont souvent un peu plus petits et plus grassouillets que ceux-là. »

Je vérifie ses mains. Comme je le pensais elles ont des griffes et sont dotées, à leur extrémité, d'un réseau de minuscules ventouses naturelles. Très pratique pour escalader les murs des auberges.

« Des Aes Sidhes d'Irlande, voilà ce que nous avons là, Edric. Des tueurs, rapides et sans pitié. Des assassins, parmi les plus discrets qui soient pour qui a les moyens de se payer leurs très onéreux services. Habituellement, personne ne les attrape et ils ne manquent jamais leur cible. »

Je tourne lentement autour de la chaise de mon prisonnier.

« Sauf que "jamais", dans notre métier, ça n'existe pas… Un jour ou l'autre, on se fait prendre, pas vrai ? Et ce jour-là, il faut se préparer à payer pour tous les autres. »

10

J'ôte doucement le bandeau qui couvre les yeux de l'Aes Sidhe. Il cligne deux ou trois fois des paupières, mécaniquement, puis me lance un regard sombre et froid qui est le strict reflet du mien. J'observe longuement ses pupilles, elles sont identiques à celles des chats, mais d'une inquiétante couleur mauve. Cela confère à son visage un aspect diabolique et horriblement inhumain. On en comprendrait presque la folie meurtrière de l'Église catholique, dans son combat séculaire pour l'éradication des races anciennes. Après tout, mettre l'Occident à feu et à sang depuis trois cents ans et multiplier les purifications rituelles et les croisades raciales doit sans doute avoir du sens, du moment que c'est pour éliminer de tels monstres. On pourrait le penser. Mais on se tromperait. Du moins, en grande partie.

La majorité des races du passé était pacifique avant que les humains ne se mettent en tête de les détruire. Les Aes Sidhes, par exemple, étaient des esprits des collines, chasseurs et pêcheurs, musiciens et poètes dans l'âme, jusqu'à ce que leur extermination par l'ordre du Temple, en Irlande, ne pousse les rares survivants à devenir des tueurs sanguinaires.

Les monstres ne se trouvent que rarement là où on croit qu'ils sont. Et je suis bien placé pour savoir qu'il y en a un, très discret, qui sommeille au cœur de chaque être humain. Il attend son heure. Il guette les circonstances tragiques qui seront propices à son réveil. Puis il frappe. Certains d'entre nous ont la chance que ces circonstances ne se présentent jamais. Ils sont peu nombreux.

Pour ma part, le monstre s'est éveillé au moment où j'ai dû fuir Kosigan. Il a aveuglé mon esprit et obscurci mon cœur en les abreuvant l'un et l'autre d'une froideur et d'une force considérables. Une détermination sans faille qui a donné à mon bras le courage de faire ce qui devait être fait pour rendre justice à mon père avant de fuir Kosigan. J'ai menti, j'ai trahi et j'ai tué des gens qui ne le méritaient pas. Ce n'étaient que les premiers d'une très longue série. Depuis ce triste jour, je n'ai cessé de cultiver ce monstre, je l'ai laissé me rendre dur, souvent impitoyable. Il a noyé mes faiblesses comme mes remords et je lui dois une bonne partie de mes victoires. Bien sûr, étouffé dans son ombre, se dissimule toujours le reflet, plus doux, de l'éducation que m'a donnée ma mère. Une espèce de *conscience*, presque sainte, qui, en de rares occasions, peut me pousser à l'altruisme, à la pitié et au courage désintéressé. Malheureusement, il me faut bien admettre n'avoir que rarement l'opportunité de lui accorder la place qu'elle mérite. *Ce qui pourrait bien, d'ailleurs, finir par me coûter ma place au Paradis.*

Quoi qu'il en soit, au vu des circonstances, il paraît évident qu'aujourd'hui, c'est du monstre dont je vais, une nouvelle fois, avoir besoin.

Le visage de mon prisonnier reste de marbre et il me fixe avec une intensité mauvaise. Je lui rends son regard un long moment. Puis, lentement, je sors ma dague et commence à en éprouver le tranchant sur le cuir de son baudrier.

« J'imagine que tu as entendu, ici ou là, de quoi je peux être capable, l'Aes Sidhe… »

Je pose délicatement le fil aiguisé de la lame sous sa gorge et exerce une pression, à moins d'un demi-pouce de ses artères les plus vitales. Il sent les premiers picotements de la douleur et il prend ainsi conscience qu'il est entièrement à ma merci.

« Ton sang, c'est ta vie, Sidhe. »

Je bouge à peine la main et un mince filet de liquide pourpre se met à glisser le long de son cou. Je l'arrête du bord de l'index et en porte quelques gouttes à mes lèvres d'un air carnassier. Il est certain qu'il lui en faudra davantage pour être impressionné, mais ce n'est que le début.

« S'il le faut, je te viderai au goutte à goutte et je te découperai, morceau par morceau, jusqu'à ce que tu me dises ce que je veux savoir. J'espère que tu comprends ce que je t'explique. »

Il ne bouge pas d'un poil. Je le frappe au visage.

« Il serait bon pour toi que tu dises que tu comprends… »

Il renifle le sang qui dégouline un peu de son nez et me fixe en faisant oui de la tête.

J'écarte ma dague de sa gorge puis, de son tranchant, je dépèce tranquillement un carré de peau d'un ou deux pouces à l'intérieur d'un de ses bras ligotés. Il serre les dents mais réussit à rester stoïque. Je n'en attendais pas moins de lui. J'applique alors deux fines pincées de sel de Dombasle sur sa chair mise à nu. Il est toujours bon de transporter une petite dose de sel sur soi, d'abord parce que cela peut être fort utile pour épicer ou conserver certains aliments, mais surtout, parce que c'est un instrument de torture remarquable et très peu encombrant : une fois la protection de la peau délicatement retirée, il agit sur les chairs comme du salpêtre, avec la force d'un acide presque pur.

Je frotte fermement le sel sur la plaie et l'Aes Sidhe laisse échapper un gémissement de douleur. Il ferme ses paupières et les serre autant qu'il le peut, pour tenter de s'empêcher de crier.

« Bien. Je pense que j'ai toute ton attention à présent. Mais avant de commencer, laisse-moi d'abord t'expliquer comment tout cela va finir pour toi si tu refuses de me révéler qui est à l'origine de notre petite rencontre de ce soir. »

La lame de ma dague entaille ses deux poignets.

« Tu n'auras plus que deux moignons pour t'amuser avec tes jolis poignards de lancer. »

La pointe égratigne ensuite lentement la peau de chacune de ses paupières.

« Hélas, cela ne te servira pas à grand-chose sans tes deux yeux pour voir sur quoi tu tires. »

Puis elle pique le fond de ses oreilles.

« Quant à tes tympans, je compte les transpercer avec un fer chauffé au rouge, pour ensuite y verser une bonne rasade d'alcool et y mettre le feu. »

Je place cette fois la dague sur son ventre et appuie suffisamment pour qu'elle commence, là aussi, à faire couler un peu de sang.

« Bien sûr, je serai ensuite obligé de t'achever. On pourrait voir cela comme une certaine forme de pitié, malheureusement pour toi, il se trouve que je

connais un moyen particulièrement long et douloureux pour arriver à cette fin. »

De mon autre main, je lui mets sous les yeux une
graine noire et luisante, la faisant jouer entre mes
doigts.

« Ceci, vois-tu, est une sangrelle de Pologne. Avec
de la chance, on peut la trouver dans les marais
putrides au sud de la cité de Lodz. Elle y fait pousser des petits arbres touffus, extrêmement acérés,
aux branches aiguisées comme des lames, mais elle
a surtout la particularité de se mettre à grandir à
une vitesse incroyable lorsqu'on la plonge dans des
liquides chauds et acides. Si jamais cela arrive, elle
peut se transformer en un gros arbuste épineux
d'environ un mètre de diamètre en moins de trois
jours. La mauvaise nouvelle pour toi, c'est que si
par malheur on en arrive là, cette jolie graine, je te
la ferai avaler. Et c'est dans ton estomac qu'elle
construira son nid… »

Il réussit à ne pas ciller.

Pourtant je perçois que la peur s'est insinuée en lui.
Comme beaucoup de ceux qui vivent de la violence,
il est prêt à assumer le prix de l'échec. Lui, comme
moi, et comme beaucoup d'autres, il y a longtemps
que nous nous sommes habitués au risque de renoncer à la vie. Mais ce que je lui promets là est bien pire
que la mort. Et, tout aguerri et solide qu'il soit en
apparence, au fond de lui il a toutes les raisons d'être
effrayé par ce qui va lui arriver.

« À présent, je vais retirer ton bâillon et je vais te
laisser une chance de me donner le nom de ton
commanditaire. »

Je dénoue l'épaisse lanière afin qu'il puisse parler.

« *Takésan a'niert paks dégoss.* »

La langue qu'il utilise n'est pas très éloignée de l'elfique de Cornouailles et de Bretagne. J'en ai quelques rudiments. Il pense plus ou moins que de toute façon je vais devoir le tuer. En réalité, je n'ai pas encore décidé, tout dépendra de lui.

« Parle latin ou français, Sidhe. Parce que si jamais je n'entends rien à ce que tu me racontes, tu ne me sers plus à grand-chose. Je pense que tu comprends ce que cela signifie ? »

Il hausse les épaules, me fixe quelques instants, puis répète dans un français rugueux :

« Vous, allez tuer moi, de toute façon. »

Bien qu'il affirme en être certain, il ment. Sa seule envie est que je le détrompe. L'effroi face à la douleur, et encore plus face à la mort, est profondément chevillé au cœur de chaque être vivant, viscéralement. Il s'agit, très certainement, du sentiment le plus puissant qui soit sur Terre, mis à part, peut-être, dans de très rares cas, l'amour. La peur de mourir, aux origines, a sans doute contribué pour partie à la naissance des dieux eux-mêmes et, d'expérience, je peux affirmer que chaque créature douée de raison est prête à tout plutôt que d'avoir à y faire face. Personne n'a envie de monter dans la barque et d'aller jeter un coup d'œil sur ce qui se passe réellement de l'autre côté de l'éternité. Paradis ou Enfer ? Réincarnation ? Sensation de paix et d'apaisement ? Ou bien juste de la terre dans la bouche, des vers, et puis le néant et l'oubli ? Les rares personnes qui ont croisé la mort de près et qui en reviennent parlent de lumière et de ténèbres, de sentiment d'euphorie et de liberté ou, au contraire, d'angoisse absolue. Mais le fait est que personne ne peut avoir la moindre certitude sur ce qui se passe après. Alors, face à ce doute ultime, ceux qui sont vivants partent toujours inconsciemment du principe qu'il est capital pour eux de tout faire pour le rester.

C'est la raison pour laquelle, lorsque l'on en vient à devoir faire parler un prisonnier, il y a deux règles simples à suivre afin d'obtenir les résultats escomptés : il faut d'abord le convaincre qu'il peut souffrir et mourir en hurlant, mais également lui faire comprendre que trouver une porte de sortie honorable n'est pas inimaginable, et que ses chances de survie sont réelles. Notre assassin ici présent est un professionnel, il n'agit ni par foi, ni par conviction. Il devrait donc suffire de lui donner un peu d'espoir pour le mener là où je désire qu'il aille.

Je plonge calmement mon regard dans le sien.

« Nous faisons toi et moi le même métier, Sidhe, ou peu s'en faut. Je n'ai rien contre toi et toi tu n'as rien contre moi. Alors, je pense qu'il y a peut-être un moyen pour que personne d'autre ne meure aujourd'hui. Mais cela va dépendre de toi et, je te le dis bien en face, je ne te laisserai pas *deux* chances. J'espère que tu m'as bien compris. »

Il cligne des yeux en guise d'approbation, apparemment un peu surpris par la tournure que prend la discussion.

« Voilà le marché que je te propose : si tu me dis exactement ce que je veux savoir, non seulement tu ne vas pas mourir, mais tu pourras emmener la dépouille de ton ami pour rendre ses os à la terre selon les rituels de votre peuple. Je sais que vous, les Aes Sidhes, vous avez un code de l'honneur que vous respectez scrupuleusement. Je n'ai donc besoin que de ta parole et du nom de celui qui t'a envoyé. Si tu fais cela, je laisserai courir le bruit que j'ai été attaqué par trois Aes Sidhes pendant la nuit, qu'il y a eu combat et qu'aucun n'en a réchappé. Ce ne sera pas une mauvaise chose pour ma réputation et toi tu pourras disparaître avec celui de tes camarades qui a réussi à s'enfuir. Libre à vous ensuite de trouver une autre région où exercer vos talents. L'Occident est vaste et, si vous aimez les voyages, les charmes de Byzance ou du lointain Orient sont tout prêts à vous tendre les bras. »

Voilà, je lui ai offert la pomme, à lui à présent de choisir s'il veut la croquer ou s'il préfère la laisser tomber dans la boue de la souffrance et de la mort, définitivement.

Il hésite. Longuement. C'est tout à fait compréhensible, je pourrais aussi bien être en train de lui mentir. Cela dit, il n'a pas grand-chose à perdre à me faire confiance.

« Votre oncle. Comte de Kosigan. Lui embaucher nous pour vous *estroer*. »

Je fronce les sourcils. C'est plausible mais il va falloir creuser un peu, histoire de déterminer s'il est sincère.

« Vous l'avez rencontré en personne ?

— Iel[1]. Ça était à Dijon, deux mois d'avant.

— Il est toujours balafré de l'œil droit ? »

Il réfléchit quelques instants.

« Faire très sombre dans pièce. Je crois plutôt œil gauche. »

Difficile de savoir s'il se souvient ou s'il devine. Mon oncle a effectivement une balafre qui court de son arcade sourcilière gauche à son menton. Mais

1. Oui, en langue elfique.

son épaisse barbe et ses gros sourcils en cachent la plus grande partie.

« Pourquoi mon oncle voudrait-il ma mort ? »

Là encore, le Sidhe ménage une courte pause comme s'il fouillait dans sa mémoire pour retrouver les mots qu'il avait perdus.

« Lui dire que vous être traître et assassin. Déshonneur de famille et déshonneur de Bourgogne. Meilleur mort que vivant. Nous pas poser plus de questions. »

Il est vrai que, d'un point de vue extérieur, l'enchaînement des circonstances qui ont mené à mon départ de Kosigan ne donne pas de moi une excellente image. Je suis accusé d'avoir assassiné l'oncle du duc de Bourgogne, George de Valensay, afin de faire justice à mon père. Et d'avoir trucidé dans la foulée mon jeune cousin, Dusan, qui avait été témoin de la scène. C'est la raison pour laquelle le vieux Borogar de Kosigan, qui me détestait déjà copieusement avant que tout cela n'arrive, avait prononcé mon arrêt de mort, immédiat et sans jugement. On m'avait prévenu à temps, mais cela ne m'avait pas laissé beaucoup d'autres choix que celui de m'enfuir au plus vite et de m'exiler au plus loin. Depuis, il m'est déjà arrivé par deux fois d'avoir affaire à des tueurs à la solde de mon oncle. Seulement dans les deux cas, il s'agissait d'hommes de la Garde grise de Kosigan, pas d'assassins extérieurs.

Je me penche vers lui en avançant ma mâchoire inférieure et en plaçant mes yeux à quelques pouces des siens, le regardant avec dureté et sévérité.

« Je crois que tu es en train d'essayer de me bourder, le Sidhe, et je peux te dire que tu commets là une très grosse erreur. »

Je m'arrange pour qu'il aperçoive la dague qui remonte lentement en direction de son cou.

« Non messire, vous trompez vous, je jurer ! »

Les Aes Sidhes ne jurent que pour mieux trahir, comme les Korrigans et les Sardhes. La seule chose qui compte à leurs yeux est l'honneur de leur parole, tout le reste est bon à jeter aux orties.

« Jurer ? Je n'aime pas les gens qui jurent ! Je veux ta parole d'honneur, sur ton sang et tes ancêtres. »

Le froid tranchant de ma lame achève tranquillement sa course sur sa gorge. Je lui souris sèchement, puis applique une pression vers le haut, de manière à le forcer à lever la tête. De mon autre main je pose la graine de sangrelle sur sa joue et commence à la faire glisser en direction de sa bouche.

« Tu as cinq battements de cœur pour te décider... Un... Deux... Trois... »

Je n'ai pas le temps d'arriver à quatre.

« D'accord ! Je parler ! Je dire vérité !

— J'ai ta parole ?

— Parole d'honneur, chevalier de Kosigan. Sur l'Arbre-Monde, sur mon sang et sur mes ancêtres.

— Très bien ! Alors, vas-y, je t'écoute.

— Le Prince Noir. Nous être en contrat avec lui depuis Canterbury, en septembre, pour vous rectifier. »

Le Prince Noir... De son prénom Edward, fils aîné du roi d'Angleterre, prince de Galles, comte de Chester, duc de Cornouailles, prince d'Ombrie, sans compter quelques autres distinctions ronflantes que j'ai dû oublier dans la liste. Pour une sacrée pléthore de titres, c'est une sacrée pléthore de titres. Et l'un des meilleurs chevaliers de tout l'Occident par-dessus le marché : excellent cavalier, à l'épée puissante et à la lance ajustée, une tornade infernale sur un champ de bataille, semant la mort et la panique dans les rangs qu'il traverse. Et je ne parle même pas de l'armure qui lui vaut son surnom, ciselée et émaillée de métal sombre et enchantée de magie étrusque. Un ennemi potentiel qui, je l'espérais, ne devait jamais découvrir mes petites manigances de l'année dernière à son encontre.

Si finalement il s'avère que cela a été le cas, je peux comprendre qu'il en soit arrivé à louer les services d'assassins. Tout particulièrement s'il a appris *l'ensemble* des détails de mon implication dans l'affaire délicate de son mariage.

« Il semblerait que tu te sois décidé à me dire enfin la vérité, Sidhe. À présent, ça va être à mon tour de respecter ma parole… »

11

En cet été dernier de 1338, la maîtresse attitrée du prince Edward était une jolie rouquine laiteuse, venue des belles campagnes du Sussex, du nom de Gwenaëlle d'Anister. Une fille cadette de basse noblesse, qu'il avait dû enlever sur son cheval, en riant, un soir de beuverie, et séduire au coin d'une meule de foin, sans trop enlever son armure. Une bonne fille, pleine de vie, chaleureuse et douce comme un édredon de duvet, pleine d'espoir aussi. Elle s'imaginait, un peu stupidement, que le jeune, beau et ténébreux fils du roi s'amouracherait suffisamment d'elle pour lui passer la bague au doigt et la transformer en princesse royale, elle qui avait passé sa vie dans un château ressemblant davantage à un gros poulailler en pierre qu'à quoi que ce soit d'autre. Les filles aussi font des rêves. Et ils sont approximativement aussi fondés que ceux des garçons bercés par l'héroïsme, l'honneur et toutes les foutaises de ce genre.

Jurer fidélité à une seule épouse devant Dieu ne faisait, à l'évidence, pas partie des projets du Prince Noir. Les femmes changeaient plus souvent dans son lit que les draps dans lesquels il se couchait et s'il y a bien une chose à laquelle il tenait, peut-être davantage qu'à sa propre vie, c'était sa liberté de voler, chaque nuit, d'une femme à l'autre et d'une bouche à l'autre. Et ce, dans tous les sens du terme. C'était à un point tel que lorsque son père, le roi, avait voulu lui imposer un mariage, pour les intérêts supérieurs du royaume, avec une princesse suève de trois ans son aînée, il n'avait pas hésité à prendre les armes contre lui, entraînant à sa suite l'ensemble de ses féaux et de ses bannerets. Il avait fallu huit mois de guerre avant que le prince et son royal père ne réussissent à négocier une issue honorable, au titre de l'accord suivant : le prince Edward ne se marierait finalement qu'avec une fille appartenant à l'une des sept maisons majeures d'Angleterre, la fille en question ne devrait en aucun cas être âgée de plus de vingt-deux ans, et le mariage ne pourrait être contracté qu'à la condition *exclusive* que le père ou l'un des frères de la future mariée ne réussisse à vaincre ledit Prince Noir en duel. Ce qui, soit dit en passant, n'était pas stupide puisqu'il était probable que le jour où cela finirait par arriver, Edward serait suffisamment vieux pour envisager de se ranger et d'arrêter de produire des bâtards à la chaîne.

Cela aurait sans doute pu fonctionner, s'il n'y avait eu un grain de sable pour enrayer cette belle logique. Le grain de sable était pourvu d'un sourire enjôleur, d'une cascade de cheveux roux et de seins éblouissants, adorablement parsemés d'une multitude de taches de rousseur. Le Prince Noir, malgré ses mœurs légères, s'était indéniablement entiché d'elle. Sans aller jusqu'à parler d'amour, le fait de culbuter toutes les nuits cette magnifique jeune noble campagnarde était devenu pour lui un véritable plaisir, comme une gourmandise qu'on n'arrive plus à réfréner. Évidemment, cela ne l'empêchait nullement d'aller tremper son braquemart ailleurs aussi souvent que cela lui était possible – on ne se refait pas, j'imagine – mais il l'avait tout de même fait venir auprès de lui, à Canterbury, et installée dans ses propres appartements.

Quant à moi, on m'avait contacté en secret pour une mission très particulière et assez peu banale : punir le prince Edward et faire en sorte qu'il se marie à la plus laide de toutes les filles de la maison de Gloucester. Et Dieu sait que les filles de la maison Gloucester étaient vraiment affreuses et que celle qu'on lui réservait était, de loin, la plus repoussante de toutes : de gros yeux globuleux de hareng sur un énorme corps de batracien, avec, en prime, une poitrine replète et deux ou trois poireaux bien poilus sur le visage. Le roi, Edward III d'Angleterre, n'y était pas allé avec le dos de la cuillère, mais il faut dire qu'il n'avait pas non plus beaucoup apprécié que son fils le défie et encore moins qu'il lui fasse perdre partiellement la face en le forçant à négocier avec lui.

Faire en sorte que la belle Gwenaëlle d'Anister prenne conscience des défauts de son héros ne s'était pas révélé particulièrement difficile. La veille du duel qui devait opposer le prince Edward au frère aîné de la grosse Georgine de Gloucester afin de permettre ou d'empêcher le mariage, le prince avait organisé une tablée d'honneur autour d'un repas festif, dans son castelet privé de Canterbury. Le roi avait fait en sorte que j'y sois invité. Et moi j'avais fait en sorte que la plus belle danseuse de toute l'Angleterre vienne faire voleter son corps presque nu, ses voiles légers et ses parfums envoûtants jusque dans la tête et les yeux du prince. Ce dernier l'avait dévorée du regard pendant toute la soirée et il s'était finalement éclipsé avec elle, avant même la fin du repas. Ils n'étaient pas allés bien loin, dans quelque couloir alentour, et l'on avait pu entendre les gémissements de la belle danseuse jusque dans la salle d'honneur.

La douleur et la jalousie sont des moteurs puissants, et l'esprit de vengeance m'avait aisément permis de pénétrer dans le lit de la jeune maîtresse, au cœur piqué à vif. Les couvertures en étaient chaudes et douillettes, tout autant que les cuisses de la belle, et j'avoue être de ceux qui aiment à mélanger le plaisir aux affaires. Outre une très agréable partie de jambes en l'air, l'objectif atteint avait été d'accéder aux appartements d'Edward, afin de badigeonner l'intérieur du heaume de son armure fétiche de quelques onces de poudre de perce-neige. Incolore, inodore, mais diablement efficace : cela vous colle des vomissements et une chiasse de tous les diables au bout d'à peine quelques minutes d'exposition.

Le duel du lendemain avait été un spectacle des plus distrayants. John de Gloucester n'était pas un parangon de l'épée, mais il lui aurait été difficile de ne pas l'emporter : le vaillant Prince Noir tenait à peine debout et on l'entendait vomir à l'intérieur de sa merveilleuse armure, à plus de vingt pas à la ronde. Il jurait tant qu'il pouvait, et il faisait des efforts colossaux pour essayer de tenir debout, mais il avait tout de même fini vautré sur le carré de combat, aux pieds de son futur beau-frère.

De mon côté, j'y avais gagné une lettre de recommandation royale pour entrer dans l'ordre de chevalerie de l'Épée de saint George, le plus grand de toute l'Angleterre, équivalant à l'ordre de l'Étoile en France ou au Vieil Ordre en Bourgogne. Un honneur reconnu dans toute l'Europe chrétienne, particulièrement utile pour ma réputation et mes affaires.

Quant à Edward, on ne transige pas avec l'honneur. Nombre de ses bannerets ne l'auraient pas suivi dans une nouvelle rébellion contre son père après ce qui s'était passé. Il a par conséquent fini marié avec le plus riche crapaud femelle de toute l'Angleterre. Oh ! Cela ne l'a évidemment pas empêché de continuer à baguenauder de fille de joie en fille de salle, mais cela l'a obligé à traîner sa honte à ses côtés à chaque grande réunion et à chaque banquet officiel. La risée de toute la Grande Bretagne, et même du continent, voilà ce qu'il est devenu. Bien sûr, il ne fait pas bon le lui faire remarquer, ni se moquer de lui ouvertement, d'ailleurs le dernier qui s'y est risqué y a perdu le nez ainsi que les deux oreilles. Mais cela n'empêche pas les gens de rire sous cape lorsqu'ils le voient de loin et encore davantage quand il n'est pas là.

Il est bien possible qu'à la suite de toute cette affaire il ait revu Gwenaëlle la rousse, et peut-être qu'elle a fini par lui jeter la vérité à la figure, et peut-être qu'il a su additionner les choses pour comprendre ce qui s'était réellement passé, mon rôle dans l'histoire et le passage par le lit de sa maîtresse en prime.

S'il y a bien quelqu'un qui a la possibilité de louer les services d'Aes Sidhes, c'est bien lui. Davantage que mon oncle en tout cas. La seconde version des confessions du petit assassin paraît donc beaucoup plus plausible que la première. D'autant que cette fois, il a *véritablement* engagé sa parole.

Connaître la vérité dans ce genre de cas, s'avère toujours un avantage. Mais, vu la situation, ce que je viens d'apprendre ne m'arrange pas du tout. D'après mes renseignements, le Prince Noir est censé, lui aussi, participer au tournoi de la Saint-Rémi, et il est hautement probable qu'il soit présent à Troyes au moment même où j'écris ces lignes. S'il se trouve être réellement le commanditaire des Aes Sidhes, il y a de fortes chances que leur échec ne le pousse à prendre d'autres initiatives fâcheuses du même genre. Chose qui risque de grandement nuire à certains de mes projets et peut-être même de faire capoter l'ensemble de mes plans.

Cela ne me plaît pas beaucoup, mais je n'ai guère le choix : l'ordre de mes priorités vient de changer.

12

Correspondances de Kergaël de Kosigan avec Charles Chevais Deighton. Paris, le 30 mars 1899.

Mon cher vieil ami,

Mon cœur bat dans ma poitrine comme jamais auparavant et je ne vis plus que dans l'attente des jours à venir. L'entrevue avec le fameux maître de Broglie s'est révélée tout à la fois passionnante et particulièrement fructueuse.

Je me suis présenté à son étude, dans un petit hôtel particulier de la rue François-Ier, au cœur du huitième arrondissement de Paris, ce matin à neuf heures précises, exactement comme on me l'avait demandé. La secrétaire, une belle femme d'âge mûr, avait ce petit quelque chose de pincé qu'ont celles qui n'ont jamais réussi à s'habituer à ce que les hommes les trouvent jolies, et pourtant elle m'a souri ; cela signifiait sans doute qu'on le lui avait demandé et que l'on considérait mon affaire comme étant d'importance. Toujours est-il qu'elle m'a fait pénétrer dans le bureau du notaire à neuf heures six très précisément et que j'en suis ressorti cinquante-deux minutes plus tard, un peu estomaqué.

L'histoire que m'a racontée maître de Broglie semble

« *propre* » mais elle est, à tout le moins, rocambolesque ! Elle remonte à 1368, date à laquelle l'ancêtre du notaire cherchait des fonds pour ouvrir sa première étude dans la belle ville de Dijon, alors florissante capitale du duché de Bourgogne. C'est là qu'il fit la connaissance d'un chevalier qui l'aida à concrétiser son rêve. Tu l'as déjà deviné, j'imagine, ce fameux chevalier n'était autre que Pierre Cordwain de Kosigan, celui-là même qui était cité dans la lettre qui accompagnait mes affaires de bébé, lorsque j'ai été recueilli par l'Institution des innocents ! Quand je pense aux dizaines et aux dizaines d'heures passées le nez dans les vieux livres de la Sorbonne et des Archives nationales, à batailler pour essayer d'avoir confirmation de son existence, sans jamais rien trouver ; c'est véritablement incroyable ! Et tu vas voir, il y a mieux encore.

Revenons à Dijon, à l'année 1368 et à l'ambitieux ancêtre des de Broglie : le chevalier de Kosigan lui offrit les cent livres d'or nécessaires à son installation et il fut ainsi son premier client. Il lui laissa, à ce titre, un coffre étrange, de petite taille, en bois et métal noir, scellé de son sceau et fermé à double tour par une serrure, située sur le dessus du couvercle, au centre d'un espace ayant la forme de l'empreinte d'une main. Ce coffre, le notaire était censé, par la suite, recevoir des instructions pour lui expliquer ce qu'il devait en faire. Le chevalier avait bien précisé par écrit que ces instructions pourraient n'être transmises que des décennies plus tard, et peut-être même encore plus longtemps après. Cependant, lorsqu'elles arriveraient, elles devraient obligatoirement comporter son sceau personnel ainsi que la mention complète de son nom, et la date exacte à laquelle leur accord avait été conclu.

Cette histoire était progressivement devenue une légende et, les siècles passant, le coffre avait acquis la nature d'une sorte de relique sacrée pour les notaires, symbole de la loyauté et de la longévité de la maison de Broglie. Il trônait d'ailleurs *fièrement sur un grand piédestal, sous une immense cloche de verre, dans le bureau réservé au plus ancien des notaires de la famille à chaque génération.*

Quelle ne fut pas la surprise de l'actuel patriarche des de Broglie de recevoir, le six du mois dernier, directement dans sa boîte à lettres, un paquet, cacheté du sceau des Kosigan. Une lettre à l'intérieur comportait toutes les mentions ad hoc, *y compris la fameuse date de l'accord que les notaires avaient, par souci de sécurité, toujours tenue secrète. Mieux, à l'intérieur du paquet se trouvait la clef du coffre mystérieux, ainsi que cinq mille livres sterling et toutes les instructions et indications nécessaires pour me retrouver et me le remettre.*

Il faudra encore plusieurs jours pour régulariser tous les papiers, mais je peux t'assurer, mon vieux camarade, que jamais de toute ma vie je n'ai ressenti une telle impatience à l'idée de faire tourner une simple clef dans une serrure.

En hâte,

Bien à toi,

K.

13

Troyes, 7 novembre de l'an de grâce 1339.

Il a plu durant toute la fin de la nuit et il ne fait guère meilleur ce matin. L'aurore a été momentanément lumineuse avant de laisser la place à un ciel nuageux qui crachote consciencieusement une fine bruine froide sur une foule criante et gesticulante. Malgré cela, les badauds sont venus en masse. Ils ne renonceraient pour rien au monde au spectacle rare et brutal de leurs seigneurs en train de prendre plaisir à se rosser les uns les autres.

Un tournoi, c'est un peu comme si la noblesse expiait, une fois de temps en temps, ses crimes et ses abus, en se donnant une bonne correction à elle-même. Paysans, bourreliers, artisans de tout poil, marchands venus des quatre coins du monde, curés et diacres, saltimbanques et colporteurs, se mêlent aux belles dames et aux gentils bourgeois sur les gradins. Tous s'agitent et se pressent sur les rambardes. On s'invective pour les dernières places assises, on discute affaires entre amis, on présente sa fille au fils de son voisin. Les plus aisés payent quelques sols pour des saucisses noires d'Anjou, des boudins blancs de Rethel bien grillés, ou de délicieuses galettes ardennaises au lard. Un groupe d'Elfes aux cheveux couleur de feuilles d'été assure la sécurité de la tribune d'honneur.

Mon regard s'attarde quelque temps sur celle-ci. Elle est capitonnée de riches tissus blanc cassé sur lesquels ont été brodés, en grand, les blasons des maisons à honorer. Au centre, les armes des comtes de Champagne, d'azur barré d'argent et crénelées d'or. À leur droite, celles de la maison elfique d'Aëlenwil, de sinople[1] aux trois flèches d'or, versées vers le haut. De part et d'autre se trouvent les blasons de France et de Bourgogne : d'azur parsemé de fleurs de lys pour le premier ; avec des bandes d'or et d'azur, à la bordure de gueule[2] pour le second.

Quant aux armoiries des combattants qui vont participer aux épreuves du tournoi, elles décorent le haut des gradins, sous forme de fanions et d'oriflammes à leurs couleurs. Je reconnais ceux de certains de mes adversaires les plus dangereux. Et en tout premier lieu, celui du comte Gérard d'Auxois : une hure de taureau, sur fond de gueule, arrachée de sable[3] et cornée d'argent. Il y a aussi, comme je le craignais, celui du Prince Noir, mêlant deux carrés de gueule aux trois léopards d'or, pour les couleurs de l'Angleterre, à deux autres carrés, d'azur semé de fleurs de lys, symboles des prétentions actuelles de la couronne anglaise sur le royaume de France. Un bandeau d'argent à trois broches surmonte le tout ; aussi compliqué que la somme astronomique des titres et des charges

1. Vert.
2. Rouge.
3. Noir.

du ténébreux héritier du royaume d'Angleterre. Beaucoup d'autres chevaliers de renom se trouvent également là. Je les connais presque tous, mais, pour la plupart, de réputation seulement. Thierry de Montrouge, le commandeur de l'ost de chevalerie du roi de France, le grand Sigmund von Dortmund, petit-fils du dernier empereur du Saint Empire romain germanique, ainsi que Tanaël an Seïllar, le seul chevalier elfique à manier la lance à ce niveau.

Mon attention est sur le point de se reporter sur la tribune officielle lorsque mon regard est attiré par un blason dont la présence m'étonne au plus haut point : un lion de gueule rugissant sur fond d'or et de sinople. Il s'agit des armes du grand Guillaume le Maréchal, sénéchal du roi d'Angleterre, duc de Lancastre, comte d'Essex et de Pembroke. « Le meilleur chevalier du monde » si l'on en croit sa réputation. Ou tout du moins son *ancienne* réputation. Personne ne sait exactement le nombre des années qui pèsent sur les épaules de cet homme, mais une chose est certaine, c'est qu'il est vieux, très vieux, et que sa longévité peut même rivaliser avec celle de certains Elfes. L'homme aurait servi pas moins de six rois d'Angleterre successifs et il se raconte qu'au temps de sa jeunesse il aurait été l'amant de la reine Aliénor d'Aquitaine. Il était censé avoir raccroché sa lance de joute il y a six ans, après avoir subi, pour la première fois de sa vie, deux défaites successives en tournoi. Visiblement il ne faut pas accorder foi à tout ce que l'on peut entendre. Sans doute l'exercice devait-il lui manquer, et il n'aura pas pu résister à la tentation d'accompagner le prince Edward au plus grand tournoi organisé en Occident depuis l'époque de Richard Cœur de Lion.

Mon propre blason flotte paresseusement au vent, aussi délavé par la pluie que ceux des autres chevaliers. De sinople sombre à l'aigle bifide d'argent, croisé de sable, il est identique à celui de mon père, hormis pour la ligne noire, en diagonale, qui signale à tous mon état de bâtard.

« Oyez, oyez ! Par ma voix, la comtesse Jeanne Catherine de Champagne, princesse de la maison d'Aëlenwil et baronne de Claret, déclare ouvert le tournoi de la Saint-Rémi de cet an de grâce 1339. »

Le ramage du chambellan de Tailly est encore ferme et sonore. On sent toujours en lui l'ancien croisé, celui qui a été l'un des derniers à quitter Saint-Jean-d'Acre lors de la prise de la ville par les musulmans, il y a déjà un certain nombre d'années de cela.

« Ce jour d'hui verra se tenir les grandes joutes équestres en groupe, réunissant soixante des plus vaillants chevaliers de toute la chrétienté. Chacun des cinq cavaliers de l'équipe victorieuse obtiendra un prix de cent livres d'or.

Elles seront suivies, dès demain, par les joutes individuelles à cheval qui seront dotées de huit cents livres de récompense pour le vainqueur. Celui-ci sera déclaré "Champion de l'hiver" et son dernier rival en lice touchera, quant à lui, les quatre cents livres du second.

Enfin, ce samedi, le grand carré de combat à pied clôturera le tournoi, la victoire ira au dernier chevalier debout. Celui-ci deviendra "Épée de l'hiver" pour l'année à venir et il y gagnera la somme de sept cents livres aux fins de récompenser sa bravoure. »

Le chambellan se met à énoncer à haute voix la liste des participants, avec les noms, honneurs, grades et titres de chacun. Une sacrée litanie, presque aussi ennuyeuse que la pluie froide qui ruisselle le long de mon armure.

Sur la tribune d'honneur, la comtesse Catherine paraît écouter avec attention. Son véritable nom est Cathern an Aëlenwil. Elle a uni sa maison à celle de Champagne lors des Croisades noires, organisées par l'Église contre les races anciennes, il y a une cinquantaine d'années. On dit que le comte Thibaut serait tombé raide amoureux d'elle, dès la première fois où leurs regards se sont croisés.

Ironie du sort, il s'était rendu jusqu'à l'Arbre ancêtre des Elfes au plus profond de l'antique forêt de Stanin Dhuitis[1], afin de recevoir leur ultime reddition, à la suite de la défaite qu'ils avaient subie à la bataille de Hénon. Résultat, c'est lui qui avait déposé son cœur aux pieds de la belle Faëdinane[2], juste avant de décider, le soir même, de demander sa main. Bien sûr, la noble Cathern avait été obligée de changer son nom et de se convertir officiellement à la religion du Christ, bien sûr elle avait dû accueillir entre ses cuisses un homme de guerre parfois un peu rude et au visage couturé de cicatrices, mais ainsi, elle avait trouvé un protecteur suffisamment puissant pour préserver l'indépendance et la liberté de son peuple. L'esprit de sacrifice est une chose remarquable. Même si je dois reconnaître que, pour ma part, je préfère, autant que possible, en être le spectateur plutôt que l'acteur.

De l'avis unanime de tous les chroniqueurs, le mariage de Cathern an Aëlenwil avec Thibaut de

---

1. Pierre d'écorce en langue elfique.
2. Princesse ou étoile.

Champagne fut l'un des plus merveilleux que l'on ait jamais vu en Occident : grâce à la princesse, des hommes, pour la première fois, ont pu y entendre le chant divin des Sylphides, ils ont pu y contempler les prodigieuses flammes étincelantes des flèches pyrotechniques elfiques, et les derniers élixirs clairs des Elfes blancs du nord les ont unis aux esprits de la nature en une âme joyeuse de convivialité éphémère. Le comte Thibaut, quant à lui, avait ramené de ses croisades en Orient de la poudre d'ivoire et d'or, des épices rares, de l'encens et de la myrrhe, et chacun des convives en avait reçu quelques onces. Aussi curieux que cela puisse paraître, l'amour s'était par la suite, à pas de loup, invité dans le cœur de la princesse elfique, laquelle trouvait son époux à la fois fort, courageux et profondément touchant. Ensemble, ils avaient eu la chance rare de connaître un bonheur presque parfait, si l'on exclut, bien sûr, le fait que Catherine n'ait jamais réussi à donner un héritier mâle au comté.

J'observe le port altier de celle qui est la comtesse de Champagne, la pureté et la grâce lumineuse de son visage, ses cheveux souples et épais, torsadés en une jolie tresse simple, ramenée vers l'avant, et ses yeux profonds et brillants, aussi splendides que deux agates noires des palais de Syrie. La regarder quelques instants suffit pour comprendre l'élan d'émoi qui avait pu saisir le comte au jour de leur rencontre. Aujourd'hui, cependant, le splendide visage de Cathern an Aëlenwil est loin d'être aussi souriant qu'il avait pu l'être à l'époque de ses épousailles. Certains de ses cheveux ont blanchi et, chose incroyable pour une Elfe, on devine des rides de contrariété sur son front et au coin de ses yeux.

L'année dernière, pendant des mois, elle avait dû assister impuissante à la lente agonie de son époux, avant que celui-ci finisse par ne plus avoir la force de s'accrocher à la vie. Depuis ce moment, les problèmes n'avaient fait que croître et s'accumuler autour d'elle et le ciel n'avait eu de cesse de s'assombrir sur l'avenir du comté de Champagne.

Autour de la comtesse, trois autres personnes sont installées dans la tribune d'honneur. À sa gauche, sa fille unique, la jolie Solenne de Troyes, avec laquelle elle est en train de s'entretenir. À sa droite, le représentant du roi de France, le prince Robert de Navarre. Et un peu en arrière, le légat du pape d'Avignon, le cardinal André d'Orange.

Je tends l'oreille gauche pour essayer de reconstituer au mieux les bribes de la conversation, à peine perceptible, qui se tient entre la comtesse et sa fille.

« Mère, que faisons-nous ici ? Il faut le chercher et le retrouver au plus vite !

— Et comment comptez-vous vous y prendre, ma fille ? En fouillant toutes les maisons et toutes les fermes entre ici et la forêt de Fontainebleau ? »

La jeune fille répond quelque chose, mais le vent, qui souffle ce matin en petites rafales saccadées, m'empêche d'entendre ce que c'est.

« Solenne, soyez sérieuse, et agissez en accord avec la dignité de votre rang. Ce tournoi est donné en l'honneur de la mort de votre père, je vous le rappelle. Votre place est ici et nulle part ailleurs et je ne saurais supporter que vous commenciez à faire des caprices.

— Au moins mère, cessez d'honorer autant le prince de Navarre, il m'est insupportable avec son horrible balafre et ce matin encore, il m'a… »

Le vent encore une fois.

« Par les larmes de Seliarine, Solenne, au diable vos enfantillages ! C'est l'avenir des Elfes de Champagne qui va se jouer dans les jours qui viennent et je vais tout faire pour essayer… »

Il me faut cette fois davantage de temps pour retrouver le fil des mots échangés. C'est la comtesse qui parle à nouveau.

« Le prince Robert de Navarre est le sénéchal du roi. C'est l'un des hommes les plus riches et les plus puissants de tout le royaume de France. Il est normal que je lui accorde les égards dus à son rang. Et encore plus au vu des circonstances actuelles.

— Mais mère, de Navarre est un… »

Quand on parle du loup… C'est le moment que celui-ci choisit pour se pencher vers la comtesse, un air à la fois soupçonneux et mauvais sur le visage.

« J'ai l'étrange impression que votre fille parle de moi, Votre Altesse. Est-ce que je me trompe ?

— Vous avez l'ouïe fort fine, seigneur de Navarre. Mais vous n'ignorez pas qu'il n'est jamais bon d'épier les secrets et les conversations des jeunes filles. Ce ne sont que des sottises ou des idées en l'air, qui sont, la plupart du temps, dénuées de tout intérêt.

— Ce n'est pas mon avis, et j'apprécierais grandement de savoir ce que vous pouviez bien dire de moi. »

La comtesse marque un petit temps d'arrêt et son expression montre à quel point elle considère de Navarre impoli d'insister ainsi.

« Puisque vous voulez le savoir, je disais à Solenne que vous étiez le parrain de Thierry de Montrouge qui va jouter aujourd'hui pour les couleurs du roi de

France. Et comme celui-ci paraît avoir au moins une quarantaine d'années, nous nous demandions toutes les deux quel âge vous pouviez bien avoir vous-même... Monseigneur. »

Le Français garde bonne contenance, mais sa réponse m'échappe, perdue dans un chuintement du vent et dans la musique des trompettes qui annoncent la fin du discours de De Tailly.

« À présent, messires chevaliers, gagnez vos lices et formez vos groupes. Que le saint Christ et les dieux anciens vous protègent ! »

Les chevaliers autour de moi commencent à s'égailler.

Je jette un coup d'œil au Prince Noir d'un côté puis à Gérard d'Auxois de l'autre. La protection des dieux, je risque, en effet, d'en avoir bien besoin.

14

Correspondances de Kergaël de Kosigan avec Charles Chevais Deighton. Paris, le 2 avril 1899.

Mon ami, le génie humain n'a de cesse de m'étonner. Celui d'Edison transforme la nuit parisienne grâce à son électricité. À minuit, on se promène sur les Grands Boulevards comme s'il faisait plein jour, et la place de la Concorde scintille autant que si un géant prodigue y avait jeté des poignées d'or et de diamants. Même le petit canal Saint-Martin, avec ses vieux bouges avinés et ses prostituées défraîchies, reflète les lampions et les réverbères, comme autant de flaques de lumières emprisonnées dans un tableau. La lune, je crois, est battue à plate couture. Et Dieu lui-même, s'il existe, doit commencer à sourire de fierté en contemplant l'humanité à l'œuvre.

Du génie humain, en tout cas, celui qui a fabriqué, il y a plus de cinq cents ans, le coffre qui se trouve, en ce moment même, sous mes yeux, était bien loin d'en manquer. Un génie pervers si tu veux mon avis. La plume dont je me sers pour t'écrire se trouve dans ma main droite, et la clef se trouve dans la gauche. Je la dépose délicatement sur l'écritoire de chêne, juste au-dessus de cette même feuille, sur laquelle, je n'en doute pas, tu dois être en train de découvrir ces mots et de t'interroger sur les taches de sang qui les accompagnent.

L'usure et les rayures qui marquent le métal sombre de la clef lui font comme autant de rides, parcheminées et profondes. Au début, sa tige se refusait à pénétrer entièrement dans la serrure et s'obstinait à se coincer à mi-distance. Il a donc fallu consacrer une bonne demi-heure à l'étudier sous toutes ses coutures avant de parvenir à déterminer la source du problème. Contrairement à ce que j'avais cru dans un premier temps, il s'est avéré que les griffures qui en abîmaient la surface n'étaient pas de simples détériorations, elles correspondaient, en réalité, à de véritables encoches, lesquelles, tout en discrétion, faisaient partie intégrante du système d'ouverture. Lorsqu'un blocage stoppe inopinément l'avancée de la clef, il suffit d'en faire pivoter la tige d'un petit millimètre sur la droite, afin de pouvoir continuer à l'enfoncer.

L'immense fierté et l'excitation qui étaient les miennes en découvrant ce mécanisme ne furent, malheureusement, que de courte durée. Certes, la clef tourne bel et bien dans la serrure, on entend même distinctement le pêne actionner un mécanisme à l'intérieur de la profonde paroi de bois et de fer du couvercle. Pour autant, rien d'autre ne se produit, le coffre demeure hermétiquement clos, et tout se passe exactement comme si un autre dispositif, caché ou secret, s'obstinait à en bloquer l'ouverture.

J'ai bien sûr tenté l'expérience de poser ma main gauche sur le couvercle, à l'endroit précis où une empreinte nettement dessinée invitait à le faire, mais j'en ai été pour mes frais. Il s'agissait d'une sorte de piège, à moins que cela n'ait été l'équivalent d'une punition ; toujours est-il qu'une aiguille acérée d'au moins cinq centimètres de long a jailli, me transperçant la main de part en part et répandant mon sang un peu partout.

Il y a là une énigme bien étrange dont la solution doit forcément se trouver à ma portée. Pourquoi, sinon, m'aurait-on fait, de façon si compliquée, acquérir un coffre et une clef qui ne l'ouvre pas ?

Cette question en tête, je me suis lancé dans une observation minutieuse des deux objets, laquelle a, à mon grand soulagement, fini par me permettre de repérer un indice, sur la face intérieure de l'anneau de tête de la clef. Il s'agissait d'un poinçon minuscule, partiellement effacé par l'acide du temps.

Mes outils de monte-en-l'air ne m'ont pas servi depuis des années, mais je suis fort aise de les avoir conservés avec moi. Au travers de la loupe-à-l'œil d'horloger, quelques minuscules mots sont apparus. Bien qu'abîmée, la phrase écrite il y a de cela plusieurs siècles demeure lisible, ce qui est à la fois mystérieux et, je dois te l'avouer, particulièrement émouvant.

« Ensement que lei cinq doi dei palmee », tel est le message qu'elle délivre. L'ancien français n'est guère ma spécialité mais je pense que l'on pourrait traduire cela par « Comme les cinq doigts de la main », ou quelque chose d'approchant. Quoi qu'il puisse en être, il me paraît certain que cela doit avoir un lien avec l'ouverture du coffre. J'enrage cependant de ne pas comprendre lequel.

Mon horloge vient de sonner les coups de trois heures du matin. Il est temps pour moi de prendre un peu de repos. Souhaitons que la nuit me porte conseil.

Bien à toi.

K.

15

Dieu est censé protéger les chevaliers chrétiens au combat et il faut admettre qu'il a presque autant à faire lors des joutes en groupe que sur un véritable champ de bataille. Deux équipes de cinq chargent l'une contre l'autre sur un espace ouvert, sans aucune lice pour guider les chevaux, et si deux adversaires démontent en même temps, ils finissent leur petit tête-à-tête à pied, à la masse d'armes, jusqu'à ce que l'un des deux se rende, ou bien qu'il meure de stupidité. Évidemment, les accidents arrivent aussi.

On m'a obligeamment versé dans une équipe dans laquelle les chevaliers n'appartiennent à aucune des grandes mouvances en présence : ni Bourguignons, ni Français, ni Champenois, ni Anglais n'en font partie.

À ma gauche se tient fièrement le prince Tanaël an Seïllar, le fils de Gilgalïr Ankanaëth an Seïllar, le roi des Elfes des landes anciennes de Basse-Bretagne. À ses côtés on peut apercevoir la crinière sombre du grand Gunthar von Weisshaupt, l'un des derniers Humals[1] léonins d'Occident et, plus loin encore, le

---

1. Hommes à tête d'animaux.

visage buriné de Mohamed ibn Ajbar don Ribeires, un chevalier maure converti au christianisme par amour pour la fille d'un seigneur espagnol. Pour finir, George d'Andrac, l'une des très rares femmes à porter la lance, clôt la liste des membres de notre petite équipe.

Un groupe fait de bric et de broc, cinq individualités, presque cinq parias. Cela me convient parfaitement.

La bonne nouvelle, c'est que nous ne devrions pas rencontrer les Anglais du Prince Noir, pas plus que les meilleurs des Bourguignons, hormis au cas, bien improbable, où nous réussirions à atteindre la finale. Tant mieux, il est toujours plus dangereux de rencontrer des adversaires qui vous en veulent à titre personnel.

La première joute que nous menons, contre de modestes chevaliers issus des sélections, nous permet de mettre au point quelques tactiques et pas un seul d'entre nous ne vide les étriers. C'est plutôt bon signe. Les deux suivantes sont autrement plus corsées et, mis à part l'Elfe et moi, nos trois camarades finissent au moins chacun une fois dans la boue. Qu'à cela ne tienne, avec trois victoires, nous voilà, contre toute attente, en demi-finale, avec, face à nous, la seconde maine des Bourguignons, celle des frères d'Arcy. Une très bonne équipe, mais tout de même moins impressionnante que les deux autres qui sont encore en lice. Cela nous laisse une petite chance de gagner.

Évidemment, si jamais cela se produisait, la finale nous opposerait aux meilleurs des meilleurs, autrement dit, dans le cas présent, soit à mon bon ami le Prince Noir et son *meilleur chevalier du monde* de sénéchal, soit à la formidable équipe des chevaliers français de l'ordre de l'Étoile – qui, soit dit en passant, vient de réussir à battre à plate couture les Bourguignons de Gérard d'Auxois, et qui n'a pas eu, depuis le début des joutes, un seul de ses chevaliers qui ait été démonté.

Un combat après l'autre.

La trompette du héraut principal résonne pour nous signifier qu'il est temps de nous mettre en place.

Je respire profondément et ferme les yeux un instant.

Comme à mon habitude, je m'arrange pour m'installer sur l'aile droite, de manière à n'avoir des adversaires que d'un seul côté, celui de mon bouclier.

Autant ne négliger aucun avantage.

Face à nous, les Bourguignons se mettent en ligne : Claude de Pouilly et le dangereux Rudac de Montbard accompagnent les trois frères d'Arcy. Je les connais bien ces trois-là. D'excellents chevaliers, solides et efficaces, qui savaient monter à cheval et manier la lance presque avant d'avoir appris à marcher. L'un de leurs atouts principaux provient de leurs destriers, issus de l'élevage de leur grand-père, le vieux Gondar d'Arcy. Depuis une soixantaine d'années, le bonhomme est passé maître dans l'art des croisements entre la puissante et gigantesque race des Shire, venue du nord de l'Écosse, et celle des rapides et fiers *pura raza* andalous. Les résultats qu'il obtient sont exceptionnels : des chevaux fidèles, particulièrement puissants et rapides. Grands aussi, mais sans avoir l'inconvénient, pour les batailles, d'être d'une taille trop imposante. Les destriers des frères d'Arcy sont des merveilles, tout caparaçonnés d'acier et d'adamante, de véritables forteresses, dangereuses comme la mort.

Le héraut nous fait signe de nous tenir prêts.

J'abaisse la grille de mon heaume et raffermis la prise sur ma lance. La tension du combat me prend. Face à moi se trouve Jean d'Arcy. À moins que ce ne soit Jouve. C'est celui du milieu en tout cas.

La trompette sonne le signal de la charge.

Mes talons effleurent à peine les flancs de mon destrier et il s'élance instantanément, de toute sa puissance et de toute sa force. Croisement d'un pur-sang arabe et d'un Sever de Flandres, il n'a pas grand-chose à envier à ceux des d'Arcy. Moins grand peut-être, moins brutal aussi, mais par voie de conséquence plus souple et plus fluide, ce qui me permet de mieux stabiliser et d'être un peu plus précis dans l'impact. Ses muscles épais nous propulsent à grande vitesse vers notre adversaire. En à peine dix battements de cœur tout est fini. Le choc. Suivi d'une immense clameur qui part de la foule, alors que mon adversaire, éjecté de sa selle, n'a même pas encore mordu la poussière.

Jouant de la bride, je fais faire demi-tour à mon destrier et observe rapidement la situation. Mes camarades de combat n'ont malheureusement pas tous connu la même réussite que moi. La femme chevalier et le maure espagnol ont été éliminés, quant à l'homme à tête de lion, lui non plus n'a pas pu éviter la chute, mais comme il est parvenu à entraîner le dernier-né des d'Arcy avec lui, il peut continuer à combattre à pied. Seul l'habile chevalier elfe a su, comme moi, se rendre maître de son adversaire.

Égalité donc.

Je relance mon cheval au galop aussi vite que je le

peux. À mes côtés, le prince Tanaël an Seïllar fait de même, dans une synchronisation presque parfaite. La maniabilité de ma monture ainsi que la vivacité de son pur-sang elfique font merveille et nous donnent deux ou trois secondes d'avance sur nos adversaires. Nous en profitons pour fondre sur l'aîné des d'Arcy ainsi que sur son dernier compagnon, en passant à toute allure de part et d'autre de l'Humal qui, lui aussi, est en train de courir sus à l'ennemi.

À peine nos deux adversaires parviennent-ils à relancer leurs chevaux sur une vingtaine de pas. Cela ne leur laisse pas suffisamment d'espace pour prendre de la vitesse, ni pour bien ajuster leur coup. Nous les heurtons de plein fouet, avec toute la violence des enjambées véloces des flèches de guerre que sont nos destriers. Le bouclier de l'Elfe vole en éclats, arraché de son bras par le heurt de la lance de l'aîné des d'Arcy. Je reçois un coup sourd à l'épaule. Mais nous sommes victorieux. Les deux derniers Bourguignons ont vidé les étriers à la perfection et après un brutal vol plané, ils échouent de conserve sur le sol boueux et flasque de l'arène de combat.

Dans un parfait ensemble, Tanaël an Seïllar et moi poursuivons sur notre lancée. Arrivés en bout de lice, nos chevaux accomplissent un demi-tour serré. Un regard de respect mutuel est échangé. Puis nous levons tous deux nos lances en signe de victoire.

À terre, notre équipe l'a également emporté. Le colosse germanique à tête de lion a à moitié assommé le puîné des d'Arcy et l'a projeté au sol, avant de commencer à le rouler dans la boue à grands coups de pied. Son intention évidente est de faire en sorte que pas un pouce de l'armure de son adversaire n'échappe à la gadoue, et il pousse de sauvages rugissements de victoire en l'écrasant dans la fange. Il ne devrait pas se laisser aller ainsi. Cela effraie les bons chrétiens et c'est très exactement le genre d'attitude qui les pousse à honnir les races non humaines. Rien de tel pour faire le terreau de l'hostilité de l'Église à leur égard.

« Je vous déconseille de le dévorer, sire lion, les Bourguignons ont toujours un petit goût d'urine qui vous serait sans doute fort désagréable. »

Une dernière fois, son pied enfonce le visage du jeune d'Arcy dans la boue, puis il m'adresse un sourire carnassier et répond avec un lourd accent germanique :

« Che crois que zelui-zi z'est déféqué dezzus, mezzire le Bâtard. Mais, n'ayez aucune crainte, il a eu dafantage peur que mal. »

Force est de constater qu'avec l'aide de ses frères, le plus jeune des d'Arcy, qui, au passage, a déjà largement dépassé la vingtaine, se relève sans trop de difficultés. Ensemble, ils repartent de leur côté, en nous abreuvant de quelques invectives colorées et de regards haineux qui nous font sourire.

À notre tour, nous rejoignons le reste de notre équipe d'un jour. Les râles et les jurons que pousse la belle mais massive George d'Andrac sous la douleur feraient rougir une moniale. À la suite de sa chute de cheval, elle a visiblement écopé d'une sale blessure, et le chevalier maure est en train d'enserrer son bras dans des bandes de cuir, afin de l'immobiliser et de le fixer à son bouclier.

« Ça va aller, dame d'Andrac ? »

Elle me regarde d'un air agacé.

« Épargnez-moi votre condescendance, Kosigan.

Sachez, d'une part, que mon cheval a glissé et, d'autre part, que, malgré cela, je suis encore capable de faire face à n'importe quel homme en combat loyal. »

Sale caractère et complexe d'infériorité assez flagrant. Certainement encore l'histoire d'un père qui rêvait d'avoir un garçon. Une petite pique sur les jupes et les chevaux me vient à l'esprit, mais je la garde pour moi. Pour l'instant, il vaut mieux caresser la ronchonne dans le sens du poil.

« J'espère bien que vous allez y arriver, on compte tous sur vous et on a besoin de tout le monde. »

Je me laisse glisser à bas de ma selle afin de donner un coup de main à Ibn Ajbar pour ajuster les sangles. À peine avons-nous terminé qu'un messager vient nous confirmer les noms des prochains chevaliers que nous aurons à affronter d'ici à une demi-heure.

Je fais la moue. Pour tout dire je m'attendais à ce que le destin mette en face de moi le prince Edward – et j'avais commencé à réfléchir à la manière de régler définitivement mon différend avec lui. Mais finalement la victoire a, une nouvelle fois, souri aux Français et ce sont eux, en définitive, que nous allons devoir affronter en finale. Heureusement, il y a peut-être un autre moyen de régler mon problème avec le Prince Noir.

J'appelle Edric pour lui donner quelques instructions dans ce sens. Puis mon esprit revient à la liste de nos adversaires.

La maine française est dirigée par le commandeur Thierry de Montrouge en personne. Le héros de la fameuse bataille des Éperons de fer où il a fait triompher l'ost du roi de France pratiquement à lui tout seul. À ses côtés chevauchent les deux meilleurs chevaliers de l'ordre royal de l'Étoile, sir Ysandre de Fercy, que l'on surnomme Lion de Lys, et sir Aymeric de Plerval, célèbre pour avoir fait passer à Guillaume le Maréchal le goût de concourir. Il m'a déjà été donné de croiser leurs lances en tournoi, à Rouen, l'année dernière, pour ce qui est du premier, et à Orléans, il y a deux ans, pour le second. Bien qu'ayant presque fait jeu égal avec eux au cours des premiers assauts, l'expérience avait finalement, à chaque fois, tourné à mon désavantage.

Quant aux deux autres Français, il s'agit également de chevaliers de grande renommée. J'ai déjà eu l'occasion de les observer jouter l'un et l'autre, et il est indéniable qu'ils ont la puissance et la précision des meilleurs.

La partie s'annonce des plus difficiles.

Sous le prétexte d'aller soulager ma vessie, je m'éloigne et passe non loin de l'endroit où nos adversaires se préparent, histoire de les observer un peu et de déterminer, peut-être, quelque tactique utile. En revenant je m'adresse à la jeune chevalière au bras rafistolé pour lui demander de me suivre. Puis je réunis, les uns après les autres, tous les membres de mon équipe.

« Compagnons, j'imagine que vous savez tous que l'emporter face aux chevaliers de l'ordre de l'Étoile en finale tiendrait véritablement du miracle. »

Les regards qu'ils se lancent mutuellement indiquent qu'ils en sont conscients mais qu'ils s'interrogent sur la raison pour laquelle je les réunis pour le préciser.

Je souris.

« J'ai quelques idées, cependant, qui pourraient nous permettre d'égaliser un peu les chances. »

Le prince Tanaël lève un sourcil soupçonneux et la chevalière se renfrogne. Cette dernière me lance d'un ton empli de défiance :

« J'espère que vous n'avez pas en tête une quelconque *tricherie*, Kosigan. Parce que si c'est le cas, il est inutile de compter sur moi. Pas plus que sur le seigneur Tanaël, à ce qu'il semble.

— C'est l'évidence même, dame d'Andrac. Nous ne ferons absolument rien d'interdit, vous avez ma parole. Mais nous avons tout de même le droit de nous montrer un peu malins, n'est-ce pas ? Si vous me laissez vous expliquer ce à quoi je pense, il se pourrait que nous ayons une petite chance de vaincre. »

L'Humal à tête de lion regarde les autres, puis hausse ses massives épaules et sourit de tous ses crocs.

« Dans ze cas, qu'est-ze que vous attendez, mez-zire de Kozigan, parlez. Nous jugerons enzuite zi votre réputation est juztifiée ou non. »

16

La pluie a cessé. Pour la première fois de la journée, un rayon de soleil transperce la couche nuageuse et colore d'argent l'eau brune des flaques. Les chevaux des Français piaffent d'impatience alors que nous prenons place en face d'eux, de l'autre côté du terrain de joute.

La foule est en attente.

Gunthar von Weisshaupt entre à l'extrémité gauche, face à Ysandre de Fercy. Un lion contre un lion. Cela paraît approprié.

Puis Mohamed ibn Ajbar don Ribeires se place à ses côtés, devant Claude de Fresne. Tanaël an Seïllar vient ensuite, pour défier Charles de Vintilly. Je suis quatrième, face au terrible Aymeric de Plerval. À ma droite, c'est George d'Andrac qui a la lourde tâche d'engager le commandeur Thierry de Montrouge. Je lui jette un regard inquiet. Elle a quelques mètres de retard sur nous et ne s'aligne qu'avec difficulté à mon côté. De toute évidence, sa blessure de la joute précédente la fait grandement souffrir et elle ne maintient son cheval qu'au prix de lourds efforts. Son heaume n'est pas encore abaissé et il semble s'en falloir de peu qu'elle ne s'effondre sur sa selle, emportée par le poids de sa propre armure.

Nos adversaires s'entreregardent, l'air un peu ennuyé.

De tous les ordres de chevalerie chrétiens, celui de l'Étoile est considéré depuis toujours comme étant le plus noble et le plus chevaleresque. La plupart de ses membres préféreraient finir écartelés entre les colonnes du cinquième cercle de l'Enfer plutôt que de déroger à cette précieuse réputation. Thierry de Montrouge éperonne doucement son cheval et s'approche de nous au petit trot.

« Dame d'Andrac, vous ne semblez pas en état de jouter. Puis-je vous suggérer de vous retirer pour vous reposer ? Si vous le faites, l'un des nôtres quittera également le champ de bataille et nous ne combattrons qu'à quatre contre vos camarades. »

Elle lui jette un regard noir de fierté bafouée.

« Allez vous faire foutre, Montrouge. Si vous avez la trouille de… » Elle a une sorte de haut-le-cœur qui la fait grimacer de douleur. « … Si vous avez la trouille de m'affronter face à face, *vous* n'avez qu'à vous retirer… Au cas où vous auriez besoin de vous… de vous reposer un peu. »

Il cligne des yeux, la regarde encore quelques instants en silence, puis fait volte-face et pousse sa monture au galop pour regagner sa place, en face d'elle.

« Ce n'était pas forcément une excellente idée de l'insulter, dame George. Il ne faudrait pas qu'il soit *vraiment* en colère contre vous.

— Je sais ce que je fais, Kosigan. Feriez mieux de vous concentrer sur le tombeur du Maréchal. »

Elle n'a pas tort. J'observe le baron Aymeric de Plerval à travers les grilles de mon heaume. Son bouclier est stable et sa lance est déjà prête, tendue vers moi comme une promesse. Une sale promesse. Je prends une profonde inspiration pour dissiper ma nervosité et j'affermis ma prise sur mes propres armes.

Le héraut fait résonner le signal du début du combat. Les chevaux s'élancent, comme frappés d'un coup de fouet. Leur galop résonne, accompagné des cris des spectateurs. Je me concentre au maximum sur mon adversaire qui se rapproche à toute allure. Hors de question que je manque mon coup. Ma précision doit être absolue. Maintenant. À l'instant précis qui précède le choc, je change l'inclinaison de mon bouclier de manière à ce que la lance adverse glisse sur lui plutôt que de se ficher avec brutalité en son centre. Ce mouvement est très dangereux car il découvre une large partie de mon abdomen et un passage vers mon cœur. Si l'adversaire s'en aperçoit trop tôt, c'est la catastrophe. Mais pour cette fois en tout cas, j'ai réussi mon coup, Plerval n'a rien vu venir. En revanche, le résultat est décevant : changer de position au dernier moment a eu pour effet de déséquilibrer ma propre lance et j'ai finalement manqué le centre de l'écu adverse. Le tombeur du Maréchal a vacillé, mais il est resté en selle.

Demi-tour, vite.

Au moment du contact entre les deux maines, j'ai entendu la foule pousser des cris de surprise. Je croise les doigts pour que ce soit dû à la réussite de nos stratagèmes.

Un coup d'œil à la ronde pour apprécier la situation.

L'effet de surprise est effectivement en notre faveur, mais notre plan de bataille ne s'est malheureusement pas déroulé entièrement comme prévu. Et cela risque de nous coûter la victoire.

Notre Humal léonin a réussi, contre l'attente générale, à désarçonner le fameux Lion de Lys. Le chevalier Ysandre de Fercy est l'un des meilleurs jouteurs qui soient et Gunthar von Weisshaupt, théoriquement, ne lui arrive pas à la cheville. En revanche, la taille joue nettement en sa faveur. Les talents de combattant du Lion de Fercy sont, en effet, inversement proportionnels à sa stature. Pas plus de quatre pieds et demi de haut, en tout et pour tout, debout sur les orteils. Je connais des gamins de douze ans qui sont déjà plus grands que ça. Ce léger handicap ne pose en général aucun souci face à des adversaires de taille normale, mais notre lion de Weisshaupt rend bien une dizaine de pouces au *plus grand* des chevaliers humains ici présents. Et sa poigne est si solide qu'il a pu, sur mon conseil, agripper sa lance au plus loin de la garde. Le but était d'obtenir une longueur d'avance et de frapper l'écu de Fercy nettement avant que celui-ci ne touche le bouclier de l'Humal. Mission accomplie, de toute évidence.

La réussite est moins nette pour Ajbar don Ribeires, opposé au jeune et excellent Claude de Fresne. Jeune et excellent, certes, mais avantagé par le fait d'être gaucher. Les chevaliers qui joutent de la main gauche ont l'habitude de rencontrer des droitiers, alors que, bien sûr, la réciproque n'est pas vraie. Afin de rééquilibrer un peu les chances, j'ai donc proposé de mettre face à lui notre ami maure, qui est gaucher lui-même. Cette tactique n'a pas entièrement été couronnée de succès puisque Ibn Ajbar a finalement mordu la poussière, mais il a tout de même réussi à entraîner Claude de Fresne dans sa chute. Et leurs pages respectifs se précipitent à présent vers eux pour leur apporter leur masse d'armes. À terre les choses seront différentes et j'ignore lequel des deux pourra l'emporter.

En revanche, notre splendide et fier prince elfe a failli. Pour le coup, c'est moi qui suis surpris, et pas en bien. Il avait de bonnes chances de se défaire de Charles de Vintilly, le moins talentueux des chevaliers français. Mais les joutes ne sont pas une science exacte, loin de là, et quand on heurte un adversaire bardé de fer sur un cheval au galop avec une lance pointée sur soi, on ne peut jamais être entièrement sûr de la manière dont les choses vont tourner. Tanaël an Seïllar est au sol, maculé de boue, et j'ai bien l'impression qu'il ne bouge plus.

Quant à la bravache George d'Andrac, la ruse dont elle est le sujet a bien fonctionné. Chevaleresque, le commandeur de Montrouge a choisi, comme je l'escomptais, de dévier sa lance pour ne pas la frapper. Il pensait certainement que ses camarades allaient nous vaincre aisément et que la courageuse dame chevalier n'aurait plus qu'à rendre les armes.

Notre plan était qu'au moins quatre d'entre nous soient encore à cheval à l'issue de la première lance. Ainsi, nous aurions pu fondre, à deux ou à trois, sur le commandeur, et lui apprendre que l'intelligence et la ruse priment souvent sur la force, et que la noblesse de la chevalerie n'a d'égale que les raclées qu'on se prend en la respectant. Malheureusement, le prince elfe est tombé et ma propre feinte n'a pas été aussi décisive que je l'avais espéré.

Pas le temps de réfléchir, Aymeric de Plerval est déjà en train d'éperonner sa monture face à moi et je fais de même. Sans doute considère-t-il sa réputation comme déjà entachée de ne pas m'avoir fait démonter au premier passage, et il est, à l'évidence, déterminé à régler au plus vite ce petit problème. Eh bien, nous allons voir qui va faire démonter qui, messire de Plerval.

Mon cheval a déjà atteint son galop.

Je serre de toute la force de mes genoux armurés de fer les flancs puissants de mon cheval. Je vise avec la plus grande précision le cœur du bouclier adverse. Et, emporté par la folle allure de l'accélération finale, je bande le moindre de mes muscles, prêt à encaisser la violence de l'impact.

17

Correspondances de Kergaël de Kosigan avec Charles Chevais Deighton. Paris, le 4 avril 1899.

Cher Charles,

Une courte lettre pour quelques nouvelles.

Mon excitation et ma curiosité me torturent chaque jour davantage, elles progressent à un rythme similaire à celui de mes désillusions ! Malgré mes efforts, rien n'y fait. Non seulement la clef se refuse obstinément à ouvrir le coffre, mais encore celui-ci se révèle impossible à endommager ! Je t'assure que si j'ajoutais foi à toutes les élucubrations ésotériques des amis d'Élisabeth qui appartiennent à la Golden Dawn[1], je pourrais affirmer sans hésiter qu'il y a là une odeur d'occultisme des plus inquiétantes !

Nul doute qu'en réalité, l'explication ne soit plus rationnelle, seulement, à l'heure où j'écris ces lignes, je ne suis toujours pas parvenu à la déterminer. Depuis trois jours, j'ai tout essayé pour venir à bout du coffre : du burin à la chignole, en passant par la masse et même le chalumeau, et au diable le risque d'en

---

1. Hermetic Order of the Golden Dawn, société secrète britannique consacrée à l'étude et l'enseignement des sciences occultes.

abîmer le supposé précieux contenu ! Sous l'effet des flammes, le bois se teinte curieusement d'une couleur proche du violet sombre, mais cela ne va pas plus loin, et la surface n'en est pas le moins du monde altérée. As-tu déjà entendu parler d'une telle chose ? Moi jamais. À cet égard, il semblerait d'ailleurs que les très honnêtes notaires de Broglie aient, eux aussi, succombé à la tentation et essayé de forcer l'ouverture. En effet, en retournant le coffre pour pratiquer mes expériences, j'ai pu constater la présence de cinq autres traces violacées, beaucoup plus anciennes selon moi, dont une particulièrement large, qui laisserait supposer que l'on a tenté de jeter l'objet au feu. La curiosité est depuis toujours un très vilain défaut, on peut le constater ici, une fois encore.

En désespoir de cause, j'ai pris rendez-vous pour dans trois jours avec le docteur Théodore Béclère, à l'hôpital Tenon. Je suppose que tu te souviens de lui et de sa spécialité. Après tout, il t'a tout de même sauvé la vie, ou peu s'en faut. Quoi qu'il en soit, il est le seul à pouvoir radiographier mon héritage. S'il y a quoi que ce soit qui bloque à l'intérieur de la paroi ou dans la serrure, il est impératif que je découvre de quoi il s'agit.

Je reconnais que prendre contact avec lui a tout du plan hasardeux, surtout lorsqu'on songe à tout ce qui s'est passé avec son épouse, Gabrielle, néanmoins j'ai pris mes renseignements et personne d'autre, dans les différents hôpitaux parisiens, ne dispose d'un matériel à rayons X aussi performant que celui de son service. Considère donc que je n'ai pas le choix. J'ai pris rendez-vous avec lui sous un faux nom et j'utiliserai un postiche afin qu'il ne me reconnaisse pas. Les dix années passées ont, je l'espère, suffisamment modifié les traits de mon visage pour qu'il y ait de bonnes chances que cela fonctionne. Bien sûr, il se peut que je me berce d'espoir, mais pour l'heure, c'est le dernier auquel je puisse me raccrocher.

Cela étant, si jamais il s'avérait que je ne donne plus signe *de vie d'ici à jeudi en huit, je compte sur ton dévouement pour venir vérifier s'il reste quelque chose à secourir ou non.*

Bien à toi,

K.

18

Le heurt des lances et des boucliers fait vibrer toute mon armure et mon bras hurle de douleur, comme sous le choc de la plus lourde des masses d'armes. La puissance du contact me projette vers l'arrière et mon pied gauche est dégagé, d'un seul coup, en dehors des étriers. Déséquilibré, je glisse vers la droite. À un doigt de la chute. Par réflexe, ma main, *in extremis*, s'agrippe au pommeau de la selle, mais l'intensité de la torsion dans mon bras est immense. Je hurle de rage pour tenir bon, la moitié du corps dans le vide, bringuebalé par les soubresauts du galop, jusqu'à ce que mon cheval finisse par freiner et s'arrêter de lui-même, au bout de sa course.

Aussi vite que je le peux, je réajuste ma position et cherche, dans le chaos du mouvement, à me remettre dans le sens du combat. Se peut-il que j'aie gagné ? Ma lance a visé juste et je sais qu'elle a percuté mon adversaire avec force. Il a subi l'impact, mais j'ignore s'il est tombé ou non. Mes espoirs sont vite déçus. *Enfer, il se prépare déjà à relancer la charge !*

La tête me tourne un peu. Encore à moitié sonné, je pousse frénétiquement mon destrier des talons pour faire face. Si je ne parviens pas à prendre suffisamment de vitesse avant que nos lances ne se croisent à nouveau, il va me balayer.

Les rugissements de Gunthar von Weisshaupt me prennent pratiquement autant au dépourvu qu'Aymeric de Plerval. Concentré sur le duel, j'avais oublié le plan initial. Mon camarade à crinière est en train de foncer sur le baron sur son côté droit. Il a vaincu Charles de Vintilly et vole à présent à ma rescousse. L'avantage qu'il me donne est énorme : Plerval n'a pas d'autre choix que de ralentir et d'infléchir brutalement sa course s'il veut éviter la charge. Il y parvient de justesse, mais son élan est brisé. Je le heurte de plein fouet alors que sa lance ne touche que péniblement le côté extérieur de mon bouclier. Il s'envole dans les airs et retombe lourdement sur le sol gras de boue, alors que je passe à côté de lui au grand galop.

Le plaisir de la victoire est immense, mais tout n'est pas terminé, loin de là. À une vingtaine de pas de moi, notre chevalier maure se bat comme un beau diable pour faire plier le jeune Claude de Fresne. Mais les deux adversaires semblent être de force égale et rien n'est joué encore. De l'autre côté, j'aperçois George d'Andrac. Je fais la grimace, elle a visiblement été vaincue et est en train de claudiquer en direction de l'extérieur du terrain de joute. Cela signifie que le commandeur de Montrouge s'est finalement résolu à lui faire vider les étriers et qu'il va falloir compter avec lui pour la fin du combat. Je me tourne dans sa direction alors que Gunthar von Weisshaupt se place à mes côtés. Il nous fait face, calmement, la visière de son heaume relevée.

Tout adversaire sain d'esprit rendrait les armes : deux lances contre une, ce n'est pas raisonnable.

Mais le commandeur Thierry de Montrouge n'est pas connu pour apprécier la reddition. Il tente la seule manœuvre qui est encore à sa disposition et nous lance d'une voix forte :

« Sire von Weisshaupt, chevalier de Kosigan, j'en appelle à votre sens de l'honneur. Je vous affronterai un par un si vous en êtes d'accord. »

Il espère que le fait qu'il ait épargné à deux reprises dame George nous rendra enclins à accepter sa chevaleresque proposition.

« Vous parlez d'honneur, commandeur, c'est une plaisanterie ? Je vous signale que vous venez de démonter une femme, et blessée qui plus est. Alors, les règles sont les règles. Soit vous jetez l'éponge, soit vous vous préparez à prendre une double raclée. À bon entendeur, salut ! »

Il hésite un instant.

Puis, il ajuste calmement ses gants, consolide la position de son bouclier, vérifie son assise sur sa selle, rabaisse sa visière et se saisit de la lance que lui tend son écuyer.

Le commandeur de Montrouge a visiblement pris sa décision.

Son cheval s'élance en même temps que les deux nôtres.

Vu nos positions respectives, il va jouter contre Gunthar et, en faisant cela, il va laisser tout son côté droit à découvert pour ma lance. Sans son bouclier pour le couvrir, il y a des risques pour qu'il soit gravement blessé, peut-être pire si le choc est trop violent ou si la malchance s'en mêle. Cela ne me pose pas le moindre cas de conscience. Je vise au niveau de son abdomen et raffermis ma prise pour l'accélération finale.

Trois foulées avant la victoire.

Lorsque brusquement, tout bascule.

Il est rare que je sois surpris par une manœuvre au cours d'un duel ou d'un tournoi, mais je dois reconnaître que la tentative est splendide : à peine un ou deux battements de cœur avant l'impact, le commandeur, d'un geste brusque mais maîtrisé, fait passer sa lourde lance *par-dessus* la tête de son destrier et décale, d'un coup, tout son axe d'attaque dans ma direction.

La lance de joute de Gunthar von Weisshaupt ne rencontre que le vide. Je tente de réajuster ma position en catastrophe, mais il est déjà trop tard. Le choc est violent. À peu près autant que le contact avec le sol.

Très vite, Edric accourt à mes côtés. Il m'aide à me relever et me colle dans la main mon fléau d'armes.

« Dieu vous protège, messire Pierre, courage ! »

Je le regarde avec surprise. Dieu ? Est-il possible que j'aie pu faire tomber le commandeur pendant la charge ? Je me retourne rapidement dans sa direction pour constater que *oui*. Il semble d'ailleurs avoir davantage de mal à se relever que moi et son écuyer a toutes les peines du monde à lui faire prendre sa masse en main. Il est trop loin pour que je puisse en tirer un avantage immédiat, mais si j'agis vite, il sera encore un peu groggy lorsque j'arriverai sur lui et cela jouera en ma faveur. D'un coup d'œil, je vérifie que Gunthar se trouve encore en lice. Je lui fais signe de mettre pied à terre pour aller aider Ibn Ajbar et je me dirige vers le commandeur d'un pas rapide.

L'effort me fait haleter mais il n'est pas question de lui laisser le temps de récupérer. Il a encore un genou en terre, mais j'attaque sans réfléchir, directement sur son bouclier. Sans même essayer de freiner mon élan, je le percute avec le mien. Il vacille vers l'arrière en tentant de me toucher aux jambes. Je sens à peine le coup. Je fais pleuvoir plusieurs grosses attaques sur lui avec violence, sur son écu, aux épaules, à la tête, le repoussant toujours plus loin vers l'arrière. Son bouclier finit par se fendre. Avant de se couper en deux. Il tente de m'en projeter les restes au visage. Mais mon heaume est fait des meilleurs aciers d'Enibelungen. Je ne cherche même pas à les éviter. Je lui lance deux derniers coups brutaux qui font voler sa visière et son nez en éclats et il s'effondre au sol dans une gerbe de sang.

Essoufflé, je retire les lanières de mon heaume pour l'enlever et respirer plus à mon aise. Edric se précipite vers moi pour le prendre et me soutenir. L'effort a été rude, mais ça en valait la peine.

« Beau combat, messire, le dernier des Français est en train de se rendre. »

Je tourne la tête. En effet, je l'aperçois, la tête basse, en train de serrer les mains de Ibn Ajbar et de von Weisshaupt, en signe de défaite.

« Une… Une promenade de santé, mon garçon. »

Il sourit, visiblement impressionné.

« Je n'arrive pas à croire que vous ayez réussi à gagner, monseigneur ! Avec une femme dans votre équipe. Et contre cinq chevaliers de l'ordre de l'Étoile avec ça ! Je suis sûr que vous allez l'emporter demain aussi et… »

Je l'arrête d'un signe de la main.

« Mesure ton enthousiasme, Edric. À un contre un, et avec des temps de repos entre chaque passe d'armes, ce sera une tout autre paire de manches. »

Je l'entraîne à ma suite pour aller féliciter mes compagnons.

« Mais cela étant dit, on ne sait jamais, demain est un autre jour, et on verra bien à quelle sauce le destin décidera de nous manger. En attendant, est-ce que tu es allé demander audience au prince Edward, comme tu devais le faire ? »

Il est parfois éreintant d'avoir autant de problèmes à résoudre en même temps. *Si je ne me connaissais pas aussi bien, je pourrais presque croire que j'aime ça.* Il cligne des yeux, un peu surpris par le changement de conversation.

« Si... si fait, messire. Il accepte de vous voir juste après votre combat.

— Parfait... Il y a longtemps que je n'avais pas vu sa femme. »

19

Les Goddams[1] n'y sont pas allés avec le dos de la cuillère. Parmi la forêt de tentes de combat qui entourent l'espace des lices et qui sont destinées au repos des chevaliers entre deux passes d'armes, celle du prince Edward est de loin la plus impressionnante. Grande comme un manoir normand, sans en avoir toutefois la hauteur, parée de tours et d'échauguettes, elle est faite de cordages et de pans de murs entiers, en toile ou en coutil, aux couleurs vives de l'Angleterre. Ses hauts piquets de maintien arborent fièrement ribandelles[2] et catemontades[3] sang et or ou rayées de blanc, comme un gigantesque étendard planté là pour défier les ennemis du royaume d'Albion.

Les cloches de la prière de midi résonnent dans le lointain.

Tout en traversant le premier rideau de gardes autour des tentes des chevaliers anglais, j'observe les

1. Surnom ironique donné aux Anglais à cause de leur façon de jurer : « *God damn me !* »
2. Ruban épais et long.
3. Fine banderole.

effets du vent qui, depuis ce matin, continue sa lutte contre les nuages. Il commence à accorder au soleil quelques carrés de ciel bleu et insuffle une vie propre au double drapeau royal qui surmonte la tente du Prince Noir. Les lys sur champ d'azur des couleurs françaises ont été hissés juste en dessous des léopards rampants sur fond rouge, chers aux seigneurs d'Angleterre. Comme pour rappeler que même si, ici, en Champagne, la trêve est respectée, les prétentions anglaises concernant la succession du trône de France depuis plus de dix ans sont très loin d'être éteintes.

Le prince Edward porte, comme c'est souvent le cas dans les familles pour le fils aîné, le prénom de son père : Edward III Plantagenêt, roi d'Angleterre et duc d'Aquitaine. Un homme à poigne qui n'a pas hésité à faire pendre l'ancien régent et à exiler sa propre mère dans le Norfolk, avant de la faire avorter de force. Le drapeau de lys et de bleu qui bat en ce moment même dans le vent, au-dessous des léopards rampants d'Angleterre, rappelle à tous que ledit Edward III, par sa mère, est le petit-fils *en ligne directe* du grand Philippe le Bel, et qu'à ce titre, il se considère comme le *seul* héritier légitime de l'ensemble des terres et seigneuries de la couronne de France.

Bien sûr, cet avis n'est nullement partagé par celui qui, à l'heure actuelle, porte officiellement cette même couronne sur la tête, à savoir Philippe VI de Valois. Ce dernier a été élu par les grands comtes du royaume en 1328, au moment où le dernier des fils de Philippe le Bel est mort sans héritier. S'il ne descend pas en ligne directe du grand roi – puisqu'il n'en est que le petit-neveu – le sang de la famille royale coule tout de même dans ses veines grâce à une ascendance uniquement masculine, et il peut se vanter de bénéficier de l'appui indéfectible de l'immense majorité des barons et des grands nobles français. Sa réponse aux prétentions d'Edward III a été de le menacer de confisquer, de manière définitive, ses possessions dans le sud-ouest de la France. Et, dans la mesure où le roi d'Angleterre n'avait pas les capacités militaires pour les défendre, il a finalement réussi à contraindre ce dernier à lui jurer fidélité et à prêter serment d'allégeance, pour l'ensemble de ses terres de Gascogne et d'Aquitaine.

On aurait pu croire, alors, qu'Edward pliait le genou et renonçait à ses prétentions, mais il n'en a rien été, son serment ne représentait, en réalité, qu'une simple pause dans la tension, une ruse pour éviter que les armées françaises ne taillent ses propres troupes en pièces avant que celles-ci ne soient entièrement prêtes à les affronter. Les années qui ont suivi le pacte d'allégeance ont été utilisées par le roi d'Angleterre pour consolider ses positions continentales et mettre fin à la guerre que son père avait autrefois commencée en Écosse. Aujourd'hui, tout le monde sait pertinemment qu'il se refuse à demeurer plus longtemps le féal du roi de France. Reste à savoir lequel des deux va oser briser l'allégeance le premier.

De nos jours, la force des serments n'est plus aussi puissante qu'elle l'était aux temps anciens. Il n'y a qu'à observer le cas de la Bourgogne, pourtant elle aussi théoriquement inféodée au vaste royaume de France. Son indépendance farouche est une réalité depuis le traité de Besançon, en 1072, et aujourd'hui le duc Eudes de Bourgogne ne prête serment au roi que pour mieux, ensuite, pouvoir lui rire au nez. Ce rejet de l'autorité royale remonte au temps où les prétentions de la toute jeune Jeanne de Bourgogne au trône de France avaient été écartées, sous le double prétexte qu'elle n'était qu'une femme, une enfant qui plus est, et que le sang qui coulait dans les veines de sa famille venait, pour partie, de celui des peuples anciens. À partir de là, les ducs ont cessé de répondre aux appels et aux ordres du roi, et ils n'ont pas hésité à lever les armes contre lui pour arracher à la France le comté de Verdun, réunissant ainsi le cœur historique de leur domaine au sud et leurs possessions du Brabant et du Hainaut, au nord. La brouille qui les oppose au roi est si forte que certaines personnes accoutumées aux secrets murmurent que la famille de Bourgogne pourrait bien être sur le point de faire ouvertement sécession, et de reprendre l'ancien titre royal que portaient les descendants de Charlemagne lorsqu'ils contrôlaient cette région.

C'est amusant de voir comme ici, à Troyes, les enjeux de la Champagne tiennent tous ces puissants seigneurs en équilibre. Chacun rêverait de pouvoir y avancer ses pions, mais aucun n'oserait prendre le risque de déclencher pour cela une guerre ouverte. Le temps des armes n'est sans doute pas encore venu. *Mais il y a fort à parier que cela ne va pas tarder.*

Le chevalier en charge des entrées écarte l'épaisse toile rouge qui tient lieu de porte pour me permettre de pénétrer à l'intérieur de la tente princière. Il a ce regard, à la fois vide et concentré, qu'ont certains soldats lorsqu'ils accompagnent un condamné à mort sur les marches qui mènent au billot du bourreau. Sur le chemin jusqu'ici, j'ai pris quelques précautions, notamment en faisant en sorte d'être vu par le plus grand nombre de chevaliers possible. Cela étant, je ne pense pas que le Prince Noir ait l'intention de ternir l'honneur du royaume d'Angleterre en se comportant ouvertement comme un vulgaire assassin. Non, je ne le pense pas. Même si j'avoue que j'aimerais être assez arrogant pour en avoir la certitude.

On me fait attendre dans un vestibule de toiles rouges et écrues, avec deux piquiers pour seule compagnie. Je choisis de me placer au centre de la pièce et de patienter sans bouger. Le temps passe. Ce genre de petit jeu est une sorte de mise à l'épreuve que les puissants apprécient particulièrement. Faire attendre les gens, c'est leur dire à quel point ils sont insignifiants et les mettre ainsi en position d'infériorité. Cela peut également permettre de les observer discrètement pour étudier leur attitude et parfois se repaître de leur nervosité. Nul doute que ce ne soit ce qui arrive en ce moment. Face à un loup tel que le Prince Noir, il serait très dangereux pour moi de montrer une quelconque faiblesse ou la moindre fébrilité. Je patiente donc, stoïquement. Après tout, on peut considérer que cette attente est plutôt bon signe. Elle signifie probablement que l'homme qui, hier, a envoyé les Aes Sidhes pour me tuer, ne se trouve pas sous l'emprise d'une colère si irrépressible qu'elle le pousserait à agir avec précipitation.

Évidemment, cela pourrait également vouloir dire qu'il préfère mûrir une vengeance plus sophistiquée…

Au bout d'un temps considérable, deux solides chevaliers aux couleurs du Surrey viennent me chercher et soulèvent pour moi une lourde tenture qui mène à la pièce suivante. Aménagée en bureau avec un fauteuil en cuir d'Ancier, le Prince Noir m'y attend. Tout de sombre vêtu, les cheveux et la barbe épais, du cuir et du métal dans les yeux, il se tient debout, appuyé au coin du bureau de bois noir. Il observe mon entrée d'un air lourd.

Je m'incline.

« Votre Altesse. »

Il fronce les sourcils.

« J'ai accepté de vous voir, Kosigan, mais sachez que je méprise les gens tels que vous, alors allez droit au but et soyez bref. Mon temps est précieux. »

Et moi qui m'attendais à des retrouvailles entre vieux amis.

Il va falloir se montrer prudent.

« Je viens vous parler de paix, monseigneur. Je souhaite résoudre tout différend qui pourrait exister entre vous et moi. Et de manière définitive si possible. »

Son visage reste sombre, mais il hausse très haut ses deux sourcils tout en faisant la moue, comme s'il ignorait tout de ce à quoi je faisais allusion.

« Qu'est-ce que vous venez me raconter, chevalier ? Nous n'avons même pas jouté l'un contre l'autre, aujourd'hui. » Il regarde à droite et à gauche d'un air méfiant, comme s'il s'attendait à une quelconque attaque. « Je vous préviens que je prendrais assez mal qu'il s'agisse d'une espèce de ruse pour tenter de m'éliminer du tournoi et ne pas avoir à m'affronter demain. »

J'entends derrière moi les chevaliers du Surrey qui sortent doucement leurs armes de leurs fourreaux et relèvent le pan de toile afin de faire signe aux piquiers de les rejoindre.

Pour le coup, je suis surpris. À quoi sert au prince

de jouer une telle comédie ? Peut-être pour préserver sa réputation et son honneur devant ses deux bannerets, ici présents.

« Ce n'est pas une ruse, Votre Altesse. Et c'est un sujet grave. Mais j'ignore si je peux parler librement devant vos hommes. Il serait peut-être bon pour notre affaire qu'ils se retirent momentanément. »

Il lève les yeux au ciel en faisant non de la tête et en me regardant d'un air de profond mépris, comme s'il pensait que je voulais le priver de la protection de ses hommes et que je le prenais donc pour le plus grand imbécile que la Terre ait jamais porté.

« Qu'on en finisse, Kosigan, parlez ! Et dites-moi en une seule fois tout ce que vous avez à me dire, avant que je ne décide de vous faire rouer de coups et jeter dans les caniveaux. »

Je caresse l'idée d'essayer de lui planter mon épée directement dans le ventre pour raviver un peu sa mémoire, mais j'y renonce vite : les chances de me tirer vivant d'une telle tentative ne seraient pas forcément en ma faveur et, quand bien même je réussirais à lui ôter la vie, ce serait la meilleure chose à faire pour ruiner définitivement ma carrière dans tout l'Occident.

« On a tenté de m'assassiner hier, dans la nuit, monseigneur. Des Aes Sidhes. J'ai pensé, peut-être à tort, que cela pourrait venir de vous. »

De l'incompréhension et de la défiance dans son regard. On jurerait *vraiment* qu'il n'a pas la plus petite idée de ce dont je lui parle.

« Par tous les dieux, pourquoi aurais-je quoi que ce soit à voir avec ça ? Vous croyez réellement que je vais m'amuser à faire tuer, un par un, tous les chevaliers présents à Troyes pour m'assurer la victoire au tournoi ? Mes méthodes à moi sont beaucoup plus directes que cela, vous pouvez m'en croire, et vous aurez l'occasion de le constater dès demain, si par malheur le hasard veut que vous croisiez mon chemin dans les lices. À présent, ramassez vos accusations, Kosigan, et allez vous faire assassiner ailleurs. Le sort d'un minable petit mercenaire dans votre genre m'importe autant que celui des rats qui pataugent dans les latrines de mes soldats. »

On dit souvent que les femmes ont un don naturel pour la comédie, pour autant certains hommes sont parfois capables de rivaliser avec elles. Cela pourrait être le cas du prince Edward, mais mon instinct me souffle qu'il n'en est rien. Le hic c'est que, de ce fait, ce doit être l'Aes Sidhe qui a menti. Voilà qui me replonge dans le flou le plus complet quant à l'identité de la personne qui se cache derrière la tentative d'assassinat de la nuit dernière. J'ai intérêt à découvrir au plus vite de qui il s'agit, sinon, il se pourrait bien que je n'aie pas la chance de survivre à la suivante.

Je hoche la tête doucement.

« Je vous présente mes excuses, Votre Altesse, je me suis visiblement laissé abuser. Nous nous verrons demain. Si Dieu me prête vie jusque-là, évidemment. »

Je tourne les talons et passe entre les gardes. J'ignore ce que le Prince Noir sait sur mon implication passée dans l'affaire de son mariage, mais je ne vois pas l'utilité de rester ici et de le questionner à ce sujet. Personne ne fait mine de m'arrêter, c'est une bonne chose.

Dehors, il fait déjà sombre et froid. J'ai presque quitté le quartier des tentes réservé aux Goddams lorsqu'un écuyer anglais de petite taille décide finalement de m'arrêter.

« Halte-là ! Messire de Kosigan. »

Je porte la main à la garde de mon épée.

« Paix, messire, je ne cherche pas querelle, mais il se trouve que quelqu'un souhaite s'entretenir avec vous. »

Je distingue mal son visage car la nuit est pratiquement tombée à présent. Seule une légère luminosité empêche le gris de l'horizon de se confondre entièrement avec le noir épais du ciel sans lune. Prudemment, je fais un pas en arrière en observant les alentours d'un œil méfiant et achève de sortir mon épée.

« Je n'ai rien contre vous non plus, écuyer. Dites-moi simplement qui vous êtes et de qui il s'agit, et tout se passera bien. »

Il hésite.

« La dame qui m'envoie préfère que je n'énonce pas son nom. Nul ne sait quelles oreilles indiscrètes peuvent se cacher dans les ombres de la nuit. »

Une dame ? En plissant les yeux, je constate que ses vêtements ne portent pas de blason ni de marque d'appartenance.

« J'entends bien votre désir de discrétion, écuyer, mais je n'ai pas l'intention de vous suivre alors que j'ignore tout de l'endroit où vous voulez m'emmener et qu'il y a de fortes chances que tout cela finisse en embuscade. Vous le comprenez, n'est-ce pas ?

— Parfaitement messire. Néanmoins je me permets de vous faire remarquer que le lieu où nous nous trouvons à l'instant serait *lui-même* idéal pour une attaque surprise. Et que, par conséquent, si je

135

voulais vous faire trancher la gorge, je n'aurais aucun besoin d'en chercher un autre. »

Je jette un coup d'œil à la ronde : un passage étroit, coincé entre deux longues tentes, à l'évidence désertes, une charrette de foin, accompagnée de deux tonneaux et une petite cabane de bois fermée qui doit servir de réserve. Il a raison, l'endroit est plutôt discret et il serait parfait pour jeter cinq ou six spadassins en travers de ma route.

« De plus, vous conviendrez que j'aurais pu inventer à peu près n'importe quel nom de dame pour vous attirer en un lieu plus dangereux. »

Tout en m'interrogeant sur l'identité de sa maîtresse, je fais signe à l'écuyer que, finalement, j'accepte de le suivre. Il hoche la tête et tourne les talons en prenant à gauche, le long de la cabane.

Pourvu, en tout cas, que ce ne soit pas une femme à qui j'ai promis le mariage, ce sont toujours les plus dangereuses.

20

Correspondances de Kergaël de Kosigan avec Charles Chevais Deighton. Paris, le 7 avril 1899.

Le miracle a eu lieu, Charles, mon héritage est ouvert !

« Comme les cinq doigts de la main », tu te souviens ? Eh bien, il s'est avéré que le coffre ne comportait pas une, mais cinq serrures, voilà la raison pour laquelle il s'acharnait à résister à toutes mes tentatives pour l'ouvrir. Il va de soi que, hormis pour ce qui est de la principale, les quatre autres étaient particulièrement bien cachées. Je les ai découvertes, dissimulées à l'intérieur des grosses ferrures d'angles qui protègent les coins inférieurs du coffre. Leurs rivets donnaient l'impression d'être soudés mais, en réalité, ils avaient la particularité d'être amovibles, utilisant en cela un ingénieux système de cliquets, pratiquement indécelables à l'œil nu. Une telle technicité force l'admiration quant à la perfection de sa réalisation, et elle paraît tout bonnement incroyable pour l'époque.

Deux tours de clef dans chacune des quatre serrures secrètes et il ne m'est plus resté qu'à soulever enfin le couvercle du mystère.

Inutile de te décrire l'impatience et l'excitation qui étaient les miennes, mes mains battaient la chamade et mon cœur tremblait de toute part. À moins que cela n'eût été l'inverse. Pour ce qui est des merveilles qui sommeillaient à l'intérieur du coffre, il m'a fallu plus d'une heure pour les répertorier et, à l'instant où j'écris ces lignes, je ne parviens toujours pas à croire vraiment à ce que j'ai découvert.

Par où commencer ?

Par le début, je suppose, c'est souvent ainsi que les histoires se présentent sous leur meilleur jour. La première chose remarquable, en ouvrant le coffre, a sans nul doute été son odeur. Celle-ci se révèle positivement étonnante : je m'attendais à un peu de moisi, saupoudré de poussière et mâtiné d'une bonne sensation de renfermé, mais il s'en dégage au contraire un léger fumet, fort agréable, oscillant entre le cuir vieilli et le bois fraîchement lustré. Les yeux fermés on pourrait presque se croire à l'intérieur de la salle de lecture du Reform Club, lorsque les fauteuils viennent tout juste d'en être cirés. Sur la face interne du couvercle chenu, on devine les initiales de mon ancêtre. Quant au coffre proprement dit, il semble empli de tissus épais et pliés avec soin. Les sortir précautionneusement permet de constater qu'il y a là deux éléments séparés, de grande taille, l'un et l'autre colorés de vert très sombre et agrémentés de broderies.

Je commence tout naturellement par le premier. On dirait une couverture, plus exactement une courtepointe. Elle est tout aussi surprenante que le coffre en lui-même : ses couleurs sont vives comme si elles venaient tout juste de sortir du bac de teinture, elle ne présente pas le moindre accroc ni la moindre éraflure, et le duvet de son intérieur, qui remonte pourtant à plusieurs siècles, a su conserver un aspect épais et moelleux qui donne envie de s'y blottir pour oublier l'hiver. L'ensemble mesure trois pas de long sur deux de large, pourtant son poids dépasse à peine celui d'un petit sac de toiles d'araignée. Même la plus fine des soies lyonnaises paraîtrait lourde et rugueuse en *comparaison. Il y a là, je peux te l'assurer, un véritable prodige que, pour l'heure, je suis totalement impuissant à expliquer.*

Toujours est-il que le blason de mon ancêtre est cousu sur l'un des bords, accompagné d'un autre, entremêlé de feuilles de chênes et de flèches d'or brodées. Mes doigts glissent sur les fils dorés de leurs coutures, tout empreints d'hésitation. Est-ce que tu réalises ? Le chevalier de Kosigan est sans doute le dernier à avoir posé les mains sur ces mêmes blasons. Il y a cinq cent vingt et un ans de cela, très exactement. Prenant conscience de ce fait, une étrange sensation s'immisce en moi, une sorte de picotement au bout des doigts qui se répand ensuite à travers tout mon corps, faisant tanguer l'intérieur de mon crâne. L'espace d'un instant, j'ai le sentiment d'être happé vers le passé et de remonter le fil du temps, il me semble même ressentir la présence immanente de mon ancêtre, comme s'il se trouvait là, en chair et en os, à mes côtés, et que ses mains avaient le pouvoir de toucher les miennes, au moment où je les place au même endroit que lui, à quelques siècles d'écart.

Il me faut plusieurs secondes pour retrouver mes esprits et poursuivre mes investigations. Peu de temps après, je mets au jour un nouveau mystère.

Au creux des derniers plis de la couverture, et bien emmitouflé dans le but évident de ne pas faire de bruit, un petit sac de cuir sombre, fermé par un lacet, a été dissimulé. Il tombe sur mes jambes alors que je suis en train d'achever le premier dépliage. Le cœur battant, j'en tâte l'extérieur, dans l'espoir d'en deviner le contenu. Des pierres de petite taille peut-être, à moins que cela ne soit des osselets.

Très minutieusement, je défais le lacet en cuir desséché du petit sac. Les étranges propriétés de jouvence de la couverture ne semblent pas l'avoir protégé de l'atteinte du temps, et le cuir dont il est fait est tout sec et crevassé. Malgré toutes mes précautions, une partie de la fine lanière qui en étrangle

139

l'ouverture s'effrite sous mes doigts, alors je décide de renverser doucement le sachet au-dessus de la paume de mon autre main. Et les cailloux tombent à l'intérieur.

Sept cailloux, apparemment identiques. En fait, plutôt des billes, mais de forme ovale. T'ai-je dit que c'était le soir et que la lumière de ma lampe à huile n'était pas bien vaillante? J'ai, par conséquent, un peu de mal à déterminer de quoi il s'agit réellement. Prenant l'une des pierres, je l'observe doucement à la lueur de la flamme, la faisant rouler de gauche à droite, entre mon pouce et mon index. Rouge et profonde, translucide mais très pure, et des éclats de lumière qui se frayent un chemin à l'intérieur, comme au creux d'un petit kaléidoscope. Des rubis, mon vieux Charles, voilà ce dont il s'agit. Des rubis d'un demi-pouce de diamètre et d'au moins trois ou quatre estelins[1] chacun. Et il y en a sept! Une fortune de roi!

Souhaitant les ranger afin de pouvoir à loisir explorer la suite, je reprends le sachet de cuir en main, c'est alors seulement que je remarque une série d'écritures, qui court sur le dessus.

D'une encre pâlie par le temps, celles-ci sont si passées qu'on a bien du mal à parvenir à les lire, et l'ancien français dans lequel elles sont écrites n'est pas là pour arranger les choses. C'est la seconde fois depuis mon arrivée que je me félicite d'avoir apporté ma loupe-à-œil, laquelle me permet, avec quelques efforts, de deviner une bonne partie des mots à demi effacés: « Amin gran eritier, point ne venote », « À oncques, le vaillissant d'un Royaulme », *ce qui peut se traduire par* « À mon grand héritier: ne pas vendre » *et* « Pour toujours, le prix d'un royaume ».

J'admets humblement que l'idée de te faire languir un jour ou deux n'est pas pour me déplaire, alors, comme il me faut

---

1. Mesure de poids équivalant approximativement à 1,5 gramme.

filer pour me rendre à mes rendez-vous de l'après-midi – notam-
ment avec Isidore de Broglie, le fameux notaire – j'arrête là ma
narration et t'envoie, d'ores et déjà, cette première partie de la
description du trésor. Ainsi tu ressentiras, je l'espère, une petite
parcelle de la curiosité dévorante qui était la mienne en posant
mes mains sur le second morceau de tissu plié.

Me voilà déjà presque en retard. Je t'écrirai donc la suite
demain.

Bien à toi.

K.

P.-S. : peux-tu voir avec le père de Mary à Scotland Yard
s'il n'y a pas eu de vol de joyaux répertorié ces dernières années
qui impliquerait la disparition de plusieurs rubis tels que ceux
dont je t'ai fait la description ? Je ne connais aucune arnaque
qui consisterait à rendre quelqu'un riche à millions, mais, on
ne sait jamais, mieux vaut tout de même vérifier.

Et voilà, je suis bel et bien en retard. »

21

« Veuillez patienter un instant, messire de Kosigan. Madame va vous recevoir. »

J'incline la tête en fronçant ostensiblement les sourcils afin d'indiquer qu'il n'est pas dans mes intentions de patienter bien longtemps. *Qui que vous soyez, madame, sachez que j'ai déjà suffisamment attendu pour aujourd'hui.* Je fais tout de même quelques pas, à la découverte de l'endroit où je me trouve. La pièce de toile, puisqu'il s'agit là encore d'une installation de tentes, est agréablement meublée, avec des tapis moelleux au sol et une harmonieuse odeur de rose et de colchique qui embaume l'atmosphère. Je m'approche d'une table de chêne à tréteaux sur laquelle sont installés de multiples plats d'argent, portant fruits et fleurs de saison, et j'attrape une pomme pour la croquer.

« C'est une joie de vous revoir, chevalier de Kosigan ! »

Au moins, cette fois, on ne m'aura pas fait trop attendre. Je repose la pomme en me retournant. C'est une fort jolie jeune damoiselle qui me regarde en souriant : nulle autre que Gwenaëlle d'Anister, l'ancienne maîtresse du Prince Noir, celle dont le lit m'a permis de faire du mariage du prince de Galles avec la grosse Georgine de Gloucester une réalité. Un fort bon souvenir somme toute. Je souris.

Les boucles épaisses de ses cheveux blond roux sont relâchées et humides. Manifestement, elle vient de sortir du bain et porte sur le corps un long peignoir de peau, bordé de fourrure sombre. L'ampleur de son décolleté, largement ouvert, permet de s'amuser avec l'idée que c'est là son seul et unique vêtement. Comme dans mon souvenir, sa jolie peau gracile, blanche et lisse, toute piquetée de son, est un délice pour le regard, on imagine sa douceur et sa souplesse au toucher, et on la suppose sensible à la chaleur des caresses. Ses longs cils, noirs et profonds, ombragent délicatement le vert rieur de ses beaux yeux, et le bronze de ses taches de rousseur éclabousse joyeusement son sourire de quelques pincées de fraîcheur et de naïveté.

« Damoiselle Gwenaëlle, c'est une véritable surprise de vous revoir céans.

— Puis-je espérer que ce soit une *bonne* surprise ? »

Elle s'approche rapidement, apparemment sans prendre garde aux ondulations de son peignoir qui soulignent, avec une fluidité gracieuse, le mouvement libre de ses jolis seins.

« Bien sûr, damoiselle, des meilleures. »

Ses mains s'emparent des miennes, alors qu'elle continue à sourire.

« Pour moi également, je l'avoue, messire. C'est pourquoi je vous ai fait mander dès lors que l'on m'a appris votre présence en ces lieux. »

Elle semble sincèrement heureuse de me voir. Et je dois reconnaître qu'une petite pause dans la tension actuelle ne serait pas malvenue. Mes yeux répondent aux siens. Elle mord sa lèvre inférieure et bouge très légèrement le haut de son corps, mouvement savamment dosé pour attirer mon attention sur ce qui se passe *en dessous* de son joli menton. Là, les courbes libres de ses seins se heurtent, à chaque battement de cœur, au cuir et à la fourrure qui l'enrobe, et la moindre de ses respirations les fait doucement bouger. Une sacrée caresse pour le regard. La jeune gueuse prend plaisir à en jouer. Mais qui oserait dire que ce genre de provocation est faite pour lui déplaire?

«Vous savez que vous n'êtes jamais revenu me voir, messire, vous avez disparu dès le lendemain de notre rencontre. J'en ai été fort attristée et j'ai bien cru que vous vous étiez joué de moi.»

Un ton de reproche légèrement affecté, assorti d'une petite moue boudeuse et d'un joli sourire enjôleur. La coquine sait décidément y faire. *Je m'interroge : est-ce le cas de la majorité des membres de la gent féminine ou seule une petite minorité a-t-elle des facilités pour cela?* Elle fait mine de se détourner mais j'attrape ses poignets pour la retenir.

«Vous étiez jalouse et vous étiez en rage. J'ai fait ce qu'il fallait pour éteindre votre feu. Si vous y réfléchissez, c'est sans doute ce dont vous aviez besoin : le cuir des mercenaires, pas la guimauve d'un amoureux transi.» Mes mains l'attirent doucement et je plonge, cette fois ouvertement, le regard au creux du nid de fourrure de sa jolie poitrine. «Et si vous voulez mon avis, il y a de fortes chances que la situation soit la même aujourd'hui. Je me trompe?»

Elle cligne doucement des yeux en souriant et sa langue court brièvement sur ses lèvres pour les humidifier. Sa main s'accroche à mes joues rugueuses et mal rasées, comme si elle en savourait le crissement sous ses doigts. Elle hésite, puis finit par reculer d'un pas.

« Hélas, les choses ne sont plus ce qu'elles étaient alors, messire de Kosigan. Je ne suis plus une fille de passage dans un lit qui est bien plus haut que mes ambitions. Il se trouve que je suis devenue la *maîtresse attitrée* du prince Edward et en cette qualité, je me dois de lui appartenir. »

La maîtresse attitrée du prince Edward ? Eh bien ça, pour une nouvelle ! J'aurais cru que le mariage de l'héritier de la couronne d'Angleterre avec une princesse de la maison de Gloucester, aussi laide soit-elle, aurait définitivement eu raison de sa relation avec la petite rouquine du Sussex. Mais il faut croire que j'avais tort.

« Vous voulez dire que le prince n'a jamais découvert ce qui s'est passé entre vous et moi la veille de son combat contre Henry de Gloucester ?

— Bien sûr que non. S'il avait appris que je vous avais ouvert mes jolies cuisses dans son propre lit et que je vous avais laissé… » Elle ménage une courte pause, « *jouer* avec mon corps autant qu'avec sa précieuse armure, nul doute qu'il ne m'aurait fait fouetter au sang et renvoyer à Anister, aussi vite qu'il l'aurait pu. »

Et peut-être même en petits morceaux. Sans parler de ses chiens de guerre auxquels il l'aurait donnée à violer au moins une ou deux fois, pour faire bonne mesure.

« Il me semble que vous avez effectivement été sage de rester discrète. Visiblement cela vous a réussi. Est-ce que tout le monde est au courant de votre nouvelle… position ?

— Grand Dieu non, messire, je ne suis pas une catin ! J'ai demandé à Edward d'organiser mon mariage avec sire Lance Neilard, l'un de ses bannerets qui a eu la gentillesse de me trouver à son goût. De cette façon je peux suivre mon prince tout à loisir, partout où il se rend, sans que personne ne puisse rien y trouver à redire.

— Très intelligent. Cela dit, sans vouloir vous offenser, damoiselle Gwenaëlle, la différence avec une catin ne saute pas immédiatement aux yeux. Si ce n'est, bien sûr, que vous êtes beaucoup plus jolie et que vous vous enrichissez infiniment plus que toutes celles que j'ai pu rencontrer jusqu'ici. Et qu'en prime, vous vous amusez à tenir l'héritier de la couronne d'Angleterre par les couilles. »

Elle sourit d'un air innocent et gai.

« Il n'y a pas de mal pour qui est un peu jolie, de faire usage des dons que les dieux lui ont donnés, n'est-ce pas ? Et puis qui donc, issu d'une famille aussi modeste que la mienne, aurait tourné le dos à la possibilité de gravir les échelons, de vivre à la cour et de pouvoir côtoyer ainsi les plus grands chevaliers du royaume ?

— Les plus grands chevaliers du royaume ? Soyez prudente, damoiselle, il serait dommage que l'on vous surprenne à les côtoyer… d'un peu trop près. »

Elle fronce les sourcils d'un air amusé.

« Messire, voyons, pour qui me prenez-vous ? Je suis la maîtresse d'Edward et cela me suffit amplement. » Elle bat des cils en minaudant avec un sourire charmant. « Je l'aime, vous comprenez ? »

Cette petite garce est en train de me mener en bateau…

« Cela va de soi… Mais, à la réflexion, je comprends surtout que vous n'avez aucune envie que votre situation soit remise en cause. Si vous m'avez fait venir, je crains que cela ne soit pas pour le plaisir du souvenir que je vous ai laissé, mais bien parce que vous voudriez être certaine que si jamais nous étions amenés à nous croiser en public, je ne risque pas de commettre d'impair, ni de dire des choses sur vous que vous ne souhaiteriez pas entendre dites. C'est bien cela, n'est-ce pas ? »

Elle cligne des yeux deux fois et se mordille avec grâce la lèvre inférieure d'un air passablement gêné.

« Par le cœur de sainte Foy, messire, je vois que l'on ne peut rien vous cacher. Je ne peux nier que cela faisait, en effet, partie de mes intentions, mais…

— Pas de mais, damoiselle. Je comprends fort bien vos raisons. La seule chose que je me demande encore c'est… » Je l'observe d'un air amusé. « *Jusqu'où exactement* seriez-vous prête à aller pour vous assurer mon silence ? »

Un rouge coupable lui monte aux joues et ses longs cils masquent momentanément ses yeux. Elle semble hésiter puis, très lentement, s'approche de moi, sans oser me regarder. Jusqu'à ce que sa poitrine, enfin, se pose en douceur sur le cuir de mon pourpoint, et que les bords de son peignoir s'ouvrent naturellement sous l'effet du contact.

« Je… je suis prête à aller jusqu'où il vous siéra, messire. Pour peu, bien sûr, que vous donniez votre parole de chevalier que *jamais* aucun de nos petits secrets ne sortira de mes appartements. »

Correspondances de Kergaël de Kosigan avec le professeur Ernest Lavisse, directeur de la *Revue de Paris* et titulaire de la chaire d'histoire moderne et médiévale à la Sorbonne.
Paris, le 8 avril 1899.

Cher maître,

De passage à Paris, j'apprécierais grandement de vous rencontrer, et pour le plaisir de votre compagnie, qui m'a été particulièrement agréable lors de notre dernière rencontre à Brandebourg l'année passée, et pour le besoin de quelques petits services que vous pourriez me rendre.

Votre temps est précieux, je le sais, mais sachez que je suis disposé à négocier le prêt d'un petit journal manuscrit de Voltaire sur Frédéric le Grand qui est en ma possession.

Si cette proposition bien malhonnête vous intéresse, mettez le nez dehors et rejoignez-moi mercredi à midi à L'Estudiantin. Cela aura au moins le mérite de nous rappeler quelques souvenirs.

Avec toutes mes amitiés et le bonjour à Catherina.

Kergaël de Kosigan.

Le plaisir et la mort s'entremêlent parfois de manière étrange, tout homme de guerre expérimenté vous le dira. Il y a de cela six ou sept ans, à la veille du premier engagement de ma compagnie à la bataille de Cortona, un de mes gars m'avait demandé comment, moi, je préférerais mourir, et je me souviens clairement lui avoir répondu que, premièrement, cela ne faisait pas partie de mes projets et que, deuxièmement, si jamais cela advenait, j'aimerais autant que cela soit entre les bras d'une jolie femme. Il faut toujours se méfier de ce que l'on souhaite.

Mon esprit émerge de l'inconscience, ballotté à en vomir dans un bouillonnement d'impressions plus ou moins agréables, filles bâtardes d'ivresses érotiques et d'angoisses de mort. Je me bats avec la brume pour éclaircir peu à peu mes souvenirs, jusqu'à ce que, finalement, ceux-ci acceptent d'émerger, comme des éclats de miroirs que l'on sortirait, un à un, d'une eau mêlée de fange.

Je revois des mains, *mes* mains, elles se posent sur les épaules délicates de la douce Gwenaëlle et la débarrassent lentement de son épais peignoir de bain. Je les sens presque imposer leur chaleur aux courbes lascives de son corps, soutenues par ma bouche qui embrasse sa nuque ainsi que les taches de rousseur du haut de son dos. Elle, haletante, ronronnante, frémit avec délice, avant de s'échapper agilement de mes bras pour se jeter en gloussant sous les peaux de bêtes de ses couvertures. Nue et blanche. Ses cheveux roux détachés sur sa belle poitrine laiteuse, ponctuée de taches de son, et sa fine taille contrastant, comme une combe, avec la rondeur de ses hanches. À vous damner une bonne partie des saints du calendrier.

Les images dans ma tête se brouillent et s'entre-choquent. Deux petites fossettes au creux des reins. Un sourire lumineux. Un ventre, gracile et lisse, qui vibre et se tortille. Des cheveux à pleines mains, rênes improvisées qui guident les soubresauts de son corps. Mon sexe tendu dans la chaleur de son ventre, des sensations de plus en plus puissantes, de plus en plus agréables, l'odeur de sa peau, ses gémissements et ses petits cris, rapprochés et répétés, qui accélèrent, encore et encore, jusqu'à son extase et mon orgasme.

Tous ces souvenirs devraient être heureux et particulièrement plaisants. Mais ils ne le sont pas. Leur goût amer s'accentue, à mesure que je prends peu à peu conscience de m'être fait piéger. Aucun doute, emporté par le feu du désir, j'avais dû succomber à une quelconque substance – peut-être dans l'air ou peut-être sur sa peau –, une substance qui avait d'abord eu sur moi un effet grisant, avant de me faire perdre lentement, et sans que je parvienne à m'en apercevoir à temps, la totalité de mes moyens.

Et puis le choc brutal qui, à l'arrière de mon crâne, m'avait finalement plongé entièrement dans le noir.

Le réveil est difficile. Ma tête est lourde comme une pierre et le goût acide dans ma bouche se mêle au sel et à l'amertume du sang. Sans compter mon ego qui en a pris un coup. *Mais quel imbécile je fais!* Ce n'est pas la première fois que je suis ainsi pris par surprise par une femme, mais jamais jusque-là ce genre d'erreur ne m'avait mis dans une situation aussi catastrophique. *Elle aurait tout aussi bien pu m'égorger et ça aurait été fini.* Les yeux toujours fermés, je sonde le plus doucement possible mon environnement. Je suis, semble-t-il, allongé sur des draps, nu, écartelé par des cordes reliées aux quatre coins du lit, et je sens durement la morsure du froid sur ma peau.

Je perçois qu'il y a des gens dans la pièce autour de moi. Le mieux serait qu'on ne se rende pas compte que je suis à nouveau conscient, je garde donc les yeux fermés et essaie de serrer les dents le plus discrètement possible, afin d'éviter qu'elles ne se mettent à claquer.

« Je ne suis pas sûr, mais je pense lui réveillé, Votre Altesse. »

Un ton bas et un peu traînant, avec un fort accent étranger. Il s'agit sans doute du dernier des Aes Sidhes, celui qui a réussi à s'enfuir par la fenêtre au cours de l'attaque d'hier. Sa voix, en tout cas, ressemble à celle de celui que j'ai interrogé la nuit dernière et que j'ai finalement décidé d'égorger. Non que je ne tienne pas ma parole quand je la donne, bien au contraire : j'avais clairement précisé à mon prisonnier qu'il devait dire la vérité *dès la première fois*, mais il avait préféré essayer d'incriminer mon oncle. D'ailleurs, à ce que j'en sais pour l'instant, il ne s'était pas montré plus sincère avec sa seconde version.

Un coup de pied sec me ramène brutalement à l'instant présent.

« Ouvre les yeux, raclure, la dame veut parler à toi tout de suite ! »

Malgré ce qu'il veut me faire croire, je ne pense pas qu'il soit *certain* que j'ai bel et bien repris conscience, je choisis donc de garder les yeux fermés.

« Laissez-moi trancher sa sale gorge d'assassin ma dame. » Il joint le geste à la parole et pose sans ménagement sa lame froide sur mon cou. Je sens toute la tension de ses muscles, crispés sur la garde, prêts à m'égorger à la seconde. « Lui, massacrer mes deux frères ! »

C'est la première fois que je suis ainsi, nu et attaché, à l'entière merci de quelqu'un dont j'ai tué deux membres de la famille proche, moins d'une journée auparavant. Je déteste ça.

« Arrière, Aes Sidhe ! Nous n'avons pas encore décidé de ce que nous allons faire de lui. Et, au vu de la piètre efficacité dont vous avez fait preuve hier, je ne vois guère en quoi vous pourriez réclamer quelque récompense du sang que ce soit. »

Nous n'avons pas encore décidé de ce que nous allons faire de lui... Je juge la phrase plutôt encourageante. En revanche, ce qui l'est moins, c'est que la voix féminine qui prononce ces paroles m'est totalement inconnue. Je m'attendais à entendre celle de Gwenaëlle d'Anister, mais ce n'est, en définitive, pas le cas. À l'évidence, feindre l'inconscience ne va pas pouvoir m'apporter beaucoup de réponses sur l'identité de la personne qui m'en veut avec autant de constance, je décide donc finalement d'ouvrir les yeux. Il faut admettre que je ne m'attendais pas à voir ce que je découvre alors.

Dame Georgine de Gloucester, l'épouse du Prince Noir, se tient debout devant moi, à moins de trois pas du lit sur lequel je suis ligoté. Et c'est elle qui donne les ordres.

Voilà qui est susceptible d'éclairer la raison pour laquelle l'Aes Sidhe, hier, était persuadé de travailler pour le prince alors que ce dernier, quant à lui, n'avait pas l'air le moins du monde au courant. Ce serait sa femme, alors, qui aurait manigancé toute cette affaire dans le but de me faire disparaître ? Voilà qui est pour le moins étrange. Autant j'aurais pu aisément comprendre que l'héritier du trône d'Angleterre veuille se venger du tour pendable que je lui avais joué l'an passé, autant sa femme, elle, devrait plutôt me remercier de l'avoir mise dans le lit de l'héritier de la couronne d'Angleterre, et de l'avoir collée, par la même occasion, dans la peau de la future reine du royaume.

L'énorme princesse m'observe d'un air froid de bovin fatigué. Elle est réellement très laide et davantage encore vue de près, malheureusement, le temps me manque pour développer des pensées compatissantes à l'égard du prince. À ses côtés, bien que légèrement en retrait, Gwenaëlle d'Anister se tortille d'un pied sur l'autre. Elle est en train de mordiller doucement sa lèvre inférieure, une expression tout à la fois excitée et triomphante sur le visage.

Moi qui voulais encore penser que tu avais peut-être été manipulée, ma jolie. J'ai bien l'impression qu'il va falloir que je renonce à cette idée.

La grosse Georgine de Gloucester pointe le doigt sur moi en s'adressant à la jeune femme.

«On dirait bien que notre *invité* est finalement revenu à lui, Gwenaëlle. Vous n'avez qu'à lui expliquer la situation, puisque vous tenez tant à lui offrir une chance de sauver sa vie. »

Le ton est aussi glacial et méprisant que l'est le regard. Je remercie mentalement ma chance d'être encore de ce monde. Si la grosse princesse de Galles avait été seule à décider de mon sort, il y a fort à parier que je ne me serais tout simplement jamais réveillé.

Bon Dieu, mais qu'est-ce qu'elles me veulent ?

Sans trop bouger les yeux, je tente de repérer un moyen qui pourrait me permettre d'échapper à ce guêpier, malheureusement le constat est sans appel, je suis nu, attaché en croix par les mains et les pieds aux quatre coins du lit, et la lame de l'Aes Sidhe appuie fermement sur ma gorge. Il semblerait que cette fois la chance m'ait définitivement abandonné.

J'avale difficilement ma salive en observant la jolie félonne d'Anister s'approcher de moi. *Une petite chance de sauver ma vie* a dit sa maîtresse. J'imagine que je ne vais pas tarder à savoir de quoi il s'agit.

«Messire de Kosigan, je sais que vous êtes certainement perturbé par ce qui est en train de vous arriver. J'en suis désolée. Il faut que vous sachiez que Dame Georgine est au courant de ma situation de maîtresse du prince Edward depuis plusieurs mois déjà. Et, contrairement à ce que vous pourriez penser, elle en est tout à fait *satisfaite*. Voyez-vous, Son Altesse ressent, de façon générale, assez peu d'attirance pour la gent masculine et elle a eu la gentillesse de me prendre en… en affection. » Les deux femmes échangent un bref sourire. «Quant à l'idée d'avoir des rapports charnels avec son mari, elle ne fait rien naître d'autre en elle que le dégoût. Or, comme vous pouvez vous en douter, il est de la plus grande importance qu'elle enfante au plus vite, et si possible un fils, si elle veut consolider sa position auprès du prince. L'opération, comme chacun le sait, ne peut malheureusement se faire par la pure intervention du Saint Esprit, et elle s'avère d'autant plus compliquée qu'Edward, de son côté, n'a jamais eu l'intention d'honorer son devoir conjugal. Dame Georgine a, par conséquent, eu l'idée de lui proposer mon... » Ses yeux brillent d'une lueur, à la fois fière et perverse « ... mon *assistance* permanente, aux fins que l'un et l'autre puissent oublier leur répulsion mutuelle et concevoir au plus vite un héritier. Ma présence dans leur lit avive en eux un véritable incendie de désir, et pour ma part... » Elle se mordille à nouveau la lèvre, « ... je dois admettre que je n'y suis pas non plus insensible. »

Qui aurait pu deviner, l'année dernière, que cette jeune campagnarde de basse noblesse, bonnette et plutôt naïve – même si elle avait déjà montré de bonnes dispositions pour les plaisirs de la chair – aurait pu devenir aussi rapidement une garce, cynique et vicieuse, de cette sorte ? Et très heureuse de l'être, qui plus est.

En d'autres circonstances ces révélations auraient pu m'apparaître amusantes, voire excitantes, mais, dans la peau d'un prisonnier, une lame d'acier collée contre la gorge, je dois admettre qu'elles n'ont, au contraire, rien de rassurant. Quiconque révèle ce genre de secrets ne peut le faire qu'à un ami en qui il place toute sa *confiance*. Et vu les liens qui entravent mes chevilles et mes poignets, je crains fort de ne pas pouvoir prétendre à ce statut. À l'évidence, j'ai toutes les raisons du monde de m'inquiéter pour mon avenir.

Gwenaëlle d'Anister se rapproche de moi en souriant. Tout près. Jusqu'à dominer ma nudité d'un air délicieusement désolé, et commencer à me caresser doucement le visage et le torse.

« Vous comprenez bien, messire, que les enjeux pour dame Georgine et moi-même sont d'une *extrême* importance, et qu'aucune d'entre nous ne peut se permettre de prendre le risque de voir un chien fou de votre espèce se mettre à courir dans notre petit jeu de quilles... »

Leur petit jeu de quilles. Au moins tout est clair à présent. Manifestement le Prince Noir n'est au courant de rien en ce qui concerne les tenants et les aboutissants de son propre mariage, et ces deux sorcières se sont mises d'accord pour préserver cette confortable situation. Si d'aventure il advenait que leur amant commun apprenne la manière dont il s'était finalement fait piéger, il serait sans doute tellement en colère qu'il répudierait la première sur-le-champ, et Dieu seul sait ce qu'il ferait alors de la seconde. Pour mon plus grand malheur, les deux femmes se sont débrouillées pour mettre à leur merci le seul qui serait susceptible de tout révéler au prince, et je me retrouve à présent nu, attaché à un lit, et avec une dague d'assassin pratiquement incrustée dans la gorge. Un sale frisson me parcourt l'échine.

Je tente un sourire.

« Votre position est claire, damoiselle. Je vous donne ma parole d'honneur que *jamais, ô grand jamais*, je ne ferai allusion à ce que je sais sur vous ou sur votre maîtresse, ni à ce qui est arrivé l'an passé à Londres et encore moins à ce qui est en train d'advenir aujourd'hui, ici même. Je le jure sur tout ce que j'ai de plus cher et de plus sacré au monde ! »

Je crache maladroitement vers le haut, m'arrangeant pour que la salive me retombe dans l'œil, ce qui me permet de produire une pitoyable petite grimace.

Gwenaëlle d'Anister sourit.

Le ridicule peut nuire dans certains cas, mais il ne tue que très rarement, et il peut même parfois vous sauver la vie. Pour cela, il faut devenir attachant ou amusant aux yeux de qui vous tient en son pouvoir. Cela ne fonctionne pas à tous les coups, mais, quoi qu'il en soit, cela ne coûte pas très cher d'essayer.

« Dame Georgine, il a tout de même l'air plutôt raisonnable, nous pourrions peut-être essayer de lui faire confiance, non ? »

Brave petite.

« Inutile de lui jouer la comédie, Gwenaëlle ! Nous avons déjà eu cette discussion, vous et moi. J'accepte qu'il ait la vie sauve, par égard au fait que nous lui devons, l'une comme l'autre, notre position. Mais uniquement aux conditions que je vous ai demandé de lui énoncer. Il n'est pas imaginable que je prenne le *moindre* risque dans cette affaire, et vous non plus d'ailleurs, alors expliquez-lui le choix que je lui laisse et qu'on en finisse ! »

Par les neuf Enfers ! Je m'étais pourtant pris à espérer, l'espace de quelques instants.

Gwenaëlle hausse les épaules d'un air exagérément naïf et se tourne à nouveau vers moi. Sa petite moue déçue et ennuyée est démentie par un bref éclair d'excitation.

« Messire, j'en suis profondément désolée, mais dame Georgine a raison. Bien qu'ayant partagé beaucoup de plaisir avec vous et vous considérant avec énormément d'amitié, il m'est impossible de risquer ma vie entière sur votre capacité à tenir votre langue. Ma maîtresse ne me permet, par conséquent, de vous offrir que deux choix. » Sa main s'attarde dans mes cheveux avec une tendresse presque maternelle et je sens qu'elle se délecte par avance de ce qui va suivre. « Préférez-vous avoir la gorge *tranchée*, proprement et sans douleur, par notre serviteur Sidhe, ici présent... » Elle laisse un temps de silence pour observer ma réaction. Lui montrer mon inquiétude ne servirait à rien, si ce n'est, sans doute, à lui procurer un petit plaisir supplémentaire. Je choisis donc la réaction inverse.

« Proposition tentante, damoiselle, mais, à ce qu'on dit, les draps souillés de sang sont particulièrement difficiles à ravoir, et je m'en voudrais d'avoir à salir votre magnifique intérieur. Je peux donc d'ores et déjà vous dire que je ne choisirai pas cette solution. »

Elle fait la moue.

« Vous vous prononcez trop vite, messire, il ne faut jurer de rien. Beaucoup considéreraient l'autre possibilité comme bien pire encore, et il est tout à fait possible que vous soyez de ceux-là. Je ne peux qu'espérer, à titre personnel, que ce ne soit pas le cas.

— Vous me feriez presque languir, ma dame... »

Elle m'adresse un joli sourire désolé.

« Alors je vais vous dire de quoi il s'agit. » Elle pose un délicat baiser sur ma bouche puis colle gracieusement son oreille contre ma poitrine, pour écouter battre mon cœur. *Cette petite traînée veut essayer d'entendre ma peur !*

« La seule échappatoire pour éviter la mort

consiste à vous *découper* la langue et à vous *trancher* les deux mains, seule manière pour nous d'être absolument certaines que *jamais, ô grand jamais*, vous ne trahirez aucun de nos secrets. »

J'avale difficilement ma salive et je crains que mon cœur ne m'ait trahi en manquant un ou deux battements. Le risque de mourir fait partie intégrante du métier qui est le mien, mais finir amputé et muet…

Elle relève son regard vers moi et me gratifie d'un sourire aigre-doux.

« Alors messire, que choisissez-vous ?

— Par tous les chiens de l'Enfer, Gwenaëlle, vous n'êtes pas sérieuse, n'est-ce pas ? »

Je sais évidemment que si.

Sa bouche s'approche doucement de mon oreille, qu'elle embrasse avec sensualité, tandis que sa main gauche caresse presque amoureusement mon torse. Je me tortille pour essayer de lui échapper, mais elle n'a visiblement pas l'intention de se laisser repousser : elle enfonce délibérément ses ongles dans ma peau, suffisamment profondément pour bien me faire comprendre qu'il vaut mieux que j'arrête de bouger. Sa voix se fait murmure.

« J'espère sincèrement que vous choisirez la *seconde* solution, mon beau mercenaire. Si vous le faites, je vous donne ma parole que je m'arrangerai pour vous garder bien au chaud près de moi, je vous emmènerai partout où j'irai et je veillerai à ce que vous ne manquiez plus jamais de rien. Jusqu'à la fin de vos jours. »

Bon sang, dans quel pétrin est-ce que je suis venu me fourrer ? Quoi qu'il en soit, tant que je suis entier et en vie, tout espoir n'est pas perdu. Il reste encore une minuscule possibilité que je puisse m'en sortir, un petit atout caché tout au fond de ma manche, mais si je veux qu'il ait une chance de fonctionner, il est absolument nécessaire que je gagne du temps. Le plus de temps possible.

« Comme vous le disiez tout à l'heure, il est vrai que la mort pourrait paraître plus douce. En même temps, la proposition n'est pas malhonnête. »

Chaque battement de cœur gagné est infiniment précieux.

« Vous êtes l'une des femmes les plus belles que j'aie eu la chance de rencontrer, Gwenaëlle, et en plus de cela, la mort a un côté définitif qui ne m'attire pas du tout. Alors, quitte à choisir, je me dis que passer ce qui me reste de temps sur cette terre, bien nourri et au chaud, au pied de votre lit, n'est peut-être pas la pire fin qu'on puisse imaginer.

— D'autant que vous aurez peut-être même l'autorisation d'y monter de temps à autre... » Elle lance un bref coup d'œil provocateur en direction de Georgine de Gloucester et se remet à me caresser. « ... Si vous êtes très sage, bien entendu. » Ses doigts glissent vers le bas de mon ventre et s'attardent négligemment sur la zone en dessous de mon nombril, descendant doucement, jusqu'à effleurer mon sexe. « J'espère que cela vous ferait plaisir. »

Une gifle retentissante met brutalement fin à son jeu pervers.

« Il suffit, petite traînée ! Enlève ta main de là ! Tes simagrées de puterelle ont assez duré et ça ne m'amuse plus ! » Nouvelle claque. « Si tu crois que tu as le moindre droit d'essayer de me blesser ou de me rendre jalouse, tu te trompes lourdement ! » Du sang coule de la joue rougie de la jeune fille, à cause du gros saphir, monté sur bague, qui orne l'index droit de Georgine de Gloucester. Celle-ci prend vigoureusement les joues de la jeune fille entre ses doigts boudinés et les serre jusqu'à ce que les lèvres prennent la forme d'un cul de poulet. « Tu es à moi Gwenaëlle d'Anister, rien qu'à moi ! Ton joli cul potelé, tes seins, tes cuisses, tout est à moi ! Sans moi, tu n'es qu'une petite merde rousse mariée à un imbécile que je peux faire égorger quand bon me semble. Après quoi, n'importe quel soudard pourrait bien te culbuter et te violer dans un coin sans que ça dérange qui que ce soit le moins du monde ! Un mot de moi et tu retournes définitivement dans la bouse dont tu es issue ! Je te l'ai déjà dit, à part Edward, et sauf si *je* te le demande, tu n'as plus le droit de toucher aucun homme. *Aucun !* C'est bien compris ?! »

Elle tire sur le visage de la jeune fille et la fait durement tomber à terre.

« Dis que tu as compris ! »

L'autre se redresse comme elle peut, à genoux, et lui couvre les pieds de baisers. « Oui, ma maîtresse, oui, j'ai compris, je ne le ferai plus, je le jure, c'était juste pour jouer. » Elle commence à remonter en embrassant ses mollets et ses cuisses à travers les vêtements.

Elles sont toutes les deux complètement cinglées ! Il faut absolument que je trouve un moyen de me sortir de leurs griffes, et vite, parce que mon histoire de gagner du temps, je crains que ça ne me mène pas bien loin. L'Aes Sidhe s'est reculé de deux pas et il a rangé sagement sa dague dans son fourreau afin de laisser le champ libre à Gwenaëlle et à ses petits jeux pervers. Je peux peut-être en tirer avantage.

Je teste à nouveau mes liens, ils sont toujours aussi

épais et solides. Impossible de les arracher. Mais peut-être qu'en tirant de toutes mes forces je pourrais briser les bois du lit auxquels ils sont attachés.

Georgine de Gloucester relève sa jeune amante en l'empoignant par les cheveux, lui lance un regard dur et dominateur, puis colle goulûment sa bouche contre la sienne. L'Aes Sidhe ne fait plus attention à moi.

C'est le moment ou jamais.

24

Correspondances de Kergaël de Kosigan avec sir Jonathan Hardy, directeur du King's College de Londres. Paris, le 8 avril 1899. Traduit de l'anglais.

Monsieur le directeur,

C'est avec un grand regret que je vous annonce mon impossibilité de rentrer comme prévu à Londres pour assurer les trois séances du séminaire d'histoire romaine et germanique que je devais diriger du 12 au 15 avril. J'ai dû quitter précipitamment la Russie, sans avoir l'occasion d'y terminer mes recherches, et je me dois à présent, malheureusement, de rester en France, du fait d'une situation familiale des plus pénibles. Ma mère, en effet, est victime d'une très grave affection poitrinaire, elle crache sang et glaires depuis plus de deux mois, et les médecins la donnent morte avant mai. Je n'ai d'autre choix que de demeurer à ses côtés en ces temps de souffrance.

Le jeune Henry Lynden est tout à fait à même de me remplacer, si tel est votre désir, et mon estimé collègue Francis Moore pourra peut-être s'occuper de reprendre la conférence de civilisation latine, prévue le samedi matin.

Je vous tiendrai bien évidemment au courant de la suite des événements me concernant.

En vous réitérant mes plus plates excuses.

Professeur Michaël Konnigan
Titulaire de la chaire d'histoire romaine et
germanique au King's College de Londres.

Brutalement, mon corps s'arc-boute dans une position de tension extrême et mes dents crissent sous l'effort. Je tire sur mes bras et sur mes jambes à les en arracher, à incruster les lanières de cuir dans mes chairs, presque à me démantibuler. Mon râle est puissant, titanesque, désespéré. Je n'ai que quelques battements de cœur, tout au plus, avant que l'Aes Sidhe ne réagisse à ma tentative pour briser le lit et me libérer. Mes membres sont sur le point de lâcher, tant pis, je tire encore plus fort. Dans un craquement phénoménal la tête de lit cède. Pas le temps d'être soulagé ou satisfait, le petit assassin est déjà presque sur moi, sa longue dague effilée au poing. Plus ou moins assis sur le lit et empêtré dans les cordes, j'esquisse un mouvement de recul, comme si la panique me poussait à m'éloigner le plus possible de mon adversaire. Tel un animal sauvage qui ressent la peur chez sa proie, celui-ci bondit sur moi. *Exactement comme je l'espérais!*

Sa rapidité est impressionnante, mais l'épaisse planche de chêne arrachée à la tête du lit me sert à la fois de bouclier et d'arme. L'empoignant fermement à chaque extrémité, je la remonte d'un seul coup, le heurtant de plein fouet à la tête et au thorax. Son propre élan accentue le choc et l'assomme à moitié. J'en profite pour le basculer sur le côté et lui coller le dos au lit, m'abattant à mon tour sur lui de tout mon poids. Relevant et frappant avec frénésie à l'aide de mon assommoir de fortune, j'écrase au moins dix fois son visage ensanglanté avant de m'apercevoir qu'il a son compte. Je halète en arrachant au plus vite la dague plantée au dos de la planche, en quatre mouvements rapides mes liens sont coupés et je me redresse, au milieu des éclaboussures de sang, prêt à faire face à tout adversaire qui pourrait encore me menacer.

Il a dû se passer moins d'une demi-minute depuis que le lit a cédé. Mes deux tortionnaires femelles, ébahies par la brièveté et la violence du combat, me fixent avec de grands yeux. Leur regard croise le mien, et elles comme moi prenons subitement conscience que la situation a basculé.

En trois grandes enjambées, je me précipite sur elles. Malheureusement, Georgine de Gloucester parvient à atteindre une des tentures qui donnent sur la pièce voisine pour appeler à l'aide. Ce n'est pas le cas de Gwenaëlle d'Anister, que je réussis à agripper fermement par les cheveux, avant de la tirer brutalement en arrière.

« Viens un peu par ici, traînée ! »

Elle hurle, mais je la frappe violemment au visage afin de la faire taire. Encore toute chancelante, je l'empoigne comme un bouclier, avant de reculer d'un pas, la lame de ma dague bien en évidence sur sa jolie gorge blanche.

Trois gardes sont déjà entrés à l'appel de Georgine de Gloucester, des hommes à elle, aux couleurs de sa maison, tous les trois armés d'épées et protégés de cottes de mailles et de boucliers. Leur harnachement me fait prendre douloureusement conscience de ma nudité et de la vulnérabilité qui l'accompagne.

« Faites reculer vos chiens, Votre Altesse, ou bien le prochain sourire que vous fera votre petite pute rousse éclaboussera tout le monde de son sang ! »

Les hommes d'armes qui commençaient à m'entourer jettent un coup d'œil à Georgine de Gloucester, visiblement hésitants.

« Lâchez-la immédiatement, Kosigan, et je vous donne ma parole que vous aurez la vie sauve.

— La vie sauve, mon cul ! Avec la langue coupée et deux moignons à la place des mains ? Très peu pour moi ! Faites-moi redonner mes affaires et laissez-moi sortir d'ici. Et vous pourrez continuer à baiser votre petite catin autant qu'il vous plaira. »

Elle cligne plusieurs fois des yeux en serrant ses lourdes mâchoires, puis un éclat amer traverse son regard. *Elle va envoyer ses hommes sur moi.* Je recule lentement, tout en me penchant à l'oreille de ma prisonnière :

« Tu as intérêt à être plus convaincante que moi, ma belle, sinon on est foutus tous les deux. »

Elle lit dans les yeux de sa maîtresse que j'ai raison et prend brusquement conscience de ce qui va lui arriver. Une vague de panique la submerge, faisant voler en éclats tout le courage qu'elle pouvait avoir accumulé en elle, comme un château de sable au milieu d'une tempête. Son corps tout entier commence à être secoué de profonds tremblements et elle explose en sanglots.

« D-dame Georgine, je… je vous supplie, je… je ne veux pas mourir !… P-pitié ! »

La voix de cette splendide jeune fille, déformée de frayeur et de larmes, attendrirait un Ogre affamé. Les hommes d'armes attendent leurs ordres avec nervosité, et on peut voir passer une once de doute sur le visage tiraillé de Georgine de Gloucester : un risque énorme pour sa position dans la lignée royale d'un côté, une amante pleine de charme mais toujours un peu dangereuse de l'autre. Le choix n'est pas si simple.

Je reprends la parole.

« Écoutez, Votre Altesse, je comprends parfaitement les raisons qui vous ont poussée à vouloir vous débarrasser de moi. Mais vous vous trompez du tout au tout, je n'avais nullement l'intention de vous trahir ou de vous mettre dans l'embarras. Cela fait partie de mon métier de rester discret dans ce genre de cas. Alors, regardez autour de vous, trois Aes Sidhes tués ? La belle affaire. À part ça, pour l'instant, personne n'a rien fait de réellement irréparable. Laissez-moi partir d'ici et je vous fais une nouvelle fois le serment que vous n'aurez qu'à vous en féliciter ! »

Georgine de Gloucester me fixe d'un air froid, mais profondément hésitant. Il est bien possible qu'elle ait été sur le point de se laisser amadouer. On ne le saura jamais. Dans le silence qui précède sa réponse on entend des bruits de bottes ferrées qui approchent. Les pans de la tenture se soulèvent et, d'un pas un peu raide, Guillaume le Maréchal entre dans la pièce.

De façon quasiment surréaliste, il observe quelques instants les différents protagonistes de la scène avant d'adresser un petit signe de tête à Georgine de Gloucester.

« Madame. »

Les manuels de protocole ne disent vraisembla-blement rien de ce genre de situation et la grosse princesse se contente de fixer le vieux sénéchal comme si elle venait de rencontrer la Vierge Marie en personne, en train de voler de la nourriture dans sa propre cuisine. Guillaume le Maréchal ne lui laisse guère le temps de recouvrer ses esprits.

« On a bien fait de me prévenir. Dame de Gloucester, en tant que sénéchal du roi d'Angleterre, je vous *ordonne* de relâcher sur-le-champ messire de Kosigan. Il est chevalier de l'ordre de saint George, au cas où cette information vous aurait échappé, et je me porte garant de lui pour toute affaire qui pour-rait vous poser quelque problème que ce soit. »

On dirait bien que finalement gagner du temps n'a pas été aussi inutile qu'on aurait pu le penser. Pour autant la tension du danger ne me quitte pas.

Georgine de Gloucester recouvre son calme et essaye tant bien que mal d'assurer son autorité face au vieux chevalier.

« Sénéchal, je ne sais pas pourquoi vous êtes ici, mais ce ne sont là nullement vos affaires. J'ignore qui vous a envoyé quérir, mais vous pouvez le rejoindre dans l'instant et lui dire tout le bien que je pense de lui ! »

Guillaume le Maréchal fait la grimace.

« Madame, *je* suis la voix du roi en ces lieux, et même le prince Edward doit se conformer à mes avis. Quant à vous, ce me semble, vous êtes encore bien loin d'être reine. Par conséquent, tant que cela ne sera pas le cas, vous ferez exactement ce que je vous dis de faire, au moment où je vous dis de le faire. J'espère être suffisamment clair. »

Ombres et orages assombrissent d'un coup le

regard de Georgine de Gloucester. Elle serre les dents et jette un coup d'œil furtif à ses hommes, leur demandant silencieusement s'ils oseraient lever la main sur le vieux sénéchal. Ceux-ci détournent le regard. Il semble bien que la réponse soit non. Elle hésite encore un bref instant, puis fait mine de reconnaître sa défaite dans un soupir.

« Je suis évidemment à vos ordres, milord. Mais vous commettriez une très grave erreur de vouloir remettre le chevalier de Kosigan en liberté. Vous devez savoir que cet homme est un traître et le pire menteur qu'il m'ait été donné de rencontrer. Vous ne devez en aucun cas vous fier à ses paroles. Et si vous saviez de quelles abominations il a menacé de m'accuser pour essayer de me faire chanter et de me soutirer toute une partie de mes bijoux, vous ne vous donneriez sûrement pas la peine de lever, ne serait-ce qu'un petit doigt, pour voler à sa rescousse. »

La garce ! Me faire passer pour un maître chanteur qu'elle a réussi à piéger est sans doute la meilleure des idées qu'elle pouvait avoir. Si au moins la noirceur de ma réputation ne suffisait pas, à elle seule, à convaincre n'importe qui qu'il s'agit probablement de la vérité…

Le sénéchal se tourne vers moi, les sourcils froncés, attendant visiblement les arguments de ma défense.

« C'est évidemment faux, monseigneur ! Dame Georgine et sa jeune amie, que je tiens, comme vous le constatez, sous la menace de ma lame, sont à la limite de la folie. Leur comportement déshonore l'ensemble du royaume d'Angleterre. Elles m'ont fait tomber dans un piège et s'apprêtaient à me couper la langue et les deux mains pour m'empêcher de révéler ce que je sais d'elles. Laissez-moi vous accompagner à l'extérieur et je vous raconterai toute l'histoire dans ses moindres détails.

— Ne le croyez surtout pas, messire le Maréchal ! Tout ce qu'il vous dira n'est qu'un tissu de mensonges ! Je vous jure par la sainte Hermine que...

— Inutile d'ajouter quoi que ce soit, tous les deux ! J'ai pris ma décision. Dame Georgine, suivez-moi dans la pièce attenante, j'ai à vous entretenir en privé. Quant à vous, sieur de Kosigan, ne bougez pas d'un pouce ou il vous en cuira. »

Après un court moment de réflexion, Georgine de Gloucester se décide à accompagner le sénéchal, et je me retrouve seul, nu, le corps collé contre une jeune folle en pleurs et encerclé par trois gardes en armes qui semblent ne pas trop savoir quoi faire de leur épée.

J'ai rarement connu situation plus étrange.

Correspondances de Michaël Konnigan avec Élisabeth Hardy. Paris, le 8 avril 1899.

Très chère Élisabeth,

Charles m'a appris vos fiançailles avec cet imbécile pompeux de Lyndon de Wessex. Je vous présente toutes mes condoléances pour cette sombre nouvelle et je compte sur vous pour lui en faire baver. Je suis certain que vous saurez lui faire comprendre ce qu'est une demoiselle moderne de nos jours et vous avez toute ma sympathie dans cette vaste entreprise.

Le fait de vous perdre me rend, cela va de soi, très triste, mais je suppose que les choses sont mieux ainsi : mes activités m'entraînent sans arrêt aux quatre coins du monde et mon titre de découvreur-chercheur au British Museum est loin d'avoir amélioré la situation. Comment, de toute façon, pourrais-je vous offrir autant qu'un titre de comtesse et le confort de la cinquième richesse du royaume ?

En revanche, si d'aventure vous souhaitiez que votre futur mari glisse malencontreusement dans la Tamise, n'hésitez pas à m'en toucher un mot. J'irais prier pour vous à Saint-Paul.

En ce qui concerne la cérémonie, faites-moi tenir au courant par Charles dès que vous en connaîtrez la date et dites-moi s'il est un cadeau qui pourrait trouver grâce à vos yeux. J'ignore encore si je serai présent à Londres, mais je ferai tout ce qui est en mon pouvoir afin de venir admirer votre beauté, parée de blanc et de fleurs.

Vos jolis yeux clairs, votre grâce et votre fichu caractère me manquent déjà beaucoup.

Je reste (en grande partie) à vos pieds,

Michaël Konnigan

27

Mes nerfs sont mis à rude épreuve mais l'attente ne se prolonge pas très longtemps, guère plus de cinq minutes avant que la porte de toile ne se fende à nouveau pour laisser passer Guillaume le Maréchal et Georgine de Gloucester. Les traits de celle-ci sont tirés et tendus. Après avoir observé ses hommes, un à un, puis s'être accordé une dernière poignée de secondes de réflexion en me dévisageant d'un air peu amène, elle finit, à regret, par m'accorder ma liberté.

« Vous pouvez partir, Kosigan. Lâchez dame Gwenaëlle, récupérez vos affaires dans la pièce d'à côté et filez d'ici, avant que je ne prenne conscience de l'immense erreur que je suis en train de commettre. Et, croyez-moi, vous avez tout intérêt à respecter votre parole, sinon, je le jure, devant Dieu et sur les Trois Furies, je vous ferai démembrer et pendre par les couilles, jusqu'à ce que mort s'ensuive. »

Décidément, celle qui sera vraisemblablement la prochaine reine d'Angleterre sait se montrer pleine de bonté et de mansuétude. Voilà qui promet de belles années de joie et de bonheur pour son futur peuple de Haute-Bretagne. Fort heureusement, cela ne sera plus mon problème. Pour l'instant, je dois admettre que je respire mieux, même si la prudence me dicte de ne surtout pas relâcher ma garde. Face à ce gros serpent femelle, mieux vaut couvrir ses arrières, et mettre au plus vite deux ou trois cents toises entre cet endroit et mes fesses.

« Par ici, ma belle ! »

Pas question de lâcher Gwenaëlle d'Anister pour l'instant. Toujours un peu sanglotante, le couteau sous la gorge, je la traîne avec moi jusqu'au large coffre sur lequel sont jetés en vrac mes vêtements, mon sac et mes armes. De force, je la pousse à s'agenouiller, tout en gardant ma dague sous son cou, tandis que je me rhabille tant bien que mal. Remettre mon pantalon s'avère difficile et périlleux. La manœuvre se déroule dans un silence presque total, lourd de tension et de danger, dans lequel chacun surveille tout le monde et se tient prêt à déchaîner la violence, à la moindre erreur, ou au moindre geste suspect. Seuls les frottements du cuir et du tissu, ainsi que les reniflements sporadiques de Gwenaëlle, ponctuent l'épaisseur des minutes qui semblent prendre un malin plaisir à s'éterniser. Le sac en bandoulière, ceinturons et baudrier fermés à moitié, une seule manche enfilée et l'épée dans la main gauche, je commence à sortir à reculons avec mon otage, accompagné par les lames pointées des hommes d'armes.

« Lâchez-la, maintenant, Kosigan !

— Elle ne va pas mourir, *Votre Altesse*. Sauf si *vous* commettez une grosse bêtise. Dès que je serai sorti de vos griffes, elle sera libre, je vous en fais serment. À présent, sénéchal, si vous pouviez avoir l'obligeance d'écarter cette tenture et de me suivre à l'extérieur, nous pourrions mettre fin à cette regrettable affaire. »

Incroyable comme une simple toile peut empêcher l'air froid d'entrer. La porte extérieure, ouverte par Guillaume le Maréchal, laisse s'engouffrer un vent glacial et humide dans mon dos, pourtant mon cœur se sent presque euphorique. *Ne pas se relâcher, mon vieux. Pas encore.* À quatre pas de la sortie… Deux… Je suis dehors.

Attrapant Gwenaëlle d'Anister par les épaules, je la retourne brutalement et plonge un regard mauvais tout au fond de ses yeux effrayés.

« Je… Je vous en supplie ! N-ne me faites pas de mal, messire. Je… Je vous jure sur la croix du Christ que… »

Une sourde colère me crie de l'égorger sur-le-champ pour m'assurer qu'elle ne trahira plus jamais personne. Seulement, j'ai donné ma parole et Guillaume le Maréchal me fixe, comme s'il était capable de stopper tout geste violent de ma part d'un seul regard. Il va falloir que je me contente de l'effrayer un peu.

D'un geste vif, j'attrape son poignet et l'entaille au niveau de l'avant-bras. Une blessure sans grande gravité, mais le sang coule comme s'il n'avait attendu que ça pour s'échapper de ses veines. Elle crie de douleur. Une bonne claque pour la remettre d'aplomb, puis je l'attrape par les joues comme l'avait fait Georgine de Gloucester tout à l'heure et la secoue pendant quelques secondes.

« Souvenez-vous bien de ce que je vais vous dire, Gwenaëlle d'Anister. La prochaine fois que vous vous mettrez, de près ou de loin, en travers de ma route, pour quelque raison que ce soit, c'est *vous* qui y laisserez les mains et j'accrocherai votre jolie langue au linteau de mon lit, en guise de souvenir. Et peut-être bien en compagnie d'autres endroits de votre belle anatomie par la même occasion ! »

Guillaume le Maréchal me tire sèchement par la manche et s'adresse à moi dans un accès de toux :

« Cela suffit, messire de Kosigan, elle a compris, il est temps de partir maintenant, *et vite* ! »

Sa main transmet à mon bras une forte tension mêlée d'inquiétude et d'un sentiment d'urgence. *Il n'a pas tort.* Je repousse rudement Gwenaëlle vers l'arrière en direction de l'intérieur de la tente, où elle est accueillie par les hommes de la maison de Gloucester qui commençaient à écarter les pans pour juger de ce que nous étions en train de faire.

J'imite Guillaume le Maréchal qui s'éloigne à reculons. Nous faisons quelques pas vers l'arrière. Quelques-uns encore. Les gardes nous regardent partir sans un geste. Le vieux sénéchal tousse encore une ou deux fois, puis finit par me faire signe de me retourner, et nous quittons les lieux à grandes enjambées.

Tout en marchant, j'observe mon sauveur du coin de l'œil, il va d'un pas ferme et allongé et avance bien vite pour un homme qui est censé porter le poids de plus d'un siècle de vie accroché aux épaules. Il semble également plus fin et moins raide que dans mes souvenirs. À mesure que nous progressons, sa toux le reprend à plusieurs reprises et le fait cracher des glaviots purulents dans le noir de la nuit. Il paraît de plus en plus évident que la personne qui marche à mes côtés n'est *pas* le sénéchal du roi d'Angleterre. *Voilà qui éclaire d'un jour nouveau ce qui vient de se passer dans la tente.*

Pour autant aucun mot n'est échangé entre nous jusqu'à ce que nous dépassions les limites des tentes des Goddams et que nous gagnions enfin la sécurité de l'endroit dont j'avais convenu avec mes hommes qu'il serait notre point de ralliement. Malgré le froid piquant de la nuit, le front de « Guillaume le Maréchal » dégouline de sueur, il halète tout en m'adressant un sourire grimaçant, le visage ridé par ce qui semble être une profonde douleur. Cela confirme ce que je pensais.

« C-c'est ici, capitaine. Edric ne devrait plus tarder maintenant. »

À peine a-t-il prononcé ces mots qu'il tombe à genoux en grognant et vomit tout son saoul. Ses traits tirés et sa moustache blanche se déforment sous l'éclat de la lune transperçant les nuages. Ses habits donnent l'impression de se fluidifier. *Comme s'ils étaient faits de boue.* Je le soutiens par les épaules pour l'empêcher de s'effondrer complètement.

« Par le Sang, Dùn, ça va ? On jurerait que tu es en train de vomir ton âme. »

Une forme féminine émerge du chaos des restes de Guillaume le Maréchal, elle tousse sans discontinuer. Une toux sèche, terrible et rocailleuse, de celles qui peuvent arracher des morceaux de gorge ou de poumon et forcent la bouche à cracher du sang. Il faut une ou deux minutes pour que les quintes commencent à s'espacer.

« Ça... ça me fait toujours cet effet-là, quand... quand je dois prendre le corps d'un homme, messire... Et un Anglais c'est toujours plus dur... » Elle est secouée de tremblements. « ... Je suis sûre qu'ils doivent avoir des... des muscles spéciaux... qui leur permettent de... de faire toujours la gueule ! »

Elle a encore la force de plaisanter, c'est plutôt bon signe. Malgré mon inquiétude, j'essaie de faire comme si de rien n'était.

« D'accord, alors maintenant jeune fille, explique-moi un peu pourquoi tu as mis autant de temps pour venir me tirer de là ? Si ces deux harpies m'avaient trucidé, tu aurais été bien avancée ! »

Son visage est presque entièrement reconstitué à présent mais elle souffre encore. L'étrange cligne-ment de ses paupières verticales accélère la sortie des différents liquides qui s'écoulent hors de ses yeux. Elle s'efforce de sourire.

« J-je me suis dit que, peut-être, si je vous laissais mariner un peu, il… il pourrait y avoir un miracle. Et que vous en tireriez une leçon pour vous montrer un peu plus prudent avec vos… futures conquêtes… »

Elle n'a pas forcément tort.

« Dùn, j'apprécie ton humour, tu le sais, mais là tu dépasses les bornes. Je suis ton capitaine, ne l'oublie pas ! »

Accompagné de bruits de cartilage et d'os, son corps se remodèle par saccades, il se fait plus fluide et plus mince. L'illusion de ses vêtements se dissipe et l'on peut deviner la nudité de sa peau pâle, presque translucide, sous la clarté lunaire.

« Désolée, messire, je… je ne voulais pas vous manquer de respect. » Elle réussit à se relever en pre-nant appui le long d'un mur. Sa transformation s'achève dans un crissement fluide et gluant qui pro-duit une odeur écœurante. Je me force à ne pas détourner le regard et je devine qu'elle m'en sait gré. Elle a besoin d'encore quelques instants pour calmer complètement sa respiration et pouvoir parler à nou-veau de façon normale.

«Capitaine... ça fait plus d'une semaine qu'on trime jour et nuit à peaufiner notre infiltration... Alors, même pour vos beaux yeux, il n'était pas question que je prenne le risque de tout foutre en l'air. Du coup quand Edric est venu me chercher ça m'a bien pris une demi-heure pour finir ce que j'étais en train de faire et trouver un prétexte raisonnable pour ressortir dans la nuit. C'est pour ça que vous avez été obligé *d'attendre un peu...*»

J'acquiesce de la tête. Une fois encore elle a raison, priorité à la mission, il fallait absolument qu'elle prenne ses précautions avant de venir, afin d'éviter de faire capoter tous nos plans. Il ne me paraît pas utile, cependant, de le lui préciser.

«Ce que je vois surtout c'est que si ces deux mégères m'avaient liquidé, ça ne t'aurait pas servi à grand-chose d'avoir réussi à protéger ta fausse identité.»

Elle me regarde, un petit sourire aux lèvres, puis hausse les épaules.

«En définitive, ça s'est plutôt bien terminé, vous êtes sauvé et la mission n'est pas compromise. Alors, même si ça vous défrise que je vous aie vu en situation délicate, et en tenue d'Adam par-dessus le marché, ce n'est pas la peine d'en faire tout un plat. Dites-moi juste "merci" et ça suffira.»

Je la fixe un instant sans rien dire, d'un air sombre.

Puis, j'ébouriffe sa tignasse noire, épaisse du liquide poisseux qu'elle sécrète pour faciliter ses transformations et lui accorde un demi-sourire.

«Je veux bien reconnaître que j'ai été content de te voir et que ton intervention ne m'a pas été inutile, mais ne va pas raconter partout que tu m'as sauvé la vie, ou quelque chose du genre. J'avais encore de bonnes chances de pouvoir m'en sortir tout seul, tu sais. Cela dit, comment est-ce que tu t'es débrouillée pour me retrouver dans le camp des Goddams ?

— Cela n'a pas été très difficile, monseigneur. Porter le visage de Guillaume le Maréchal face à des soldats anglais permet d'obtenir assez facilement des réponses. J'ai dû en interroger une bonne quinzaine, mais j'ai fini par en trouver un qui vous avait aperçu en train d'accompagner un écuyer en direction de la tente de la princesse Georgine de Gloucester.

— Je vois. Et à elle, qu'est-ce que tu lui as dit pour la convaincre de me relâcher ? J'avais l'impression qu'elle s'accrochait à moi encore plus qu'un pugnace de Bretagne[1] à un os.

— Rien de bien particulier, j'ai juste fait ce que vous m'aviez appris, messire, j'ai parlé avec elle à l'écart. De cette manière elle n'avait plus la pression de voir ses choix jugés par ses propres hommes et par son amie. Si tout le monde ignore ce qui se dit, alors c'est l'imagination de chacun qui comble les vides et les gens ont vite fait de trouver de bonnes raisons aux décisions de leurs supérieurs. La dame de Gloucester ne cherchait rien d'autre qu'une porte de sortie honorable, et, d'après ce que j'ai compris, vous lui en aviez déjà proposé une en lui donnant votre parole de ne rien dire sur elle. Je n'ai eu qu'à pousser un peu plus dans la même direction et le tour était joué.

— Et plus précisément ?

— Je lui ai dit qu'en tant que sénéchal du roi d'Angleterre, j'étais parfaitement au courant de la situation et qu'elle n'avait pas à s'inquiéter. J'ai

1. Bouledogue.

ajouté que le roi avait des projets importants vous concernant dans les mois à venir et que, par conséquent, il était évident que vous deviez demeurer sain et sauf pour l'instant. Et que si elle désirait que j'engage ma propre responsabilité là-dessus, je le faisais sans une once de doute et sans la moindre hésitation. »

Savoir s'entourer de gens de talent est une chose essentielle dans mon métier. Dùnevïa Il'lavaelle – puisque c'est là le véritable nom de Dùn – se trouve à mon service depuis un peu plus de huit ans. Elle a été de presque toutes mes missions depuis ce moment. Elle est vive d'esprit, très intelligente, non dénuée d'éloquence, et surtout, son corps a l'extraordinaire et précieuse faculté de pouvoir se transformer au gré de ses envies. Ces sortes de métamorphoses sont particulièrement douloureuses et certaines s'avèrent parfois presque impossibles à maintenir plus de quelques minutes, mais c'est une capacité absolument exceptionnelle pour les activités qui sont les miennes, et sa collaboration s'est avérée décisive à plus d'une reprise.

D'après elle, la magie n'aurait absolument rien à voir avec ses pouvoirs. Elle prétend posséder toute une série de petits muscles, sous la peau et sur son squelette, qui lui permettent de déplacer, de manière subtile et précise, à la fois ses chairs et l'ensemble des os de son corps. Plusieurs illusions visuelles complètent cette transformation, mais là encore, rien de magique selon elle, elle explique être capable de *plier la lumière, tisser les matières* et *décliner les couleurs*, tout cela simplement à l'aide de son esprit. Je n'y comprends pas grand-chose, évidemment, mais tout ce que je peux en dire c'est que c'est diablement efficace. Et d'une certaine manière, assez effrayant également.

C'est certainement ce côté inquiétant et la possibilité pour les siens de s'en prendre directement aux hommes de pouvoir qui avaient valu à son peuple le douteux honneur d'être le tout premier à se retrouver persécuté et décimé par l'Église, dès le temps de l'Empire romain. Si l'on en croit les histoires que le père de Dùn lui racontait dans son enfance, les massacres avaient commencé après que cinq grands prêtres de leur peuple avaient fomenté ce qui, par la suite, avait reçu le nom de *conjuration de la Quinte*, aux alentours de l'an 300 ou 350. Le pouvoir à Rome était alors momentanément tombé entre leurs mains. Ils avaient usurpé les identités de l'empereur Constance, de l'un de ses principaux généraux, ainsi que du pape Liberius et de deux des cardinaux les plus influents d'Italie, afin d'empêcher la construction de la basilique Sainte-Marie-Majeure de Rome, et de préserver ainsi le plus vénérable des sanctuaires sacrés de leurs ancêtres. L'échec de leur conjuration avait été sanctionné par la bulle[1] papale, *Purificationis Roma*, appelant à l'éradication immédiate de la totalité du peuple des *Changesangs*[2] de la ville de Rome.

Moins d'une dizaine d'années après les événements, la bulle *Purificationis Roma* s'était vue généralisée à tout l'Occident, par l'intermédiaire du décret *Pro salute humani generis*[3]. De là, il n'avait

1. Édit officiel produit par le pape dont le titre reprend les premiers mots de la première phrase.
2. Également appelés Transanguis.
3. Pour le salut de la race humaine.

pas fallu plus d'un demi-siècle pour décimer les Changesangs. Contrairement à ce que l'on pourrait imaginer, se cacher n'était pas pour eux chose facile. Leur pouvoir, si grand soit-il, comporte en effet un certain nombre de revers, il demande une grande endurance à la douleur et nécessite, pour supporter l'effort, l'absorption de quantités phénoménales d'eau et de nourriture, peut-être quatre à cinq fois plus qu'un humain normal. Difficile pour eux, dans ces conditions, de demeurer discrets sur le long terme et d'éviter de se faire repérer. Leur apparence naturelle, aisément identifiable, avec leurs paupières verticales et leur peau presque translucide, n'est pas faite non plus pour leur faciliter la tâche. En définitive, seuls les plus prudents et les plus intelligents sont parvenus à sauver leur peau. La plupart du temps en s'installant loin des villes et des villages humains, et en migrant en direction du nord, là où leur pigmentation pouvait plus facilement passer inaperçue.

Dùn est le dernier rejeton de la branche de l'une de ces familles qui a su rester cachée, des siècles durant, pour préserver son anonymat, et on peut dire qu'elle s'y connaît lorsqu'il s'agit de masquer sa véritable identité. Si son visage et son corps ne gardaient pas les stigmates du vitriol dont les chevaliers de l'Inquisition se sont amusés à la badigeonner, elle serait, sans nul doute, l'un des êtres les plus parfaits qu'il m'ait été donné de rencontrer. Malgré les dégâts occasionnés par l'acide, sa silhouette reste celle, svelte et gracieuse, d'une jeune femme de cinq pieds et demi de haut, à l'allure souple et au pied sûr. L'épaisseur de sa peau, en revanche, ressemble à un parterre de roches déchiquetées, avec ses brisures, ses cassures et ses failles à vif. Le pire, ce sont ses mains. Les extrémités de certains de ses doigts ont littéralement fondu à cause du vitriol, tandis que d'autres se sont retrouvés définitivement collés l'un à l'autre. À la lumière du jour, le tableau peut provoquer l'effroi, et Dùn ne choisit que rarement d'apparaître de son plein gré sous les rayons du soleil. *Tout cela prouve, s'il en était besoin, que, même lorsque l'on dispose de puissants pouvoirs, on ne peut jamais se garantir de tout en ce bas monde. Je ferais bien de ne pas l'oublier.*

« Très bien, Dùn, tu t'es parfaitement débrouillée. À présent mange et bois autant que tu le peux pour reconstituer tes forces. J'en suis désolé, mais je vais encore avoir besoin de tes services.

— V-vous rigolez, capitaine ? Je tiens à peine debout et je pourrais manger un cheval.

— Je m'en doute mais tu vas devoir te contenter de ce qu'on a. Le *véritable* Guillaume le Maréchal ne doit, *en aucun cas*, apporter un démenti à tout ce que tu as raconté ce soir à Georgine de Gloucester. Il faut régler cette histoire avec les Anglais une bonne fois pour toutes et le mieux serait que ce soit fait dès cette nuit. »

Pendant qu'elle se repose, je déterre rapidement le coffre de survie que j'ai caché ici le premier soir de mon arrivée, pour les cas d'urgence. Il contient deux livres de fruits secs, cinq grosses miches de pain, du fromage de gruyère à profusion et de larges tranches de jambon fumé, ainsi qu'une gourde de vin d'Arbois, des armes aussi, une petite bourse de cinquante deniers d'argent, et une longue couverture chaude de voyage.

Alors que Dùn, toujours un peu tremblante, se jette sur la nourriture, j'entends, à quelque distance de là, des pas qui s'approchent. Quatre ou cinq hommes à ce qu'il semble. Ils portent des armures de mailles. J'indique à Dùn de fermer le coffre.

« Ohé ! Messire ! C'est moi ! »

Edric. Comme prévu dans ce genre de cas, il ramène du renfort, au cas où les choses n'auraient pas pu être résolues, ni par la ruse, ni par la négociation, ni par Dùn.

« Enfin, je veux dire, c'est *nous*, messire. Avec Qu'un-Coup et quelques autres. »

Il s'adresse à moi de loin, alors qu'il est encore à une vingtaine de pas de l'endroit où je me trouve, et qu'il ne peut même pas être tout à fait certain que je suis bien celui à qui il est en train de parler. Là encore, ce protocole a été déterminé à l'avance, cela signifie qu'il y a avec lui des gens n'appartenant pas à notre compagnie. Je fais signe à Dùn de se cacher et d'emporter le coffre. Moins il y aura de personnes qui la rencontreront, mieux cela sera pour tout le monde.

Je plisse les yeux. Edric est accompagné de six personnes que je reconnais peu à peu, au fur et à mesure qu'elles se rapprochent. Outre Qu'un-Coup, Janvier et Gerfaut, mes yeux et mes oreilles dans la ville, il a aussi rameuté mes récents compagnons de tournoi.

« L'inquiétude de votre écuyer était grande, messire. Trois heures, paraît-il, que vous n'étiez pas ressorti de chez les Goddams. Le Prince Noir a davantage la réputation de découper les gens en tranches sur les champs de bataille plutôt que caché derrière les plis de sa tente, mais c'était tout de même largement suffisant pour vous torturer dans les détails, si j'ai bien compris.

— Dame d'Andrac, je vois que vous volez à mon secours comme un véritable *chevalier servant*, cela me fait chaud au cœur. » Je me tourne vers les deux autres. « Seigneur von Weisshaupt, Mohammed Ibn Ajbar, je vous remercie d'avoir accepté d'accompagner mon écuyer.

— Chevalier servant, mes fesses ! C'est juste que je m'en serais voulu de vous laisser saigner à blanc, alors que notre équipe d'un jour a quand même remporté la victoire grâce à vous. »

Je lui fais un signe de reconnaissance de la tête.

« Je suis d'ailleurs bien aise de voir que finalement vous vous en êtes tiré comme un grand. Mais de ce fait, j'estime que nous sommes quittes, votre écuyer nous a tirés du lit en pleine nuit et il fait un froid de canard.

— Zela zignifie que nous n'allons pas avoir à nous battre, mezzire de Kozigan ?

— Non, messire Gunthar, finalement non. Mais prenez-le plutôt comme une bonne nouvelle, au moins nous sommes certains de pouvoir participer au tournoi de demain et d'avoir une petite chance de remporter le grand prix des joutes individuelles.

— Dios, le grand prix des joutes individuelles ? Messire Pierre, ignorez-vous que la gourmandise est un péché capital dans votre religion ? Nous avons déjà remporté les combats de groupe aujourd'hui, il m'étonnerait fort que votre saint George vous octroie deux fois une veine pareille. »

Je souris.

« La veine est comme un animal sauvage, Ibn Ajbar, on peut toujours l'apprivoiser : un peu de tactique, deux doigts d'intelligence, ajoutez-y quelques tours cachés au fond de mon sac, et on ne sait jamais de quelle manière les choses peuvent finalement tourner. Comme disaient vos anciens amis, *Inch Allah!* N'est-ce pas?

— Je vous en foutrais moi, des *Inch Allah!* Mon bras me fait souffrir et je n'ai qu'une hâte, c'est de retourner au lit. Si *monseigneur* n'a plus besoin de nos services, évidemment.

— Encore toutes mes excuses pour vous avoir tirée de la chaleur de vos couvertures, dame d'Andrac, et merci à vous trois d'être venus à mon aide. Je vous dis peut-être à demain, sur le champ de bataille. On ne sait jamais, il se peut que nous ayons l'honneur de nous rencontrer mutuellement. »

Mes hommes et moi les regardons s'éloigner, tout en faisant mine de nous préparer à reprendre le chemin de notre auberge.

« On va se coucher, messire?

— Non, Edric, pas encore. Dùn, arrive ici, s'il te plaît! »

Une ombre hésitante se faufile hors de l'abri d'un long tas de bois, empilé le long d'un mur, à proximité. La Changesang ne tremble pratiquement plus, mais son pied manque tout de même de trébucher en heurtant une branche qui traîne au sol. Qu'un-Coup est obligé de la soutenir.

« La gamine n'est pas au meilleur de sa forme, monseigneur.

— Je sais. Gerfaut, prends ma clef et va lui récupérer de l'élixir de sang dans mes réserves personnelles, et vite! Janvier, tu l'accompagnes et après tu fileras te coucher, je n'ai plus besoin de toi pour cette nuit, mais je veux que tu sois frais et dispos pour demain. Qu'un-Coup, tu grimpes sur ce toit et tu nous préviens si jamais la patrouille du guet vient dans cette direction. Quant à toi, Edric, sors-moi de quoi écrire, on va rédiger une lettre pour Guillaume le Maréchal.

— C'est moi qui vais devoir la lui porter ?

— Exactement, avec Dùn pour t'aider. Il est capital qu'il la lise dès ce soir. Peu importe s'il dort, ou s'il baise une putain, vous devrez vous assurer qu'elle lui parvient en main propre. Ensuite, tu te débrouilleras pour faire ce qu'on a prévu dans les écuries, et vous reviendrez ici pour me confirmer que vous avez réussi. Si tout va bien, d'ici à une heure nous pourrons tous prendre un repos bien mérité. »

28

Correspondances de Kergaël de Kosigan avec Charles Chevais Deighton. Paris, le 8 avril 1899.

De retour avec toi, Charles, pour évoquer le contenu du coffre et te décrire ce que je n'avais pas eu le temps de terminer hier.

Tu te souviens, j'imagine, des trois phrases de mon ancêtre : « Pour toujours le prix d'un royaume », « À mon grand héritier » et « Point ne venote ».

Je ne cesse de les relire, à m'en faire tourner la tête. Elles me donnent l'impression étrange que le chevalier de Kosigan cherchait à s'adresser à moi, je veux dire, directement à moi, Kergaël, à l'autre bout des siècles et des décennies. D'une certaine manière, tout se passe comme si le chevalier avait décidé d'envoyer son coffre à travers le temps, de la même façon que moi-même je t'envoie cette lettre par la poste ou que Robinson Crusoé lançait ses bouteilles à la mer.

Je t'accorde que l'idée est saugrenue et parfaitement insensée, mais tu avoueras qu'il y a, dans toute cette affaire, davantage d'étrangetés qu'il n'en faut pour se sentir dérouté. Comment expliquer, par exemple, qu'on ne puisse trouver trace d'un autre Kosigan dans l'histoire, que lui et que moi ? Notre famille a-

t-elle été décimée ? A-t-elle été obligée de se cacher, de dispa-
raître, pour se mettre à l'abri d'on ne sait quelle menace ? Cela
pourrait sembler plausible. Mais dans ce cas, pour quelle raison ?
Et pourquoi aussi longtemps ? A-t-on jamais vu une parenté
entière s'évanouir de la sorte, plusieurs siècles durant, avant de
réapparaître, sans le moindre indice de ce qui a pu advenir d'elle
dans l'intervalle ? Je ne le pense pas.

Alors, bien sûr, la possibilité que je m'emballe un peu vite
n'est pas à négliger, il se pourrait que cette histoire ne soit que
la partie émergée d'une immense supercherie, le personnage du
chevalier de Kosigan n'étant, dans ce cas, qu'une simple inven-
tion, et son héritage, une vulgaire farce, destinée à m'attirer
dans un piège d'une nature qui reste à définir. Seulement, dans
cette hypothèse, il aurait fallu que cet ambitieux projet soit
initié il y a plus de trente ans de cela, au moment où la toute
première lettre portant le sceau de mon soi-disant ancêtre a été
placée à l'intérieur des langes de mon berceau... Je ne parviens
pas à l'envisager, pas plus qu'à concevoir quel but pourrait bien
se cacher derrière des méthodes aussi byzantines ?

J'ai mis à profit mon temps libre pour enquêter aux Archives
et faire quelques recoupements sur la famille de Broglie,
notamment à l'aide des informations que tu m'as transmises la
semaine dernière. J'ai dégotté plusieurs références précises, par-
ticulièrement dignes d'intérêt : l'existence du coffre est bel et
bien attestée dans pas moins de quatre ouvrages différents.
Deux d'entre eux datent des années 1830 et 1840, un de 1782
et le dernier remonte à 1535. Le nom du propriétaire a toujours
été tenu secret par les notaires, en revanche le fait qu'ils aient
adopté son coffre comme emblème de leur honnêteté est, depuis
longtemps, de notoriété publique. Toute cette histoire paraît
donc on ne peut plus réelle. Hélas, j'ai beau me pincer jusqu'à
m'en faire des bleus sur les bras, je ne parviens pas à détermi-
ner avec précision quels en sont les tenants et les aboutissants.

En attendant, les sept rubis du coffre devaient avoir une sacrée importance aux yeux de mon ancêtre, pour qu'il ait choisi de demander à ses descendants de ne pas les vendre. Il ne me paraît pas impossible qu'il puisse les avoir volés. Et peut-être bien à un roi (« le prix d'un royaume »). Dans ce cas, il serait envisageable qu'il ait considéré leur éventuelle réapparition comme susceptible de causer du tort à qui chercherait à s'en défaire. Pour autant, cette explication semble assez peu vraisemblable si l'on considère qu'au Moyen Âge, un simple voyage de cent ou deux cents lieues aurait suffi pour rendre à ces gemmes, si merveilleuses soient-elles, leur anonymat le plus complet. Quoi d'autre alors ? Un héritage de famille dont il aurait été déshonorant de se défaire ? Ou peut-être quelque chose de plus personnel, comme les restes d'un collier ayant appartenu à sa mère ou à la femme qu'il a aimée ? « Pour toujours le prix d'un royaume », m'est avis que c'est dans cette phrase que doit très certainement se cacher la réponse. Malheureusement, si à l'époque le sens de cet indice avait semblé clair à mon ancêtre, à moi, il continue de m'échapper entièrement. N'hésite donc en aucune manière à m'éclairer de tes lumières, si par je ne sais quel miracle la bonne fortune t'accorde la chance d'en avoir.

En attendant, revenons au contenu du coffre. Après avoir rangé les sept rubis, avec d'infinies précautions, au fond de leur petit sac, j'ai replongé les mains dans l'obscurité. Quelle surprise allait me réserver le second morceau de tissu ?

Au toucher, il était épais et plutôt grand, je commençai donc à le déplier doucement. Contrairement à la couverture, il pesait un poids tout à fait adapté à sa taille et avait clairement subi l'usure du temps. Il paraissait très élimé par endroits, et ses couleurs, vertes et noires, avaient fané et pâli au long du passage des ans. C'était un étendard, un grand étendard, de ceux que l'on hisse en haut des tours ou sur les remparts au sommet d'un donjon. Ses armoiries étaient celles de la famille de Kosigan, mais il était également souillé de deux épaisses taches de sang qui en abîmaient l'apparence. J'étais en train d'essayer d'imaginer quel avait bien pu être le destin de ce grand drapeau, lorsque je me suis rendu compte qu'il y avait, une nouvelle fois, quelque chose d'emmêlé à l'intérieur des plis du tissu. Des papiers, des parchemins, des vélins, jaunis pour la plupart, légèrement craquelés et aux bords parfois déchirés pour certains. Treize en tout. Rédigés de diverses écritures, aux encres noires ou marron, ou encore violacées, toutes un peu passées, mais toujours très lisibles. La plupart portaient des sceaux officiels de taille variable – jusqu'à une paume de large pour le plus grand d'entre eux – en cire de différentes couleurs.

Des documents importants, cela ne fait aucun doute. Cependant n'étant pas spécialisé dans la période médiévale proprement dite, je préfère, là encore, ne pas m'avancer sur leur signification pour l'instant. Il me faudra d'abord les montrer à certains de mes contacts, dans la capitale parisienne, afin d'être assuré de les décrypter correctement.

Le temps est venu de mettre un point final à ma lettre pour ce soir, mais compte sur moi pour te tenir au courant au plus vite de toute nouvelle évolution. Il faut également que je te raconte le rendez-vous avec maître de Broglie, mais je ferai cela demain.

Bien à toi,

K.

29

Troyes, le 8 novembre de l'an de grâce 1339.

Je n'ai eu droit au sommeil que très tard dans la nuit, pourtant mes yeux s'ouvrent tôt, alors que les coqs de la ville sortent à peine leur tête de sous leurs ailes pour se préparer à chanter. Les doigts pâles de l'aurore s'infiltrent par les interstices des volets de la chambre. Dehors, tout paraît paisible et silencieux. Je me sens reposé. Ce temps de calme, avant que ne commence la journée, est celui que je mets en général à profit pour écrire, ainsi que je m'y suis engagé. J'allume une bougie et sors de sous mon lit le paquet de tissu plié qui contient mes encres, plumes et parchemins.

La nuit a été rude, et Edric ronfle encore profondément. Je décide de ne pas le réveiller avant que les cloches de la cathédrale ne sonnent tierce[1]. Cela aura le double avantage de lui donner l'impression que je le récompense pour ses succès d'hier, tout en faisant en sorte qu'il soit au meilleur de sa forme pour la longue journée qui nous attend aujourd'hui. En remettant une bûche dans la cheminée et en me pen-

---

1. Prière qui se chante ou se dit à neuf heures du matin.

chant pour attiser les flammes, je pense également à Dùn. *Pourvu qu'elle tienne le coup.* Il a fallu qu'Edric et moi la portions pour revenir de chez Guillaume le Maréchal, et elle a englouti au moins le tiers de toutes les réserves de salaison et de viande de l'auberge, avant de réussir à se lever toute seule. Fort heureusement, tout comme moi, elle n'a besoin que de très peu de temps pour se reposer en profondeur. Espérons que cela lui suffise parce qu'à l'heure qu'il est, elle doit déjà se trouver debout et à pied d'œuvre.

Le mystère du sommeil fait partie de ces énigmes qui ont toujours eu le don de me fasciner. Il s'agit d'un phénomène singulier quand on y réfléchit, ne répondant en apparence à aucun besoin réellement vital pour les êtres humains : il n'apporte au corps ni nourriture, ni boisson, ni air à respirer et ne semble être utile que pour faire une sorte de pause dans le cours tumultueux de nos vies. Seulement, à l'évidence, on pourrait tout aussi bien faire une pause sans avoir à s'endormir. Alors pour quelle raison notre corps nous oblige-t-il à perdre aussi ridiculement conscience ? Nous en devenons plus vulnérables que des nouveau-nés et nous gâchons ainsi un temps précieux qui pourrait être consacré à un bien meilleur usage. Cela paraît stupide. À moins, bien sûr, qu'il n'y ait, derrière tout cela, une explication plus subtile qui échappe à nos sens et qui se cache habilement au creux des bras de Morphée.

J'y ai déjà longuement songé et j'ai eu l'occasion d'échanger sur le sujet avec quelques maîtres des secrets du passé. Les magisters gnomes de Sardilhune Wald, les respectés auteurs de *La Geste du Marcheur des rêves*, ignorent eux-mêmes la nature *exacte* de ce qui se dissimule de l'autre côté de notre inconscient.

A priori, il s'agit sans doute d'images générées par notre propre esprit, en puisant, de lui-même, au fond du puits de nos souvenirs. Mais dans ce cas, comment expliquer qu'il puisse nous arriver de voir des choses, des formes et des événements qui nous sont totalement étrangers? L'imagination? Réponse facile. Mais où se cache la *source* de l'imagination? Et si les images que nous voyons dans nos rêves existaient déjà, quelque part, par elles-mêmes? Dans ce cas, le sommeil pourrait n'être qu'une porte, ouvrant sur un chemin qui y donnerait accès. D'aucuns affirment que les rêves se comportent comme des mondes parallèles, à l'intérieur desquels il serait théoriquement possible de voyager, d'autres prétendent qu'il s'agit d'ombres, sortes de reflets déformés de nos vies éveillées. Certains parlent de voies d'accès vers l'esprit des dragons, dont les songes tourmentés fonderaient l'existence même de notre univers, et d'autres encore, d'un don divin qui lèverait pour nous, momentanément, le voile sur le Paradis, le Purgatoire, ou bien l'Enfer.

Pour ma part, j'ai du mal à accepter toutes ces théories. Les dieux qui ont créé la vie me paraissent avoir fait preuve d'une grande intelligence, chaque obligation physique qu'ils ont imposée aux corps des êtres vivants répond à une fonction et à un but précis. Pour quelle raison en irait-il différemment du sommeil? Allié au rêve, ne serait-il pas plutôt un moyen d'aspirer en nous certains éléments vitaux, dont notre corps a absolument besoin? Des sortes de petites *particules d'âme* ou *d'esprit*, lesquelles seraient alors tout aussi nécessaires à la vie que ne le sont l'air, la boisson ou la nourriture; de minuscules fragments d'intelligence qui, sans que nous en ayons la moindre conscience, insuffleraient en nous les fondements de notre existence, de nos espoirs, de nos peurs et de nos inspirations. Il faut bien qu'il y ait quelque chose qui donne naissance à nos pensées et qui fasse de nous ce que nous sommes, n'est-ce pas ?

L'intensité et le temps de sommeil sont très variables d'une personne à l'autre, et mon propre cas me pousse à penser que les deux sont intimement liés. César affirmait que la plupart des hommes dormaient environ six heures par nuit, les femmes neuf, et lui, seulement trois. C'est également mon cas. Et, autant que je puisse en juger, le sommeil m'entraîne à chaque fois très profondément à l'intérieur de mes rêves. J'évolue alors dans un décor dont je pourrais jurer qu'il s'agit de la réalité, avec son accumulation incroyable de petits détails, sa netteté, sa qualité sonore, et même cette chose imperceptible qu'est le contact de l'air sur la peau. Je suis persuadé que ce sens aigu du réel, interne au rêve, me permet de dormir infiniment moins longtemps et de me reposer plus profondément que la plupart des autres gens.

Enfant, cela m'inquiétait, et je me souviens que ma mère venait souvent s'allonger dans mon lit pour me rassurer, elle me disait qu'il n'y avait rien là de très grave, au contraire, que c'était le signe des grands hommes et qu'elle était certaine que j'accomplirais des choses merveilleuses dans ma vie, grâce à cela. Un jour elle m'avait cité la phrase de César – j'ignore d'où elle pouvait la tenir, d'ailleurs – et elle me lisait souvent les légendes féeriques de la geste d'Ulandèinoïl – le fameux Marcheur des rêves – surtout celle avec le Pantin qui ne Dort Jamais et l'océan des Songes perdus. J'étais encore petit et je m'amusais à croire que je pouvais moi aussi voyager sur les

Bateaux des rêves et que le sang des Elfes blancs me rendait plus fort que les démons des cauchemars.

Quelques années plus tard, mon précepteur, Joachim Lodaüs, le grand mestre de la Tour d'Airain de Kosigan, m'avait enseigné que les peuples anciens dormaient d'une façon différente de la nôtre ; les Elfes, par exemple, utilisaient un vocabulaire très spécifique pour décrire cet état : *Ant' idré Stühl tümmapaësir* signifie « puiser dans son calme profond » et *Mat nün idré mintrafëané*, « pénétrer par le dessous de son âme ». Il s'agissait là, pour eux, de l'équivalent de notre sommeil, mais avec une acuité et une intensité beaucoup plus fortes. À tel point qu'ils ne ressentaient le besoin de dormir que durant une seule et unique nuit par cycle lunaire. Lorsque cela arrivait, ils se plaçaient dans une sorte de transe, proche de l'hibernation des vampires de Dalmanie ou de certains animaux sauvages. Dormir si peu représentait, bien sûr, un atout important pour eux, mais cela pouvait en certaines occasions les rendre fragiles aussi. C'est d'ailleurs de cette manière – en le surprenant au cours de son sommeil profond – que les chevaliers inquisiteurs de Nuremberg avaient réussi à assassiner l'Étoile des Lacs Sombres, le grand prince Jaël an Ilhun Attanüel, avant d'exterminer tous les siens et d'incendier les Arbres-ancêtres de la forêt ancienne de Sardilhune Wald.

Debout sur un des bords du terrain de joute, j'observe le prince Tanaël an Seïllar, en me demandant si, par hasard, il a profité de la nuit dernière pour puiser dans son calme profond. Qu'il l'ait fait ou non, il semble en grande forme ce matin et toutes les jeunes filles présentes autour du terrain de joute

– ainsi qu'une bonne partie des femmes d'âge mûr –
l'acclament avec enthousiasme alors qu'il incline,
devant la comtesse de Champagne, son visage altier.
Les applaudissements s'accentuent lorsqu'il lance
son cheval au galop, le long des gradins, cheveux au
vent, afin de gagner sa place, face à son adversaire.
Puis ils s'éteignent doucement, comme son écuyer
s'approche de lui pour lui tendre son heaume et sa
lance. J'observe son cimier, fait de longs poils de
manticore et d'écailles de sarkën[1], il intègre une
mince couronne d'or pur crénelée, symbole de son
rang. C'est un bel objet et il lui donne une sacrée
allure. Immobile et fier, lance et bouclier en main, il
est à présent prêt au combat. Au signal, son destrier
elfique donne presque l'impression de s'envoler, il
fond comme une tornade, droit sur son adversaire.
Le pauvre Rudac de Montbard est loin d'être à la
hauteur. Il fait un vol plané parfait jusqu'à l'arrière
de son propre cheval et roule-boule maladroitement
sur le sol.

Ça va être bientôt à moi. Je grimpe sur ma propre
monture, lui flattant l'encolure, et Edric me tend ma
lance. Je respire profondément. Il fait plutôt beau ce
matin. Le vent d'automne a chassé une bonne partie
des nuages de la veille, libérant par là même de
larges plages bleutées et ensoleillées dans le ciel de
novembre. Par voie de conséquence, il fait également
beaucoup plus froid. Mon souffle forme comme une
petite brume translucide à chacune de mes expirations. Vu de l'extérieur, cela fait toujours drôle de
voir cette espèce de petit nuage s'échapper par tous

---

1. Oiseau-poisson vivant en mer d'Iroise.

les trous des heaumes des chevaliers qui s'apprêtent au combat.

Aujourd'hui va être une journée particulièrement importante dans le déroulement de mes plans. Il est capital que je réussisse à profiter du tournoi pour impressionner et confirmer ma valeur auprès des grands personnages qui nous observent. Il me sera ainsi beaucoup plus aisé d'avancer mes pions ce soir, à l'occasion des festivités données en l'honneur du futur « Champion de l'hiver ». Bien sûr, si je réussissais à emporter le titre moi-même, ce serait une véritable consécration – et je ne parle même pas des huit cents livres de récompense qui sont en jeu – mais, en réalité, une seconde ou une troisième place me suffirait en termes de réputation. Gagner les joutes en groupe hier a été une première étape, mais ce genre de combat a un côté aléatoire très prononcé qui ne fait pas suffisamment ressortir la réussite individuelle – la remise des récompenses s'est d'ailleurs déroulée immédiatement après la finale, sans grande cérémonie ni mise en scène particulière. Évidemment, si aujourd'hui je ne fais pas partie des quatre meilleurs, je serai bien obligé de m'en contenter. Mais il faudra alors que je me montre beaucoup plus convaincant pour parvenir à mes fins dans le grand jeu d'échecs invisible auquel je suis en train de jouer.

Mes mains gantées assurent leur prise, sur la lance d'un côté, et sur mon bouclier de l'autre. J'inspire lentement et profondément et, au signal, je m'élance. Au galop. Le corps tendu en avant pour faire bloc avec ma monture. Les genoux bien serrés pour stabiliser ma position. La respiration bloquée pour éviter la brume et les paupières momentanément fermées – pour que le froid ne brouille pas ma vision.

Je compte jusqu'à quatre et j'ouvre les yeux en grand. George d'Andrac, sa lance et son cheval de guerre ne sont plus qu'à une dizaine de pas de moi. J'affine l'ajustement de ma lance d'environ un demi-pouce et enfonce mes talons plus profondément dans les flancs de mon destrier : cette dernière accélération va me donner davantage de puissance et en même temps, elle a de bonnes chances de gêner la visée de mon adversaire.

Impact. L'épaisse chevalière a de la chance, sa lance heurte mon bouclier sur le haut et ricoche violemment sur mon heaume, ma tête valdingue un peu et j'ai les oreilles qui bourdonnent, mais ça ne suffit pas pour me désarçonner et je finis ma course en douceur. Quant à elle, je n'ai pas manqué mon coup, mon arme a frappé le centre extérieur de son bouclier afin de jouer sur son déséquilibre et de lui faire vider les étriers par la droite. Cela s'avère moins dangereux que de culbuter vers l'arrière, cul par-dessus tête, et cela présente l'avantage de préserver la blessure de son bras gauche.

Je vérifie du coin de l'œil si elle va bien – après tout, j'ai tellement d'ennemis qu'il est toujours bon de ménager un peu ceux qui sont capables de se lever en pleine nuit pour venir me prêter main-forte. Ça a l'air d'aller : dame George est déjà debout, visiblement aussi fâchée qu'à son habitude, et elle râle comme une piscurelle[1] contre le héraut qui, selon elle, aurait sonné trop tôt le début du combat. Je souris à l'intérieur de mon heaume et pousse doucement mon cheval sur le côté afin de laisser la place aux combattants suivants.

1. Poissonnière.

À chaque nouvelle rencontre, le chambellan Gaston de Tailly, du haut de l'estrade d'honneur, clame de sa voix digne et puissante les noms, titres et charges de chacun des adversaires.

« Le prince Edward d'Angleterre, seigneur de Woodstock et de Brackenbury, prince de Galles, comte de Chester, duc de Cornouailles et gardien du royaume d'Angleterre, contre le seigneur Sigmund de Westphalie, comte de Dortmund, de Bönen et de Recklinghausen. »

« Le seigneur Claude de Fresne, baron de Grivelle, contre le chevalier Gunthar von Weisshaupt, comte de Felsen. »

« Le seigneur Gérard d'Auxois, comte et baron de Semur et d'Armançon, seigneur des Trois Buttes, contre le chevalier Wenceslas de Lodz. »

Jouve d'Arcy, contre Aymeric de Plerval, Jean de Main, contre Pierre de Hainaut Cambrésis, Juan Javier de Sanche contre Géromond de Sienne, les joutes se succèdent les unes aux autres à un rythme effréné. Guillaume le Maréchal finit par vaincre, avec bien des difficultés, Thierry de Montrouge, Tanaël an Seïllar – sous les clameurs de la gent féminine – bat Jouve d'Arcy puis Gauvain de Dole, avant de devoir céder face au brillant Lowell Comnène, le chevalier à l'armure dorée, héritier d'une branche déchue de la famille des empereurs de Byzance. Moi-même, je réussis à m'imposer contre Jean de Vicrey – bien que l'image de sa sœur, Roxane, se soit glissée subrepticement dans mon esprit au pire moment du combat – puis, plus difficilement, contre Giuseppe d'Algondi, le grand condottiere lombard, et surtout, au bout de quatre passes d'armes indécises et éprouvantes, contre Thomas de Lusignan, le roi sans couronne de Jérusalem, cousin par alliance de la famille de Champagne. Cette dernière victoire, durement acquise, m'ouvre la porte de la phase finale du tournoi.

Ibn Ajbar, qui entre en piste sous mes yeux, n'a plus, pour sa part, qu'un seul combat à gagner pour y accéder également. Malheureusement pour lui, après un fort beau parcours, le chevalier maure doit à présent affronter le puissant chef de la délégation bourguignonne, ce cher vieux Gérard d'Auxois. Le duc de Bourgogne n'a pas choisi le premier venu pour le représenter à Troyes. Invaincu depuis plus de deux ans en joute individuelle, celui que l'on surnomme le Taureau bourguignon a peu de chances de se faire éliminer par ce qu'il appelle « un vulgaire sarrasin », fût-il converti à la très sainte religion du Christ. Sa première charge est hargneuse et brutale, pourtant Ibn Ajbar reste solidement ancré dans ses étriers et résiste sans grande difficulté au choc. Le style un peu rugueux du chevalier maure est assez proche de celui de son adversaire et il paraît bien plus à l'aise dans ces combats à un contre un que dans les joutes en groupe de la veille. À la seconde passe d'armes, c'est même lui qui réussit à prendre légèrement l'avantage, en visant au-dessus du bouclier de d'Auxois, et en arrachant l'une des cornes du cimier du Bourguignon – manœuvre qui déclenche l'hilarité de la foule. D'Auxois fulmine et change de heaume. Il remonte à cheval en maudissant à haute voix ce « chien d'infidèle » et se lance dans la troisième passe en poussant un immense cri de guerre et de rage, qu'il prolonge jusqu'au moment de l'impact. J'ai rarement vu un tel fracas, le coin supérieur droit du bouclier d'Ibn Ajbar cède sous le choc, et la lance de d'Auxois, en partie déchiquetée, vient se ficher avec brutalité entre le heaume et l'armure du chevalier maure. Ce dernier est catapulté vers l'arrière, comme jeté à terre par la poigne d'un géant, et il s'écrase au sol dans un immense éclat de sang. *Bon Dieu de merde!* Je cours vers lui avant d'avoir commencé à réfléchir. Nous sommes plusieurs dans ce cas. Thierry de Montrouge et George d'Andrac, qui se trouvaient plus près, arrivent les premiers et commencent à lui retirer son heaume. Ils ont rapidement du sang plein les mains. La blessure a une sale allure, un gros morceau de bois durci s'est planté dans la gorge d'Ajbar et ce dernier a perdu conscience. Il respire avec beaucoup de difficulté et une écume rougeâtre dégouline sporadiquement de ses lèvres.

Alors que nous le transportons au plus vite jusqu'à la tente prévue pour les cas de blessures graves, je jette un bref coup d'œil à d'Auxois. Il nous observe, à une trentaine de pas de là, sans faire le moins du monde mine de vouloir venir nous aider, ni même simplement de s'inquiéter de l'état de santé de son adversaire vaincu. Au contraire, il a un petit sourire satisfait accroché au visage. *Il travaille sa réputation, cet enfant de salaud.* Le Bourguignon a déjà laissé plus d'un adversaire, comme ça, sur le carreau, et il considère sans doute que son image de brute cruelle contribue à effrayer ses ennemis. L'image que moi je souhaite donner en cet instant est tout l'inverse de la sienne. On me sait déjà sans pitié et dangereux, il serait donc bon que l'on constate que je peux tout autant me montrer loyal et prêt à aider ceux qui sont dans mon camp. Je fais de grands signes en direction de d'Auxois comme si j'espérais qu'il vienne nous prêter main-forte. Voyant que je m'intéresse à lui, ce dernier me lance un regard lourd de mépris, hausse les épaules, puis se détourne en crachant par terre. Je n'en attendais pas moins, mais ce petit manège a attiré l'attention de la foule et, ainsi, tout le monde a pu constater que j'avais accouru au secours de mon compagnon d'armes de la veille.

À l'intérieur de la tente, le gros médecin en charge des blessés porte une épaisse moustache grise et un tablier de cuir sombre. Il vocifère en prenant la mesure de l'urgence :

« Bon Dieu, il est salement amoché celui-là ! Amenez-le par là, messeigneurs, et essayez de ne pas me l'achever. Salomon, Isaac, arrivez ici tous les deux ! »

Les médecins juifs ont, en général, une excellente réputation. Bien meilleure que celle des médecins chrétiens en tout cas, qui eux ne pratiquent quasiment que l'art de la saignée, et qui ont, par conséquent, pour principale utilité d'accélérer le passage de leurs patients de vie à trépas.

Ibn Ajbar est rapidement installé sur un lit de camp prévu à cet effet, et le médecin commence à l'examiner en grognant. Sur un signe de sa moustache, ses deux apprentis lui apportent un seau de cendres avec lequel il se lave longuement les mains, ainsi que des linges, repassés au fer chaud, qu'il installe autour de la plaie. « Dégagez tout le monde ! Vous ne pouvez rien faire de plus pour lui. Si vous voulez l'aider, vous n'avez plus qu'à prier et c'est tout. Maintenant sortez et laissez-moi faire ce que je sais faire bien mieux que vous ! » Je le vois attraper un bocal de prêle puis un autre d'hamamélis, et il commence à préparer un emplâtre. À l'évidence, ce type connaît son affaire. J'en félicite mentalement la comtesse Catherine. *Ça va peut-être sauver la vie d'Ajbar.* Cela dit, il n'est pas du tout certain que cela soit suffisant, le chevalier maure est déjà d'une pâleur cadavérique et chacune de ses expirations projette quelques gouttes de bave sanguinolente sur les blouses de ceux qui cherchent à lui sauver la vie.

Je sors à reculons. Le médecin a raison, je ne peux rien faire de plus ici.

Pour le tournoi, nous ne sommes plus que huit à être encore en lice et on nous accorde une petite pause avant la reprise des hostilités. J'en profite pour trancher un saucisson, avec une miche de pain gris et du lard, accompagné d'une bonne rasade de rouge de Morgon.

« Vous vous êtes sacrément bien battu ce matin, messire, plus que trois combats et ce sera vous le Champion de l'hiver ! »

Je souris intérieurement mais le regarde d'un air agacé.

« Bon Dieu, Edric, qu'est-ce que tu fiches encore là ? File faire ce que je t'ai demandé si tu veux que j'aie une petite chance de gagner !

— Mais, messire, je vous jure que j'ai largement le temps de…

— Ne jure pas et obéis !

— À vos ordres, messire. »

Sans plus demander son reste, il se faufile prestement en direction des espaces de préparation, situés à l'extérieur des aires de combat, et il échappe rapidement à mon regard.

Seul le blanc de quelques rares nuages ponctue encore le bleu lumineux du ciel et le soleil éclaire généreusement une bonne partie du terrain de joute.

Les trompettes sonnent la reprise. Je me rapproche de la tribune d'honneur afin de rejoindre les sept autres participants aux phases finales et assister avec eux au tirage au sort qui va déterminer toutes les rencontres suivantes. De Tailly en annonce le résultat.

Je hausse les épaules. Décidément, mon séjour en Champagne se fait sous les auspices du royaume d'outre-Manche : mon prochain combat m'opposera au vieux sénéchal du roi d'Angleterre, Guillaume le Maréchal, et dans l'hypothèse où je l'emporterais, j'affronterai ensuite très certainement son futur souverain, Edward, l'heureux mari de Georgine de Gloucester – dans la mesure, bien évidemment, où Lowell Comnène et son armure d'or ne réussissent pas, entre-temps, l'exploit de lui barrer la route. Quant à la finale, si par bonheur je l'atteins, elle me mettra, avec un peu de malchance, face à mon vieil ennemi Gérard d'Auxois, ou bien à l'un des trois autres chevaliers encore en lice, Aymeric de Plerval – celui qui a bien failli me faire mordre la poussière lors des joutes en groupe –, Jérôme d'Arcy – l'aîné de la fratrie du même nom – ou bien Gunthar von Weisshaupt – le grand Humal léonin qui a réalisé un parcours sans faute jusqu'ici.

De l'autre côté de la lice, Guillaume le Maréchal est déjà à cheval, le heaume sur la tête, en train de choisir sa lance parmi les trois que lui tend son écuyer. Je me donne deux bonnes claques sur les joues afin de faire circuler mon sang un peu plus vite, puis remets, moi aussi, mon casque, attrape une lance au passage et enfourche mon destrier. Tout en flattant son encolure, je lui glisse quelques mots d'encouragement à l'oreille et nous avançons jusqu'au pas de départ de la lice. Je ne saurais dire si son cœur de cheval comprend tout ce que je lui raconte, mais moi en tout cas, cela me permet d'évacuer une partie de la tension qui semble bien décidée à écraser ma poitrine.

Cette fois, les choses sérieuses vont réellement commencer.

Correspondances de Kergaël de Kosigan avec Charles Chevais Deighton. Paris, le 9 avril 1899.

Salutations, vieux frère,

Une courte lettre afin de poursuivre celle d'hier et te relater mon entrevue avec maître de Broglie. Tu as déjà deviné, je suppose, que ce rendez-vous avait pour dessein d'en apprendre autant qu'il était possible sur mon énigmatique bienfaiteur. Pourquoi diable refuse-t-il de se faire connaître ? Et quels motifs étranges peuvent bien se dissimuler derrière ses manigances ? De toute évidence, ce sont là les clefs dont j'ai besoin afin d'éclaircir cette affaire.

Malheureusement, le vieux notaire ne m'a guère été d'une grande utilité, lui-même ayant reçu l'ensemble des éléments de la succession par voie postale, sans avoir, une seule fois, l'occasion de rencontrer l'initiateur de la procédure. En revanche, il m'a permis d'ouvrir certaines perspectives dignes d'intérêt : très intrigué, lui aussi, par toute cette histoire, il avait eu la bonne idée de conserver le papier et la boîte du colis qui a lancé toute l'affaire. Comme j'insistais, il a fini par accepter de me les confier, ainsi que l'ensemble des documents qui se trouvaient à l'intérieur.

Le colis en lui-même était de petite taille, et il avait simplement été glissé dans la boîte à lettres personnelle du notaire, il y a de cela deux mois et trois jours très exactement. Pas de timbre donc, ni de cachet correspondant au lieu ou à la date d'envoi, pas même d'écriture manuscrite, juste une simple phrase, dactylographiée sur un bristol, et collée sur le dessus du carton : «dossier de la famille de Kosigan, à l'attention de maître de Broglie, père.»

Quant au contenu : des feuillets de bonne qualité, comportant une lettre avec toutes les mentions nécessaires pour débloquer l'héritage, ainsi que des indications, elles aussi tapées à la machine, ayant pour but de permettre aux notaires de retrouver ma trace. Elles comportaient mon nouveau nom – ce qui, tu l'avoueras, est déjà surprenant en soi – mais également mon adresse à Kensington, et, plus étonnant encore, les coordonnées pour me joindre par l'intermédiaire du nouvel appareil de téléphonie que j'avais fait installer dans mon bureau du King's College, moins d'un mois avant que toute l'affaire ne débute ! Je crains que cette dernière information ne puisse signifier qu'une seule chose : celui ou celle qui est à l'origine de tout cela possède des contacts en Angleterre, jusque dans ma propre université, et peut-être bien également parmi les gens que je côtoie ! On me surveille, depuis longtemps à n'en point douter, et l'on a dû s'arranger pour tout savoir de moi et peut-être de toi également. Évidemment, je rencontre tellement de monde dans mon entourage que je n'ai pas la plus petite idée de qui il me faudrait commencer à soupçonner, mais, quoi qu'il puisse en être, il est certain que cela va me pousser, dorénavant, à poser sur les gens qui me côtoient un œil différent et à tout le moins circonspect.

N'hésite pas, de ton côté, à me prévenir si tu constates un comportement qui sort de l'ordinaire. Mis à part toi et Mary, personne d'autre ne connaît la véritable raison de ma présence en France. Pas même Élisabeth. J'ai parlé de mon ancêtre au directeur du British Museum dans une lettre que je lui ai envoyée de Saint-Pétersbourg, mais il ne sait pas grand-chose de plus. Si on te demande, tu peux évoquer un important héritage autour de la mort de ma mère imaginaire, mais ne dis rien d'autre, il y a déjà là suffisamment de matière pour voir si cela aiguise l'intérêt de quelqu'un. Quant aux lettres que je t'écris, je pense qu'il faudrait les mettre en lieu sûr, par exemple dans la boîte à lettres secrète que nous utilisions à nos tout débuts en Angleterre. Au risque de te paraître toucher le fond de la paranoïa, je pense également qu'il serait sage de ne plus les lire entièrement à Mary. S'il y a quelque chose de dangereux derrière tout cela, mieux vaudrait qu'elle n'y soit pas directement mêlée. Je suppose que tu en seras d'accord.

Pour ma part, j'ai l'intention de faire appel à un détective privé afin de m'épauler dans les recherches que je compte mener ici. Un professionnel aura davantage de chances que moi de dégotter une éventuelle piste, cachée derrière les évidences. Je vais tâcher de me renseigner pour faire en sorte d'en trouver un qui connaisse bien son métier.

Voilà, j'arrive au bout de ce que je voulais te dire aujourd'hui.

À bientôt mon ami, et ne t'inquiète pas trop si mes lettres se font plus rares au cours des prochains jours. Je vais devoir m'occuper de tout cela, et il me faut également rencontrer mon ancien professeur de la Sorbonne, Ernest Lavisse, afin d'étudier avec lui les différents papiers contenus dans le coffre. Mon emploi du temps risque donc d'être particulièrement chargé.

Salue les tiens pour moi et sois prudent.

K.

Sous la clarté du soleil de novembre, Guillaume le Maréchal se tient droit comme un « I », aussi fier que le Cid au plein temps de sa gloire. Il a sans doute la ferme intention de remporter un dernier tournoi avant de se retirer.

Il me fait un petit signe de la lance afin de me prévenir et talonne sa monture pour charger dans ma direction. Je fais de même. Sa maîtrise du combat à cheval est réellement impressionnante, il anticipe le moindre des cahots de la course et la pointe de son arme fond droit sur moi, sans trembler ni dévier d'un seul pouce, pendant toute la durée de sa chevauchée. Fort heureusement, si mon écuyer a été suffisamment discret pour bien faire son travail, cela ne devrait pas me poser de trop gros problèmes. *Tout au moins si je réussis à ne pas vider les étriers en même temps que lui.* Pour plus de sûreté, je ralentis brusquement mon cheval au moment du contact et accomplis un petit écart sur la droite, afin d'éviter l'essentiel de l'attaque adverse. Bien sûr cela réduit d'autant la puissance et la précision de ma propre lance, mais normalement un simple choc devrait réussir à le désarçonner. Voilà qui est fait ! Accompagné par un très long « Oh ! » de la foule, le grand Guillaume le Maréchal s'effondre avec vacarme, emportant avec lui dans sa chute sa selle – dont les sangles, préalablement limées, n'ont pas résisté à la pression de l'impact – ainsi que la couverture qui se trouve en dessous, et une bonne partie des rênes. Celles-ci tirent brutalement la tête du cheval vers le bas et la gauche, avant que le Maréchal ne finisse par les lâcher. La selle, en tombant, heurte avec violence les pattes arrière du destrier, lequel, lourdement déséquilibré, trébuche à son tour et s'affale de toute sa masse, manquant de bien peu d'écraser son maître dans la boue.

Il n'arrive que rarement aux sangles des selles de tournoi de s'arracher de cette manière, cependant la chose est loin d'être sans précédent. On n'y peut rien, diront certains, il s'agit sans doute là de la volonté de Dieu. Bien sûr, il y a fort à parier que Guillaume le Maréchal, lui, se doutera qu'il y a anguille sous roche dans cette affaire, mais, si Dùn a suivi correctement mes ordres, il n'aura aucun moyen de pouvoir en être certain.

J'achève ma cavalcade et me retourne, pour faire un discret signe d'excuse de la tête, en direction de celui qui demeure peut-être le meilleur chevalier du monde. *Désolé, messire le Maréchal, mais ce tournoi-là, je ne pouvais pas vous le laisser gagner.* Il me foudroie du regard à distance, mais ne dit rien et, après avoir vérifié que son cheval ne s'était pas trop gravement blessé, il se dirige en claudiquant vers l'extérieur de la lice.

Je m'écarte moi aussi et descends de ma monture un peu plus loin, c'est Janvier qui récupère mes armes et mon heaume. Il n'en a pas réellement le droit, mais avec la confusion ambiante, il y a peu de risques que quelqu'un s'en aperçoive.

« Edric est en place pour la suite ?

— Affirmatif monseigneur.

— Bien. N'oublie pas de vérifier mes sangles avant le prochain combat. »

Il hoche la tête comme si c'était l'évidence et s'éloigne de quelques pas pour bouchonner mon destrier. Quant à moi, j'observe avec attention les trois joutes suivantes, à l'affût du détail qui, sait-on jamais, pourrait me mener à la victoire. Gunthar von Weisshaupt n'a pas une grande réputation de jouteur, mais il applique à présent systématiquement la tactique que je lui ai conseillée hier, il profite de sa taille et de sa force pour empoigner la lance le plus loin possible de la garde et se donner ainsi une impressionnante longueur d'avance. Cela lui permet, à chaque fois, de heurter son adversaire une courte respiration avant que celui-ci ne soit en mesure de le toucher à son tour. Ainsi, la lance ennemie est brusquement ralentie et elle n'a plus la puissance suffisante pour le mettre en difficulté. L'habile Jérôme d'Arcy est en train d'en faire les frais, il s'effondre, heaume en avant, et de tout son long, dans une gigantesque flaque boueuse, sur le bord de la lice. Il faut trois personnes pour le sortir de là – la fange dégouline par tous les trous de son heaume et de son armure, à tel point qu'on dirait qu'il a voulu prendre un bain au milieu d'une fosse à cochons. Heureusement pour lui, il est simplement sonné et finit par réussir, tant bien que mal, à quitter le terrain de joute sur ses deux pieds.

Gérard d'Auxois, quant à lui, demeure toujours aussi impressionnant. Certes, il lui faut à nouveau trois passes d'armes avant de venir à bout de l'excellent Aymeric de Plerval, mais celui-ci finit tout de même à terre et proprement mouché. Serait-il possible que le grand Bourguignon ait besoin d'un peu de temps pour s'échauffer avant d'être en mesure de donner la plénitude de sa puissance ? Et toujours ce cri de rage prolongé qui accompagne sa dernière charge dévastatrice. Tout cela pourrait s'avérer intéressant.

Le dernier combat voit deux princes s'affronter. Le Byzantin, Lowell Comnène d'un côté, et le Prince Noir, Edward d'Angleterre, de l'autre. Armure d'or contre armure noire sous le soleil, le combat est de toute beauté. Auréolés de leurs panaches et des couleurs chatoyantes de leurs écus, on croirait assister à la confrontation de deux enluminures devenues vivantes. Ils se heurtent avec force et puissance, maniant l'un comme l'autre la lance avec une habileté consommée. Mais Edward a l'avantage de la taille et son large destrier noir des Shire l'emporte en vitesse et en robustesse sur celui de son adversaire. Le quatrième coup est le bon, il désarçonne presque le Byzantin, qui réussit cependant à s'accrocher, en équilibre instable, sur quelques foulées, avant de finir par chavirer d'un coup à l'extérieur de ses étriers.

Comme tous les autres spectateurs, j'applaudis la victoire du Prince Noir, non sans me demander toutefois si mes modestes petits tours de passe-passe seront suffisants pour vaincre un tel adversaire lors du prochain combat.

Mon plan face au prince est simple. Le temps a viré au beau aujourd'hui et j'aurais été bien bête de ne pas mettre l'occasion à profit. Au moment des inscriptions, j'avais repéré une cachette idéalement située pour cela, en bas des gradins. Un endroit où, en fin de journée, le soleil donne encore largement, et où l'on peut s'installer en toute discrétion, afin de faire se refléter les rayons du soleil en direction de la lice. Un adversaire aveuglé n'est plus un véritable adversaire, et si la vue du Prince Noir venait à lui être ôtée, j'aurais alors toutes les chances de l'emporter. L'affaire, cependant, présente quelques complications. Premièrement, Edric – puisque c'est lui qui est chargé de s'occuper du reflet – va être obligé de patienter jusqu'au tout dernier moment pour agir, afin d'éviter que quiconque ne puisse le prendre en flagrant délit. De ce fait, il ne disposera que d'un laps de temps très court pour ajuster le placement de son rayon.

La seconde difficulté est, pour le moins, aussi gênante : le tirage au sort a voulu que la passe d'armes débutant la joute n'ait pas lieu du bon côté. Au premier passage, le Prince Noir tournera le dos à mon écuyer, impossible par conséquent de l'aveugler. Cela signifie qu'il me faudra absolument résister à au moins une charge de mon sombre adversaire avant d'avoir une chance, au second assaut, et dixit Edric, « de lui en mettre plein la vue ».

Évidemment, il se peut aussi que je réussisse à le désarçonner du premier coup. *On peut toujours rêver.*

Le héraut lève sa trompette.

Respirer, fermer brièvement les yeux, resserrer ma prise sur mes armes, une pression ferme des deux genoux sur les flancs de mon destrier et, d'une extension puissante, celui-ci s'élance, sus à mon adversaire. La force physique du Prince Noir ne m'impressionne pas particulièrement, en revanche sa technique et son habileté à la lance paraissent presque aussi redoutables que celles de Guillaume le Maréchal. Essayer de le combattre sur son propre terrain serait stupide, mieux vaut, par conséquent, miser sur ma ruse et mon agilité.

Trois battements de cœur avant l'impact... Deux... Un...

Je me cambre brusquement vers l'arrière jusqu'à ce que le haut de mes omoplates touche la croupe de mon cheval. *Bon sang, ça fait mal!* Mais l'esquive fonctionne, la lance du prince fend l'air à environ une main au-dessus de moi. De mon côté, bien qu'allongé sur le dos, j'ai réussi à conserver ma ligne d'attaque, et, si l'on en croit l'intensité des clameurs de la foule, j'ai dû passer à deux doigts de faire chuter mon adversaire. J'ai senti le choc de ma lance sur son bouclier et il y a eu un craquement. Je crois bien que j'ai failli le lui arracher. Je freine la course de ma monture en me redressant et jette un coup d'œil vers l'arrière pour voir ce qu'il en est. Effectivement, l'écu du Prince Noir, à l'autre bout de la lice, pend au bout de son bras ballant, mon adversaire se tient l'épaule de la main droite et fait signe à son écuyer de venir à lui. *Ça n'est pas passé loin mais il ne s'agit sans doute que d'un choc de torsion.* Hors de question de se déconcentrer. Je me remets en position et choisis une nouvelle lance parmi celles que me présente Janvier.

Au-dessus de l'horizon, le soleil commence à baisser. Je regarde furtivement par-dessus mon épaule, en direction de l'endroit où est positionné Edric. Il y a encore une large tache ensoleillée, mais elle se réduit doucement. En face de moi, le Prince Noir démonte, ainsi que les règles l'y autorisent en cas de blessure, et son écuyer l'aide à retirer son camail, une partie de son épaulière gauche et les nombreuses plaques de protection ciselées qui couvrent ses bras. Il veut prendre la mesure des dégâts occasionnés par le coup que je lui ai infligé. *Les Puissances fassent que cela ne lui prenne pas trop de temps!* Le soleil continue à décliner, lentement, mais sûrement, et la foule, tout autour, bruisse calmement en attendant que mon adversaire se remette en selle. *Dépêche-toi, bon Dieu!* On croirait presque qu'il a lu dans mes pensées car il fait exactement le contraire : il se masse tranquillement le bras et l'enduit de ce qui semble être, de loin, une sorte de produit huileux. Puis, il le tend et le détend à plusieurs reprises, en faisant jouer les articulations avec une moue satisfaite. *On croirait presque qu'il le fait exprès pour me faire regretter de l'avoir touché!* Mon cheval s'ébroue, il ressent ma nervosité. Le prince Edward, quant à lui, ne semble pas décidé à revenir se battre, il fait quelques essais pour porter son bouclier, visiblement avec succès.

Allez, remets cette saleté d'armure, maintenant!

L'ombre avance inexorablement. Je n'ose pas me retourner à nouveau de peur de mettre la puce à l'oreille de quiconque pourrait être en train de m'observer, mais selon mes estimations, elle ne devrait plus tarder à assombrir l'endroit où Edric se trouve caché. Il faut agir vite, sinon ma ruse va faire long feu.

Du bouclier, je fais signe à Janvier de venir à mes côtés et lui donne quelques instructions rapides. Il effectue l'échange de ma lance pour faire diversion, puis s'éloigne discrètement vers l'arrière, en accomplissant un petit détour avant de prendre la direction des gradins. *Mètis[1] fasse que cela fonctionne !*

Pendant ce temps le Prince Noir repasse sa brassière en cuir, ses diverses protections de métal noir et son camail. Mais, alors que son écuyer lui tend son heaume, il marque un temps d'arrêt et décide de le reposer. Finalement il s'avère que l'une des lanières de son bouclier s'est détendue au cours de la manœuvre et qu'il est nécessaire de la remettre en place. Cela prend encore cinq bonnes minutes. Puis il remonte enfin en selle et pousse son cheval au trot en direction du pas de départ, sous les applaudissements mitigés d'une partie de la foule, lasse d'avoir attendu aussi longtemps.

Le coin extrême, sous les gradins, ne doit plus du tout se trouver au soleil maintenant, c'est certain. Les nouvelles consignes que j'ai données à Janvier s'appliquent donc : il a dû transmettre à Edric l'ordre de quitter son poste pour monter dans le public, sur le gradin le plus haut, jusqu'à la place la plus proche de la rambarde extérieure. Le but, évidemment, est de pouvoir encore accrocher quelques rayons de soleil à refléter. Quant à Janvier lui-même, sa mission sera de faire momentanément diversion, juste avant l'impact, afin de s'assurer que personne dans cette partie du public ne puisse remarquer les mouvements d'Edric. *Plus qu'à croiser les doigts et à leur faire confiance.*

Edward se trouve face à moi à présent, il abaisse la visière de son heaume sans le moindre geste d'excuse pour le temps qu'il vient de me faire perdre. De Tailly signifie au héraut près de lui qu'il peut à

1. Déesse de la ruse.

nouveau faire résonner le signal de la charge, et nous nous élançons. Deux cavaliers d'acier et de noir, fonçant l'un sur l'autre à une allure infernale. Il vise plus bas que la première fois, pour être certain d'éviter une esquive de ma part, mais nul doute qu'il remontera sa lance au tout dernier instant. Je fais de même. Alors que mes muscles se raidissent dans l'attente du choc, une tache de lumière apparaît sur le heaume de mon adversaire, en plein dans les fentes de sa visière. Pas le temps de ressentir de soulagement, j'imprime un léger décalage à ma course, ainsi qu'à l'angle de mon bouclier, et relève ma lance pour frapper plein centre. La lumière a déjà disparu et l'impact arrache mon adversaire à sa selle pour lui faire mordre la poussière. Le son de son corps et de son armure en train de bringuebaler au sol derrière moi résonne agréablement à mes oreilles. Presque autant que les cris d'acclamation de la foule.

Je souris dans mon heaume. *Le minable petit mercenaire te salue bien, monsieur le prince!* Je relève ma visière sous les applaudissements, pendant que le Prince Noir se remet difficilement debout et commence à quitter la lice. Au trot, j'entame un petit tour d'honneur le long des gradins en remerciant les spectateurs. Ce n'est pas que la gloire me fasse particulièrement plaisir, mais le soutien populaire du peuple de Champagne pourra s'avérer un atout utile au cours de mes négociations de ce soir. *Si tant est que j'arrive à survivre au combat suivant, évidemment.* Je pousse jusqu'à la tribune d'honneur pour m'incliner sobrement devant les comtesses et leurs invités, puis je termine mon tour de gradins en passant par l'endroit où se trouvaient Edric et Janvier pendant la rencontre. Derrière moi, Gunthar von Weisshaupt et le baron d'Auxois se mettent doucement en place.

Mes deux gars ont fait du sacrément bon travail tout à l'heure, mais, à ce que je constate, Janvier n'a pas réussi à prendre le large après sa diversion – quelle que celle-ci ait pu être – et il se trouve toujours pris à partie par un groupe de paysans et d'artisans au niveau de la balustrade la plus excentrée. Sentant la pression monter, il a commencé par assommer le plus dangereux de ses adversaires, mais quatre ou cinq gros costauds se pressent toujours autour de lui en l'invectivant, soutenus, un peu en arrière, par plusieurs familles entières. Au second rang, il y a notamment une jeune paysanne qui est en train de le traiter de tous les noms d'une voix suraiguë de crécelle éraillée. J'ignore ce qu'il a fait, mais ils ont l'air remontés. J'arrête ma monture à leur niveau et place le bout de ma lance de guerre, en partie brisée, au milieu de la mêlée.

« Holà, braves gens, qu'est-ce qui vous arrive ? C'est mon homme d'armes que vous agressez comme ça ? »

L'attention de l'immense majorité des autres spectateurs est fixée sur les préparatifs du prochain combat, et je suis assez loin de la tribune d'honneur pour espérer pouvoir régler la querelle relativement discrètement. Mon intervention a mis fin aux cris et tout le monde me regarde d'un air un peu éberlué. C'est un grand gaillard costaud qui reprend ses esprits le premier.

« J'sais pas si c'est votre homme d'armes ou quoi, messire, mais en tout cas c'est une sacrée crevaille ! C'te saloperie y s'est pointé vers nous en chantant du paillard, pis saoul comme un cochon ! Il s'est jeté sur ma sœur, la bouche en cul de poule, en y disant qu'il l'aimait et il y a arraché tout le haut de la robe pour y tâter les nichons ! C'est qu'un gros cochon de sauvage et j'vous jure par saint Michel que j'vais lui… »

Je ne lui laisse pas le temps de finir sa phrase, j'assène un énorme coup avec le côté de ma lance sur la joue de Janvier. Celui-ci recule sous la surprise et sous le choc. Je frappe une deuxième fois – *Protège-toi, imbécile !* – puis une troisième, avant qu'il ne commence enfin à cacher son visage derrière ses mains et ses avant-bras.

« Espèce de sale soiffard, tu me fais honte ! Combien de fois je t'ai déjà dit d'arrêter de picoler en cachette ! »

J'ajoute encore un coup ou deux pour faire bonne mesure, mais comme il se protège à présent, cela ne lui fait pas grand mal. Rien de tel qu'une bonne correction bien méritée pour calmer la colère des gens qui en veulent à quelqu'un.

« File dans ta tente immédiatement ! Et j'espère que tu as du goût pour les latrines, parce ce sera tout ce que tu verras d'ici la fin du mois d'août !

— B-bien, messire, à vos ordres, messire. » Janvier s'écarte et traverse maladroitement les gens autour de lui sans demander son reste, comme s'il était encore ivre. Les autres l'injurient encore un peu, tant qu'il est en vue, puis se calment quand il disparaît. La jeune paysanne, de son côté – plutôt bien en chair, certes, mais finalement pas si laide que ça – me regarde comme si le prince charmant en personne venait de risquer sa vie pour la sauver des griffes d'un vieux dragon.

« Bien le merci, monseigneur, bien le merci. » Sa

voix de crécelle est toujours là, mais la poissonnière en furie a été remplacée par une jeune fille assez doucette et un peu intimidée par mon rang. « Si y a quoi que ce soit que je peux faire pour vous être agréable, vous avez qu'à me le dire, monseigneur. Quoi que ce soit ! » Elle m'offre en prime une petite courbette, en tenant maladroitement son bustier arraché, aux trois quarts ouvert. Je lui souris pour faire plaisir à tout le monde et achever de désamorcer toute l'affaire.

« Je n'ai besoin de rien, je vous remercie. Mais comptez sur moi, jeune fille, pour que ce rustre ait exactement ce qu'il mérite. » D'un dernier signe de tête, je leur signifie que l'incident est clos et je fais tourner bride à mon cheval. *Ce que Janvier mérite surtout, c'est une très honorable prime.* Je quitte les lieux au petit trot, alors que la joute qui va opposer mes deux derniers adversaires en lice est sur le point de commencer.

Bien que brutal et rude, Gérard d'Auxois sait également se montrer fin tacticien, intelligent et rapide à prendre des décisions, c'est un homme qui dispose d'un sens inné pour s'engouffrer dans les failles que peuvent laisser ses adversaires. Et des failles, il y en a toujours. Celle de Gunthar von Weisshaupt est d'être trop prévisible, il a trouvé une tactique et il s'y accroche comme un taon sur le cul d'une vache. Le puissant Bourguignon s'en est évidemment rendu compte, et, cette fois-ci, il n'a pas besoin de trois passes pour se défaire de son adversaire : dès le premier engagement, il n'hésite pas à prendre le risque de découvrir son cœur afin de pouvoir décaler son bouclier et de faire ainsi ricocher l'attaque de l'Humal vers l'extérieur. Sa lance à lui, en revanche, garde toute sa puissance et elle ne dévie pas d'un poil, elle heurte le bouclier de l'homme lion à l'endroit exact décrit dans les plus grands manuels de chevalerie, et avec un effet exactement similaire à celui qu'ils évoquent. Gunthar roule-boule dans la terre sur cinq ou six pas avant de s'arrêter définitivement. Il met bien trois ou quatre secondes à réussir à s'asseoir, en secouant sa grosse tête de lion. Puis il tâtonne pour enlever le grand heaume d'argent, spécialement modelé à son image, qui s'est un peu fêlé dans la chute, et finit par se relever en grognant, quittant le terrain de joute sans un regard en arrière.

La foule applaudit bruyamment d'Auxois.

Je serre mon poing nerveusement. Je ne devrais pas me sentir aussi tendu, si tout se déroule comme je l'ai prévu, la finale ne devrait présenter aucune difficulté.

32

« Comte d'Auxois et chevalier de Kosigan, grande a été votre vaillance et sans faille a été votre bras… »

Nous nous tenons tous les deux à cheval, visière relevée et lance posée sur le pied droit à l'étrier, face à la tribune d'honneur depuis laquelle la comtesse Catherine de Champagne s'adresse à nous. Dans notre dos, l'ensemble des chevaliers vaincus au cours du tournoi est là – hormis bien sûr Mohammed Ibn Ajbar, dont l'état oscille toujours entre la vie et la mort – et les chevaliers français de l'ordre de l'Étoile se trouvent juste derrière nous.

« En ce jour anniversaire de la mort de mon époux, le comte Thibaut, et en l'honneur de saint Rémi et de saint Loup, les protecteurs de la ville, ainsi que des esprits ancestraux d'Aëlenwil et de Tergane… »

Gérard d'Auxois s'adresse à moi à mi-voix tout en feignant de continuer à écouter le noble discours préparé par notre hôtesse.

« Alors comme ça, on se retrouve, *Bâtard*. Tu vas dérouiller, c'est moi qui te le dis !

— Laissez-moi plutôt gagner dès la première

passe, d'Auxois. Cela arrangera mes affaires et vous, vous aurez moins longtemps à souffrir !

— C'est ça, fais le malin, ça ne te servira pas à grand-chose de toute façon. Je te connais et je suis sûr que tu as multiplié les ruses et les magouilles pour parvenir en finale, mais maintenant c'est terminé.

— Je ne vois absolument pas de quoi vous voulez parler. »

Pendant ce temps la comtesse continue.

« ... afin de placer les fiançailles de ma fille Solenne sous de bons auspices et respecter la tradition de la famille de Champagne depuis 451, il sera donné ce soir un banquet pour célébrer... »

« C'est ça, cause toujours. » Il baisse encore la voix pour s'assurer de ne pas être entendu par d'autres. « Moi aussi j'en ai des cautelles[1]. Tu ferais mieux de jeter un coup d'œil sur ta droite... »

Au pied des gradins, un peu en retrait, mon écuyer Edric me fait un vague signe de la main. Son visage est pâle et il est encadré de près par les trois frères d'Arcy qui m'adressent un sourire mauvais. Le bras de l'aîné est ostensiblement placé derrière le dos du jeune homme, nul doute qu'il y tient une dague, bien appuyée sur ses reins.

« Espèce de sale enfoiré ! Si jamais tes hommes lui font la moindre égratignure... ! »

D'Auxois ricane silencieusement comme un chien enroué.

« Il n'en tient qu'à toi de sauver ton écuyer, Bâtard, il n'en tient qu'à toi... »

1. Ruses.

Là-dessus la comtesse achève son discours.

« ... à l'issue de la joute finale qui distinguera le Champion de l'hiver pour l'année à venir ! Gagnez vos places, chevaliers, soyez honorables, et que le meilleur gagne ! »

Il paraît clair que la mission d'Edric consistant à placer de la poudre d'ortie sous la couverture de selle du cheval de d'Auxois a échoué. *Combien peut bien valoir la vie de mon écuyer à présent ? Et si je gagne, est-ce que d'Auxois me laissera au moins le temps de proposer une rançon en échange de sa libération ?* Probablement pas.

Bien qu'il fasse encore jour les rayons du soleil sont à présent trop rasants pour éclairer le terrain de joute, et un petit vent du nord particulièrement glacial s'est mis à souffler. La mâchoire serrée, mais déterminé, je rabaisse ma visière et place ma lance en position d'attaque. La foule crie et harangue, réclamant sa dose de sang et de brutalité. Je fais abstraction de tout et me concentre sur le combat. À la première note de trompette je lance mon destrier en avant, avec quelques instants d'avance sur d'Auxois. Lorsque nous nous croisons, j'ai davantage de force d'impact que lui, mais j'ai tout de même une demi-seconde d'hésitation. Ma lance ne heurte pas le centre exact de son bouclier, il vacille sous le choc mais tient bon. *Tant mieux.* De mon côté, j'ai fait ce que j'ai pu pour détourner son arme, mais j'ai été durement touché et déséquilibré vers l'arrière, et mon pied gauche a bien failli être éjecté des étriers à la suite du choc.

La foule est contente.

Nous changeons de lance et nous nous replaçons sur nos pas de départ respectifs. D'Auxois tourne discrètement la tête dans la direction d'Edric et des frères d'Arcy, puis il passe son doigt sous son gorgeron d'un geste discret mais éloquent. *Est-ce qu'il oserait vraiment le faire égorger ?* Sans doute que oui.

À nouveau, je prends une légère avance sur lui au départ, en cinq enjambées, mon destrier atteint le triple galop et se précipite droit sur l'ennemi. J'ai décidé de tout concentrer sur l'attaque, à pleine vitesse, quitte à me laisser toucher exactement à sa guise. Et c'est très précisément ce qui arrive : ma lance s'écrase parfaitement sur le cœur de son bouclier, le faisant brutalement basculer, mais lui aussi me heurte de plein fouet et je vide les étriers, assez sèchement. Le contact avec le sol est loin d'être agréable et il provoque presque à chaque fois de belles ecchymoses. Ce qui me rassure c'est que les miennes vont disparaître beaucoup plus vite que celles de d'Auxois.

Plus le combat est rude et plus on se fait mal, plus la foule est ravie. Ça hurle et ça s'excite de toute part.

Mon adversaire est déjà debout, l'un de ses écuyers est en train d'essuyer la terre boueuse collée à son armure tandis qu'un second est allé rechercher son cheval et le lui ramène par la bride. Je suis fier de voir que le mien – de cheval – est mieux éduqué. Il est revenu tout seul près de moi et attend sagement à quelques pas de l'endroit où je suis tombé.

Je remonte dessus, tout crotté certes, mais avant d'Auxois, et sous les acclamations de la foule.

Je passe au trot à côté de ce dernier afin d'aller me replacer en position pour la passe d'armes suivante.

« C'est ta dernière chance, Bâtard ! »

Je pousse un soupir dans mon heaume. *Je le sais bien.*

Arrivé à ma place, Janvier me tend une nouvelle lance.

« Tu as fait ce que je t'ai dit, Janvier ?

— Si fait, messire. J'ai dit à Qu'un-Coup de parier sur votre défaite.

— Excellent, vous partagerez les gains avec Edric si jamais il s'en sort. Ce sera votre prime. Mais fais bien passer le message à Qu'un-Coup, il doit rester discret après ça. Sinon on risque d'avoir de gros ennuis. »

Pas le temps d'en dire plus, d'Auxois est prêt lui aussi, la foule hurle son impatience et ses encouragements, et le héraut s'apprête à sonner la charge. Pour la troisième fois je réussis à partir un peu plus tôt que mon adversaire, mais il lance alors son cri de combat et de guerre, je serre les dents et tente de faire accélérer encore ma monture. Comme sous la charge d'un auroch l'impact se révèle d'une brutalité inouïe, je vois noir quelques instants, sentant à peine le choc du sol sous mon dos, roulant chaotiquement avant de m'arrêter, je ne sais où, sur le terrain de joute, et pour bonne moitié assommé.

Sans vraiment comprendre, je ferme et ouvre mes paupières à plusieurs reprises en secouant la tête, encore complètement abasourdi par la chute. J'entends, comme décuplé, l'écho de ma propre respiration à l'intérieur de mon heaume, et j'échoue plusieurs fois, avant de réussir à me remettre sur un de mes coudes. Du sang dans ma bouche. *Ça vient de mon nez.* Le salaud n'y est pas allé de main morte. Mon bouclier arraché a tapé droit dans mon heaume, enfonçant partiellement un de ses coins dans la visière. *Ça aurait pu être plus grave.* Je sens qu'on vient à mon aide. C'est Edric et Janvier. Les d'Arcy ont dû relâcher mon écuyer quand ils ont vu que je mordais la poussière et que c'était fini pour moi. *C'est toujours ça de gagné.* Alors que mes hommes finissent d'arracher ma visière plus ou moins coincée par le choc, j'entends les pas d'un cheval qui s'approche et commence à tourner autour de nous. D'Auxois a fini son tour d'honneur.

« Ne t'avise plus jamais de me chercher des noises, Bâtard, parce que la prochaine fois, je jure sur ma foi que tu ne te relèveras pas. Tu m'as bien compris ? »

J'écarte Janvier afin de pouvoir le regarder dans les yeux pour répondre.

« J'ai bien compris, d'Auxois… » Le sang de mon nez me gêne pour parler, alors je l'enlève de ma main gantée d'acier. « Je vous dis à demain, alors… » Je regarde ostensiblement la trace de sang sur le métal de mon gant, avant de relever les yeux vers lui. « On se reverra au tournoi à pied !… »

Correspondances de Kergaël de Kosigan avec Charles Chevais Deighton. Paris, le 1ᵉʳ mai 1899.

Cher Charles,

J'ai bien reçu ta lettre et te remercie de tout ce que tu fais pour moi de ton côté, cela m'est d'une grande utilité. Pour ce qui est de venir me rejoindre, pour l'instant, je n'ai pas le sentiment que ce soit nécessaire. Le mieux, à mon sens, est que tu demeures à Londres et que tu continues de m'aider à distance.

Tout particulièrement à propos du coffre et de la couverture. J'apprécierais, en effet, d'avoir quelques avis en ce qui concerne leurs étranges caractéristiques. Lyndon de Wessex, le fiancé d'Élisabeth, se vante partout qu'il a été intronisé récemment dans l'ordre de la Golden Dawn. Cependant je préférerais que tu ne t'adresses pas à lui. Ce type m'est toujours sorti par les yeux. En revanche, tu pourrais profiter de tes entrées au Reform Club pour rencontrer son oncle, sir William Crookes. Lui aussi est membre de l'ordre mais c'est également un savant de premier plan et j'ai déjà eu, à plusieurs reprises, l'occasion de m'entretenir avec lui. Il s'agit d'un homme posé et fiable, un ami de Wells (même s'ils ne sont pas de la même génération).

Et comme il est à la fois membre éminent de l'ordre et scientifique, il pourrait avoir des choses très intéressantes à nous dire sur un matériau qui a l'aspect du bois mais qui est plus solide que du diamant, ou bien sur un tissu sur lequel le passage du temps n'a pas davantage d'effet que l'eau sur les plumes d'un canard. En tout cas, je compte sur toi pour procéder avec subtilité. Reste discret. N'évoque pas mon nom et essaie de présenter les choses pour que ce soit lui qui choisisse de te parler de ce qu'il sait et non l'inverse.

À ce propos, et quoi que tu en penses, je sais pertinemment que c'est le genre de petites manipulations dont tu es coutumier. Je suis certain que tu vois ce dont je veux parler.

Pour ce qui est de ce qui se passe ici, en France, je suis plutôt satisfait de la manière dont je parviens à mener ma barque.

Tu te souviens peut-être d'Ernest Lavisse, auquel j'ai fait allusion dans ma lettre précédente et qui fut l'un de mes maîtres à la Sorbonne, du temps où je logeais en fraude dans les soupentes de ton internat. Il se trouve que nous nous sommes revus en juin dernier à Brandebourg, à l'occasion d'un colloque sur les peuples germaniques. Malgré sa surprise de constater que j'avais troqué mon nom d'origine contre celui de Konnigan, il s'est montré très heureux de me revoir, et je lui ai raconté – ce qui n'est pas entièrement faux – que j'avais dû m'enfuir en Angleterre à cause d'une histoire de femme et d'honneur, pour laquelle ma vie était en jeu. J'ai légèrement enjolivé les choses en faisant de Gabrielle la fille d'un grand banquier parisien et du Baron un proche du président Sadi Carnot. Il a gentiment fait mine de me croire.

Dans les jours qui ont suivi, l'homme s'est révélé tout aussi sympathique que le professeur avait pu, autrefois, se montrer rigoureux, et nous avons passé deux fort bonnes soirées dans les gargotes du quartier de la Dominsehl. Outre le fait qu'il ne dédaigne pas le bon vin et qu'il chante avec une parfaite voix de ténor les répertoires des grands boulevards, cet homme est un puits de science et l'une des principales sommités en ce qui concerne le Moyen Âge. C'est donc tout naturellement vers lui que je me suis tourné afin d'étudier les différents parchemins de mon récent héritage.

Sur mon invitation, nous nous sommes vus une première fois à L'Estudiantin autour d'un bon coq au vin et d'un verre de brouilly. Comme on pouvait s'y attendre, il s'est montré particulièrement intrigué par le coffre et j'ai dû rejeter poliment son offre de le faire examiner par l'un de ses amis scientifiques. Il me semble en effet plus judicieux de ne pas m'en séparer pour l'instant et d'attendre sagement le résultat des recherches que tu vas mener de ton côté. Et puis, s'il m'apparaît nécessaire, en définitive, de pratiquer tel ou tel test, j'estime plus prudent d'attendre d'être de retour à Londres pour cela.

En revanche, l'érudition de mon ancien maître m'a été infiniment précieuse à plusieurs autres titres – et pas seulement en ce qui concerne l'étude des parchemins, sur laquelle je reviendrai plus tard dans cette lettre.

Au cours de la conversation, j'ai parlé avec lui des sept rubis – sans les lui montrer, cela va de soi. Il s'est avéré que cela évoquait quelque chose pour lui et, vérification faite, il a pu me confirmer que deux ouvrages médiévaux de sa connaissance y faisaient bel et bien référence.

*Le premier est un miroir[1] du IX*ᵉ *siècle, le* Liber de rectoribus, *écrit aux alentours de l'an 860 par un poète irlandais du nom de Sedulius Scotus, à l'intention du roi Lothaire II. Ce dernier, descendant direct de Charlemagne, régnait, à cette époque lointaine, sur un territoire grand comme dix fois la Normandie, allant des rives de la mer du Nord jusqu'au sud des Alpes. Ce royaume, appelé France médiane, royaume du*

---

1. Ouvrage de conseil pour les princes.

Centre ou parfois *Lotharingie*, était tout à la fois l'héritier du vieux royaume des Burgondes et le prédécesseur du duché de Bourgogne du temps de mon ancêtre.

Je sais pertinemment que les détails de l'histoire t'ennuient profondément, mais dans le cas présent, sache juste que ledit Sedulius Scotus mentionne à deux reprises la couronne du roi Lothaire, sous le nom de « couronne aux sept gemmes » et de « couronne des sept sangs ». Il suppliait son souverain de ne surtout jamais la vendre... Correspondance frappante, ne trouves-tu pas ?

Quant au second document, écrit au Xe siècle par le moine Ekkehard de Saint-Gall, il évoque les rubis et la couronne en des termes plus explicites encore. Il s'agit d'une chanson de geste relatant précisément les origines mythiques du diadème ainsi que de ses « sept vermeils de balerets [1] ».

La légende qui les concerne a le mérite d'être singulièrement haute en couleur, je te la livre ici afin que tu puisses en conserver la trace. Si l'on en croit Ekkehard de Saint-Gall, la couronne des sept sangs aurait été initialement créée au Ve siècle de notre ère – l'année précise de la mort de Flavius Romulus Augustus, le dernier des empereurs romains d'Occident – afin de concrétiser l'alliance éternelle du jeune royaume de Burgondie avec les puissances dédiées aux dieux des anciens, ainsi qu'aux esprits du métal, de l'eau et de la braise. Elle était censée posséder le pouvoir d'accorder la victoire militaire à tout chef de guerre issu de l'une des sept lignées des terres du centre qui la porterait au moment du combat.

Quant aux rubis, ils auraient été créés par Giselher le Sage à partir du sang mêlé des principaux rois et reines, dirigeant les peuples des territoires du milieu : les trois rois frères, Gondevald, Gondioc et Chilpéric de Burgondie, pour les humains ; le

---

1. Nom donné aux rubis, en ancien français.

princeps Heldrôn an Aëlenwil pour les nations elfelines ; le roi de Roc Paromildur pour les Nains des cluses ; Silk Ith Quilquinni, le seigneur des Faunes de la forêt sacrée de Pierre d'écorce ; et la reine des Sirènes du fleuve des dieux[1], Uluthinda Liris Veli. La couronne proprement dite aurait ensuite été forgée aux fournaises d'Oksa-quala-myrith, le grand dragon-soleil des méandres du Rhin, sur les hauteurs du rocher de la Lorelei, puis martelée neuf fois par le pilon d'argent des seigneurs nains du Mitteland, avant d'être enfin trempée à sept reprises dans l'Eau de larme qui jaillit des puits sacrés de Stanin Dhuitis.

La légende veut que la défaite des armées de Burgondie et des terres du centre face aux peuples francs soit directement liée au vol de cette couronne, et qu'à la suite de l'éclatement du royaume, celle-ci ait disparu plusieurs siècles durant. Le texte d'Ekkehard de Saint-Gall associe sa réapparition à l'archange Selaphiel lui-même, venu la déposer sur la tête du petit-fils de Charlemagne, Lothaire, lorsque celui-ci devint roi de la fameuse Lotharingie. Son fils aîné, Lothaire II, la porta également pendant plusieurs années, mais sa femme, par cupidité, finit par le pousser à la vendre, rubis par rubis, jusqu'à ce qu'il devienne le souverain le plus riche de tout l'Occident. Malheureusement pour lui, sa gloire et sa fortune furent éphémères et le royaume du centre fut, à nouveau, vaincu par la France. On perdit alors toute trace de la couronne et des rubis, et nul n'en entendit plus jamais parler depuis.

Voilà. Elfelins, nains et dragons attestent qu'il ne s'agit là que d'une légende, cependant quelque chose me murmure à l'oreille que ce sont précisément les rubis de cette couronne qui se trouvent en ce moment même dans le fond de ma poche, juste à côté de mon mouchoir, de mes clefs et de mes pièces de menue monnaie. Les derniers vestiges d'un royaume qui se situait entre

---

1. Le Rhin.

la France et l'Allemagne et qui s'est battu pour son indépendance pendant près de quatre cents ans ! Se pourrait-il que mon grand ancêtre ait participé à une tentative pour le remettre en place ? Cela paraît à la fois vraisemblable et complètement impossible, sinon il faudrait bien qu'il y en ait trace quelque part. Ou du moins peut-on le supposer.

En tout état de cause, j'ai bien l'intention de me montrer particulièrement prudent pour tout ce qui touchera, de près ou de loin, ces pierres. Comme je te le disais, je n'ai même pas osé permettre à Lavisse de les voir. Ces gemmes, je le sens, sont de celles qui pourraient rendre fou un être humain et noircir son âme au point qu'il pourrait être prêt aux pires ignominies, simplement pour s'en rendre maître. La confiance que je place dans mon ancien professeur est grande, c'est certain, mais mieux vaut ne soumettre personne à une telle tentation.

En revanche, après bien des hésitations, le feu de ma propre curiosité m'a tout de même poussé à franchir la porte de l'un des joailliers de la rue des orfèvres. J'ai multiplié les précautions afin de protéger mon anonymat et ai pris garde à ce que l'unique rubis que j'amenais avec moi, jamais, ne quitte le champ de mon regard. Je l'avais même marqué d'une minuscule tache de peinture blanche afin d'être certain que la pierre que l'on me rendait à la fin était bien la mienne.

Si tu te dis en me lisant que porter sur soi ce genre de merveille rend paranoïaque, je te confirme que tu as entièrement raison. En marchant dans la rue, on a sans cesse la désagréable impression d'être observé, les gens que l'on croise paraissent tous étrangement suspects et rien ne semble tout à fait aussi normal qu'à l'habitude. Pas même l'air que l'on respire et pas même le temps qui passe, fidèle à lui-même, mais qui cependant semble subtilement déformé.

Quoi qu'il en soit, l'orfèvre à qui j'ai présenté mon rubis a été aussi estomaqué que moi lorsque je l'ai découvert pour la première fois. Il m'en a immédiatement offert cinq millions de francs-or. Et je suis persuadé que j'aurais pu en tirer davantage. Cinq millions francs-or pour un seul rubis! Tu te rends compte? Malgré la fragilité du franc en regard de la livre sterling, cela représente tout de même cinquante vies de salaire à mon poste, pourtant fort bien payé, du King's College. Et cela ne tient même pas compte de sa valeur historique!

Malgré les frissons qui parcouraient mon dos, j'ai décliné poliment la proposition, non sans promettre au bijoutier que j'allais lui accorder toute l'attention qu'elle méritait. Puis je suis rentré à mon hôtel aussi vite que j'ai pu, en suivant des chemins détournés afin de m'assurer que personne ne m'avait pris en filature.

De retour dans ma chambre, j'ai ressorti le petit sac et les joyaux. Les rubis sont dans la paume de ma main gauche à l'instant même où j'écris ces lignes. Si tu les voyais, avec le soleil qui entre par la fenêtre, leur beauté est à couper le souffle. Et, comme ils prennent beaucoup de place dans ma main, ils bougent légèrement au fil de mon écriture, au point qu'ils paraissent dotés d'une vie propre. C'en est quasiment hypnotique.

«Point ne venote.»

Avec les cinq mille livres sterling de mon héritage direct, le pécule que j'ai pu mettre de côté grâce à mes émoluments et à mes diverses publications, ainsi que tout ce dont je ne t'ai pas encore parlé, je suis déjà très largement à l'abri du besoin. Alors, pour l'instant, je ne vois pas pourquoi je ne suivrais pas le conseil de mon ancêtre.

Pour en revenir à Lavisse, je m'étais initialement adressé à lui afin qu'il étudie en détail les parchemins du coffre, et je dois dire qu'il n'a pas failli à sa tâche. Il a eu la gentillesse de contacter pour moi Léopold Delisle, un autre de mes anciens professeurs, grand spécialiste des documents et du droit médiéval et, tous les trois, nous avons organisé plusieurs séances de travail au cours des jours qui ont suivi. Les manuscrits présents dans le coffre se sont révélés être, tous, des documents officiels datant du XIVᵉ siècle. L'ensemble se composait de trois titres de propriété, ainsi que de dix lettres de change, chacune d'un montant de dix mille ducats d'or.

À la demande de Delisle, un avocat du droit financier s'est joint à nous et je peux t'annoncer, mon cher vieux camarade, que, même sans vendre les rubis, c'est un homme extrêmement riche qui t'écrit aujourd'hui.

Les actes de propriété ne concernent que deux petits castelets en ruine – un en Normandie, près de Vernon, et l'autre en Bourgogne, à Maulnes – ainsi qu'une vaste concession dans le cimetière de ce second village (Maulnes, donc). Il y a du terrain, mais l'État qui s'occupe de ces endroits depuis pas mal de temps, risque de réclamer certaines contreparties en échange de leur restitution.

Quant aux lettres de change, neuf d'entre elles étaient prises auprès de diverses banche *juives d'Italie, à Padoue, Milan, Gênes et Venise, malheureusement toutes disparues entre le XVᵉ et le XVIIᵉ siècle. Elles n'ont donc plus aujourd'hui valeur que de documents historiques – ce qui n'est déjà pas si mal, mais qui réduit considérablement leur importance. En revanche la dernière s'est avérée infiniment plus intéressante. Elle fait de moi le titulaire de cent mille ducats d'or auprès du Monte dei Paschi de la ville de Sienne. Or, il se trouve que cet organisme existe encore aujourd'hui, mieux, il s'agit tout simplement de la plus vieille banque qui existe au monde actuellement ! Et pour ce qui est de la valeur de cent mille ducats d'or de l'époque, je laisse ton imagination essayer de faire le calcul…*

Sauf erreur de ma part, tu es ami avec William Lidderdale, l'ancien directeur de la Banque d'Angleterre qui a réussi à redresser la situation dans le krach financier de l'Argentine, il y a quelques années. Si c'est bien le cas et si je ne me trompe pas de Lidderdale, aurais-tu la gentillesse de lui demander comment il investirait, disons, trois cent cinquante millions de francs-or – soit l'équivalent de douze millions de livres sterling? Il se pourrait bien que cela puisse m'intéresser. Ne lui parle pas de moi pour l'instant et fais comme si c'était toi qui venais d'hériter. Je te promets d'ores et déjà dix pour cent de tous les gains que je réaliserai avec ces placements. Et tu peux lui proposer la même chose – ou moins, si tu souhaites garder la différence.

Bien à toi et en espérant pouvoir te faire participer à ma bonne fortune,

K.

P.-S. : envoie-moi ta réponse à Saint-Pétersbourg chez le professeur Katchenovski. Je repars là-bas dans trois jours pour poursuivre les recherches sur l'Œil d'Odin.

35

Troyes, au soir du 8 novembre de l'an de grâce 1339, palais des comtes de Champagne.

Dans la plupart des cas, les places fortes des grandes cités d'Occident sont de lourds châteaux de pierres grises ou ocre, froids et poussiéreux, conçus pour être les ouvrages défensifs ultimes de la ville en cas d'invasion. Celui de la famille de Champagne, fermement campé au centre de la cité, n'échappe pas à la règle, en tout cas, pas en ce qui concerne l'épaisseur et la hauteur de ses murailles. Son lourd pont-levis, ses solides créneaux, ses quinze tours de garde et ses multiples meurtrières ressemblent à s'y méprendre à ceux de tout autre château fort. En revanche les pierres magiques de ses murs sont blanches comme de la craie et, à la place des vastes basses-cours boueuses que l'on rencontre partout ailleurs, il y a ici d'élégants tertres herbeux, irrigués de petits cours d'eau et ponctués de bosquets de saules, d'ormes et de bouleaux. La patte elfique en quelque sorte. Un donjon de forme traditionnelle surveille le tout, rectangulaire et haut, solide et imprenable, gardien de l'ultime enceinte dans laquelle, au bout d'une grande esplanade, trône le palais des comtes de Champagne. Un bâtiment comme il en reste peu en Occident, fin et élancé, à la luminosité inégalée, et dont les multiples portes et fenêtres révèlent un nombre égal de balcons, d'encorbellements et de terrasses. L'esplanade qui y mène est faite de jolies travées de verdure, émaillées de statues de saints chrétiens, elle rayonne autour du très jeune Arbre-cœur planté là, au soir de leurs noces, par la comtesse Catherine et le comte Thibaut en personne, et permet d'accéder directement à la longue terrasse qui ouvre sur la grande salle de réception des comtes de Champagne.

Il y a une trentaine d'années, le comte Thibaut a fait venir de France, à prix d'or, le meilleur artisan verrier de tout l'Occident, Philippe Cacqueray, à la fois alchimiste et sorcier, un maître dans l'art de l'architecture et du vitrail. Les travaux ont duré environ dix ans, mais il a réussi à faire du château des comtes une incroyable cathédrale de lumière, parée des verres les plus fins et des plantes les plus délicates, à rendre jaloux les princes djinns de Syrie et les sultans d'Al Andalus. Les verres furent ensuite enchantés jusqu'à atteindre la transparence des cristaux les plus purs, tout en s'imprégnant de la force et de la résistance des aciers les mieux trempés. Il fut également insufflé à certains la capacité d'emmagasiner les lueurs du jour, afin de pouvoir ensuite les restituer en illuminant la nuit. Les lumières de Troyes sont célèbres, elles transpercent les ténèbres, loin au-dessus du château, et les voyageurs peuvent les apercevoir à plus de huit lieues de distance, comme s'il s'agissait d'un phare gigantesque, cherchant, par sa blancheur, à éclairer les étoiles.

Je ne me sens pas particulièrement à l'aise dans ma grande tenue de soirée verte, noire et argent, mais j'imagine, au petit éclat que j'ai vu briller dans les yeux de certaines des dames que j'ai croisées, qu'elle me donne tout de même assez fière allure. Suffisamment en tout cas pour ce qui m'intéresse.

Ce soir, le palais comtal de la cité de Troyes tournoie au rythme de la fête. Les convives sont nombreux, sur l'esplanade ainsi que dans la grande salle, et l'air bruisse de leurs multiples conversations. Il doit y avoir là plus de trois cents personnes, toutes de noble naissance. Debout près d'un pilier, en haut du grand escalier d'honneur, j'observe la foule tout en buvant un verre de riesling et en échangeant quelques mots avec Gunthar von Weisshaupt et George d'Andrac.

Les soirées de gala sont toujours des moments importants pour des gens comme moi et le jeu auquel je compte jouer ici, s'il est bien moins violent que celui des champs de bataille ou des tournois, devrait s'avérer tout aussi intéressant pour mes plans et me permettre de faire bouger quelques-unes de mes pièces.

En contrebas, dans le coin opposé de la salle, on aperçoit les tables de réception, dressées et nappées, bordées par les bannières de Champagne, de France et de Bourgogne, déroulées sur les murs. Celle d'Angleterre est présente aussi, mais un peu plus sur le côté.

Non loin de là, la comtesse Catherine et sa fille Solenne se trouvent en grande conversation avec Robert de Navarre et Gérard d'Auxois, lequel, vu d'ici, paraît particulièrement agité. Deux chevaliers champenois, en bleu et argent, tiennent discrètement les autres convives à distance. D'Auxois a l'air d'être au comble de l'énervement, on sent qu'il se contient, mais ses gestes se font de plus en plus amples, ce qui ne semble pas du tout être du goût de la comtesse. Elle reste bien sûr de marbre mais sa posture trahit, sans aucun doute possible, son agacement. Quant à Robert de Navarre, il s'est mis en retrait d'un ou deux pas et paraît plutôt détendu. La jeune Solenne, visiblement lasse de cette discussion gênante, s'éclipse discrètement sur le côté et se dirige vers une large porte-fenêtre.

Voilà une opportunité intéressante pour préparer certains de mes coups à venir. Je salue Gunthar von Weisshaupt et George d'Andrac et descends calmement l'escalier.

La nuit étoilée est froide mais splendide, et la lune, pleine aux trois quarts, brille très haut dans le ciel. Un châle en hermine posé sur ses élégantes épaules, Solenne de Troyes contemple, depuis un petit balcon, l'esplanade illuminée et pleine de monde, et derrière elle, les remparts, et plus loin encore, la vaste étendue des toits des maisons de la ville.

« Eh bien, damoiselle, on fugue ? »

Je suis arrivé sans faire de bruit, alors elle sursaute et se retourne avec une pointe d'inquiétude dans le regard.

« Q-qui êtes vous ? »

J'incline très légèrement la tête en veillant à conserver mes distances pour ne pas l'effrayer.

« Pierre Cordwain de Kosigan, pour vous servir, damoiselle.

— Je… je suis Solenne de Troyes.

— Je suis au courant, oui. »

Elle sourit imperceptiblement.

« Vous êtes celui qu'on surnomme *le Bâtard de Kosigan*, c'est bien cela ? »

Je lui souris en retour.

« Bâtard par ma mère. Mon père, lui, était Gregor de Kosigan, le frère du comte Borogar, l'un des plus puissants seigneurs de tout le duché de Bourgogne. »

Son visage est clair et ses sourcils particulièrement bien ourlés font ressortir l'éclat de ses yeux, pétillants d'intelligence.

« J'ai entendu parler de votre famille, en effet. Vos ancêtres étaient russes ou polonais, ou quelque chose comme cela, n'est-ce pas ?

— Quelque chose comme cela, oui. Mon aïeul Nicolaï a été l'artisan de la recréation du duché de Bourgogne sur une partie des terres du vieux roi Lothaire, au profit de Richard le Justicier en l'an 918. Depuis cette date ma famille a une influence considérable auprès des ducs et elle est toujours restée de lignée pure. Aucun bâtard chez les Kosigan. Jamais. En tout cas, jusqu'à ce que mon père ne décide de sauter à pieds joints dans la flaque de boue et de me reconnaître, moi, comme son héritier légitime. Malheureusement, une fois qu'il a été mort, il n'a pas fallu plus de deux ou trois jours avant que ma famille ne me fasse très clairement comprendre que mes perspectives d'avenir se limitaient au cercueil ou à l'exil. Et comme j'ai toujours détesté les endroits confinés… »

Elle hausse un sourcil amusé.

« Vous avez l'habitude de raconter votre vie à toutes les jeunes filles que vous rencontrez, messire le Bâtard de Kosigan ?

— Bien sûr que non, Votre Altesse, uniquement à

celles qui sont ravissantes, riches et héritières d'un comté. »

Elle fait une jolie petite moue – à la fois amusée et un peu choquée – et deux fossettes des plus mignonnes apparaissent sur son visage extrêmement pur de Semi-Elfe.

« Messire, je ne sais si... »

Il est temps d'entrer dans le vif du sujet.

« Je plaisantais, Votre Altesse. En fait, je me demandais simplement pourquoi il y avait autant d'agitation autour de vous et de votre mère ce soir. »

Elle se rembrunit un peu, à l'évidence ma question la ramène à de désagréables pensées.

« Oh ! Ça... Eh ! Bien, il se trouve que pour mon plus grand malheur, je suis l'unique héritière du comté de Champagne...

— Pour votre plus grand malheur ?

— Oui. Ma mère a dû trouver une solution afin d'éviter que le roi de France et le duc de Bourgogne ne se jettent à la gorge l'un de l'autre dans le but de s'emparer de notre comté. Depuis six mois, elle n'a eu de cesse de multiplier les ambassades auprès d'eux et elle a fini par réussir à les convaincre d'accepter une solution moins longue, moins coûteuse et surtout nettement moins sanglante qu'une guerre pour régler l'avenir de la Champagne.

— Et la solution en question, c'est *vous*. C'est bien cela ? »

Elle sourit en haussant les épaules d'un petit air triste.

« Je crains fort que ce ne soit le cas, en effet. Mère a consenti à unir notre famille à l'un des deux représentants qu'enverraient la France et la Bourgogne dans le but de demander ma main. Quant au roi et au duc, ils ont, de leur côté, pris l'engagement de la laisser entièrement libre de son choix.

— Voilà qui explique qu'aucun des deux ne soit présent à Troyes pour assister au tournoi.

— Tout à fait. Mère a fixé le moment de sa décision *définitive* à l'ouverture du banquet de demain soir. Le… le problème, c'est que le prétendant bourguignon, le baron Marc de Saulieu, a disparu depuis trois jours et que personne ne sait où il se trouve.

— Je vois. C'est la raison pour laquelle le gros Gérard d'Auxois s'agitait tout à l'heure. Il veut un délai pour la Bourgogne, c'est ça?»

Elle acquiesce doucement de la tête.

«Malheureusement, il n'y a aucune chance pour qu'il l'obtienne. Ma mère ne peut pas aller à l'encontre des termes du Pacte de sang qu'elle a signé, et elle s'en tiendra à ce qui a été convenu, c'est une certitude.

— Dans ce cas, c'est la France qui va remporter la mise… Soit dit sans vous offenser, Votre Altesse.

— Ne vous moquez pas, chevalier! Je déteste le prince Robert de Navarre. C'est un imbécile, sournois, grossier et imbu de lui-même. Sous prétexte qu'il possède la plus grande fortune du royaume de France et qu'il est cousin du roi, il est persuadé que tout lui est dû, et il s'adresse déjà à moi comme si j'étais sa chose. Et je ne vous parle même pas de son âge, il y a davantage de rides sur son front qu'on ne peut en compter dans tous les champs de Champagne, au mois des labours. Le seigneur Marc de Saulieu, *lui*, était un véritable chevalier, courageux et courtois, il avait, et de très loin, ma préférence. Malheureusement, s'il ne réapparaît pas avant demain, Mère ne va pas avoir le choix, et je

247

sais pertinemment que, dans ce cas, elle ne me le laissera pas non plus.

— On dirait que le duc de Bourgogne a eu le nez fin en choisissant le charme d'un modeste baron plutôt que la richesse et le pouvoir d'un grand prince du royaume...

— Il a peut-être eu le nez fin, mais en attendant, son modeste baron a disparu je-ne-sais-où en compagnie de je-ne-sais-qui ! Et le seul qui reste, c'est le grand prince du royaume avec ses yeux de pervers et le peu de cheveux qu'il lui reste sur le crâne !

— Consolez-vous en vous disant que vos enfants auront peut-être un jour des droits sur le trône de France. Et que votre beauté est telle que vous n'aurez pas le moindre mal, si jamais vous en avez envie, pour faire en sorte que Robert de Navarre ne soit leur père... que de nom... »

Elle cligne une ou deux fois des yeux, puis la compréhension lui fait venir le sourire aux lèvres et un léger rose, très doux, aux joues.

« Allons, messire, ce genre de choses ne se dit pas, lorsque l'on est bien élevé. Surtout à une jeune fille.

— Je le sais, Votre Altesse, mais cette impolitesse a l'excuse d'être la vérité. Quoi qu'il en soit, si vous détestez le représentant français autant que vous le dites, pourquoi ne pas choisir un autre chevalier bourguignon en tant que prétendant, en lieu et place du baron de Saulieu ? Il y en a treize à la douzaine dans la pièce juste à côté. Je sais bien qu'ils ne sont pas très beaux, mais vous devriez tout de même pouvoir trouver armure à votre pied. »

Une ombre triste assombrit fugitivement son sourire.

«Hélas, messire, cela n'est pas possible. Savez-vous ce qu'est un Pacte de sang?

— J'en ai entendu parler. Vos serments magiques elfiques engagent par sorcellerie ceux qui les signent bien au-delà de leur simple parole, c'est cela?

— En partie. Ma mère me raconte toujours l'histoire du pape Nicolas III qui avait signé un tel pacte pour faire la paix avec les Elfes noirs de Ligurie afin de leur faire baisser leur garde et de pouvoir les exterminer plus facilement. Lui et toute sa famille ont payé sa trahison au prix fort. Dès le lendemain, il s'est trouvé frappé par la lèpre et les extrémités de ses mains et de ses pieds ont commencé à se détacher, morceau par morceau. Quelques semaines plus tard, c'est sa mère qui se brisait le cou en glissant au bas d'un escalier. Puis ça a été au tour de son frère cadet, égorgé en pleine rue par des voleurs. Et enfin, sa petite nièce de quinze ans s'est fait violer par une bande d'Orcs maraudeurs, lors d'un voyage en Espagne. La pauvre n'a survécu à cette horreur que jusqu'à l'accouchement de ses deux enfants, des jumeaux, semi-orcs, un garçon et une fille, ils l'ont pratiquement dévorée à l'accouchement, avant de mourir eux-mêmes, étouffés par leur propre cordon ombilical. Quant au pape Nicolas, la lèpre a mis trois ans à l'emporter, accompagnée d'insoutenables douleurs aux reins qui l'ont fait hurler, pratiquement sans discontinuer, jusqu'à sa mort… Comme vous le voyez, mieux vaut ne pas rompre un Pacte de sang.

— Et j'imagine que tous les détails du contrat sont minutieusement stipulés à l'intérieur?»

Elle fait oui de la tête.

«Vous comprenez à présent? J'ai autant de chances de réussir à changer une ligne de ce qui a été écrit que de faire à nouveau se lever le soleil à l'ouest, comme au temps des anciens dragons.

— La situation n'est peut-être pas aussi désespérée que vous le dites, Votre Altesse. Vous êtes aussi jolie qu'intelligente et votre mère l'est tout autant que vous, l'expérience en plus. À vous deux, vous devriez être capables de trouver la possibilité de... jouer au moins un petit peu sur les mots.

— Je l'espérais, malheureusement il n'en est rien, les conseillers du roi et du duc ont sculpté le texte à la lettre près. Il n'y a aucune zone d'ombre où glisser le pied pour bloquer la porte. Mon destin est scellé et celui de ma mère et de la Champagne le sont également. Il n'y a pas grand-chose à ajouter à cela.»

Je prends ses mains dans les miennes, en la regardant d'un air amusé afin de démentir clairement mes paroles.

«Ce n'est pas *vous* qui avez signé le Pacte, Votre Altesse... Alors, profitez de votre jeunesse et fuyez avec moi tant que vous le pouvez encore... Nous surprendrons tout le monde et vous verrez que le choix vous appartient toujours.»

Elle me repousse gentiment.

«Vous plaisantez à nouveau!...»

À présent il est temps de l'amener en douceur là où je veux aller.

«Et vous, vous me brisez le cœur...» Je commence à me détourner d'elle en souriant, comme s'il était dans mes intentions de retourner dans la grande salle de réception. «... En tout cas, si jamais il advenait que vous changiez d'avis et que vous ayez besoin de moi pour prendre la fuite, ou pour quoi que ce soit d'autre d'ailleurs, je serais ravi d'essayer de vous venir en aide, jolie damoiselle. »

Le balcon est d'assez petite taille, mais elle saisit la perche que je viens de lui tendre avant que je n'aie eu le temps de le traverser dans son entier.

« Attendez, messire, justement... Puisque vous avez l'obligeance de me le proposer... Je... je me demandais... »

Je m'arrête dans mon mouvement, la main sur la poignée.

« Allez-y.

— Je... J'ai bien compris que vous n'appréciez guère les Bourguignons, mais... » Elle m'illumine de son sourire fragile et ingénu. « ... Est-ce que vous accepteriez... d'essayer de retrouver le seigneur Marc de Saulieu... Pour moi... S'il vous plaît ? »

Je fais une grimace dubitative.

« Retrouver le représentant des Bourguignons ? Franchement, jolie princesse, non. Je sais que je viens juste de vous proposer mon aide, mais pour le coup, vous m'en demandez beaucoup.

— Je... Est-ce que... vous pourriez avoir la gentillesse de faire en sorte que je n'aie pas à vous *supplier*, messire ? »

Ses yeux et le petit sourire tout clair qu'elle y ajoute sont positivement délicieux. Je fais mine de commencer à me laisser amadouer et je me mets à réfléchir tout haut.

« Il est vrai que le baron de Saulieu ne m'a jamais personnellement causé de tort, mais il est difficile d'oublier qu'il est tout de même le propre neveu du duc de Bourgogne. Son oncle, comme le mien, ont déjà, à plusieurs reprises, essayé d'attenter à ma vie. Les Bourguignons veulent tous ma peau, jolie demoiselle, et si jamais je réussissais à retrouver votre prince charmant, je risquerais surtout de m'en mordre les doigts.

— Je... j'ai parlé au seigneur de Saulieu, chevalier, et je puis vous assurer qu'il s'agit d'un homme d'honneur. *Jamais* il ne vous livrerait à son oncle.

— Il me semble que vous le connaissez bien peu pour vous engager ainsi à sa place.

— Je le connais davantage que *vous* en tout cas ! Et bien mieux que vous n'avez l'air de le penser ! Il faut me faire confiance, je ne suis plus une enfant et je sais ce que je dis ! »

Je ris.

« La fougue de la jeunesse ! Ainsi elle existe également chez les jolies princesses elfiques ?

— Sur le cœur de Seliarine, je vous jure que si vous le sauvez, il ne vous trahira pas ! Et songez qu'il pourrait peut-être même faire changer le duc d'avis à votre propos ! »

Je hausse les sourcils.

« Cette fois-ci, c'est à mon tour de pouvoir dire que *vous* connaissez bien moins le duc de Bourgogne que moi, Votre Altesse. Il ne changera pas d'avis. Et si jamais votre petit protégé devient le futur comte de Champagne, il risque tout de même, tout honorable qu'il soit, d'être *obligé* de m'interdire l'accès au comté, afin de plaire à son oncle. Autant vous dire que cette perspective n'arrangerait en rien mes affaires, bien au contraire.

— Chevalier de Kosigan, si Marc de Saulieu devient comte de Champagne, cela signifie que moi j'en serai la comtesse. Et légitime, faut-il le préciser ? Je peux donc vous donner ma parole *d'honneur* que jamais vous ne serez exclu de mes terres, messire ! Si vous le libérez, vous serez *toujours* le bienvenu en Champagne ! Et puis, vous êtes mercenaire, je vous paierai si vous le voulez. » Elle retire sans hésiter de son index une bague en or, incrustée d'une petite étoile en diamant, et me la tend sans hésiter. « Ce n'est qu'une simple avance, je vous promets de vous obtenir une forte récompense si vous réussissez ! »

Je la regarde avec intensité pendant plusieurs secondes.

« Vous êtes un sacré bout de jeune fille, Votre Altesse !

— Est-ce que cela signifie que vous acceptez mon offre, chevalier de Kosigan ? »

Je la laisse déposer la bague au creux de ma main.

« Je n'aide pas les Bourguignons en général, damoiselle. Mais, pour cette fois, je vais faire une exception. » Je m'incline en souriant. « Tout du moins si vous acceptez de me faire voir une dernière fois votre joli sourire. »

Elle sourit en effet, tout en tendant sa main comme un homme pour sceller notre accord. Je la prends doucement dans la mienne.

« Si jamais Marc de Saulieu n'est pas mort et que j'arrive à le retrouver, il aura sacrément de la chance de vous avoir ! »

J'entends la porte-fenêtre s'ouvrir derrière moi, malheureusement un peu tard.

« Que se passe-t-il ici ? »

La comtesse Catherine de Champagne me toise de son beau visage fermé et de ses yeux magnifiques. Elle est visiblement fort mécontente de me trouver en tête à tête avec sa précieuse fille unique. Voilà une rencontre que je n'avais pas prévue et qui n'arrange guère mes affaires.

Je m'incline calmement mais respectueusement devant elle, afin de tenter de désamorcer son hostilité.

« Votre Altesse ! »

Sans grand succès.

« Messire de Kosigan ! Votre performance d'aujourd'hui a forcé le respect et, n'ayez aucune crainte, vous allez recevoir vos quatre cents livres de récompense. Toutefois, pour des raisons *évidentes*, je vous demanderai de vous tenir *très* éloigné de ma fille pendant toute la durée de votre séjour à Troyes !

— Mère, je…

— Silence Solenne, ce n'est pas à toi que je m'adresse ! »

Je peux peut-être essayer quelque chose.

« Madame, vous vous méprenez, je souhaiterais juste vous aider pour…

— Mêlez-vous de vos affaires, chevalier ! Sachez par ailleurs que je suis au fait de vos façons d'agir. L'année dernière, vous avez séduit la fille du comte de Forges, brisant par la même occasion son mariage. Je vous le dis tout net, n'espérez pas recommencer ce genre de petit jeu ici, sinon je vous promets par tout ce qui est sacré… » Son regard se pose furtivement sur mon entrejambe. « … Que vous n'aurez plus jamais l'occasion d'y jouer nulle part ailleurs en Occident ! J'espère avoir été suffisamment claire pour vous. »

Je juge inutile de lui expliquer que si j'avais effectivement séduit la fille aînée du comte de Forges, je l'avais fait sur ordre, afin, justement, de rompre ses fiançailles avec le prince Louis d'Orléans et de permettre à ce dernier – qui était mon commanditaire – à la fois de réclamer réparation, et de pouvoir épouser une autre damoiselle, bien mieux pourvue en dot… et en attraits féminins également, à ce qu'il me semble me souvenir.

Je lui adresse un mince sourire.

« Limpide, Votre Altesse.

— Dans ce cas, nous nous verrons plus tard, messire de Kosigan. » Elle se détourne. « Solenne, avec moi. »

Le moins que l'on puisse dire, c'est que cette première entrevue avec la comtesse ne s'est pas tout à fait déroulée de la manière dont je l'avais espéré.

« Bien, Mère. »

Je les observe s'éloigner en faisant la moue.

Vous êtes beaucoup moins facile à manipuler que votre fille, jolie comtesse. Mais, dans cette affaire, croyez-moi, je n'ai nullement l'intention de vous laisser avoir le dernier mot.

36

Se retirer momentanément du monde peut parfois s'avérer agréable. Dans le noir. Assis. Seul. Mais éveillé. Rester juste là, à attendre quelqu'un. Sans savoir exactement pour combien de temps. Dix minutes, une demi-heure, une heure. L'esprit a tout le loisir de vagabonder et d'explorer les diverses perspectives offertes par l'avenir. Elles sont nombreuses. Certaines sont porteuses de réussite, d'autres sont plus sombres. Mais toutes dépendent de mes actions de ce soir.

Je porte le verre à mes lèvres. L'un des deux verres de cristal que j'ai amenés pour l'occasion. Je bois une gorgée claire du nectar étoilé des Elfes et change de position sur le luxueux fauteuil sur lequel j'ai jeté mon dévolu. *On pourrait rester des heures le cul sur ce genre de siège.* Mes doigts glissent sur les courbes de la bouteille glacée, parfaitement lisse et fine, et mon palais s'amuse à compter les petits crépitements subtils des bulles légères du vin. Celui-ci est ensorcelé d'un enchantement de glace qui lui permet de conserver toujours une fraîcheur idéale et préserve ainsi toute sa clarté et sa finesse. Sec et d'une légèreté sans égale, il caresse la langue et éclaire tout à la fois l'esprit et l'âme, les parant d'intuitions et d'idées surprenantes, dans une sorte d'ivresse étincelante et contrôlée. Le vénérable Shaam Nünpaëin a fait de l'excellent travail. Chaque année, à l'époque des foires de glace, le plus âgé des mages de Stanin Dhuitis propose à la vente quelques dizaines de ses précieuses bouteilles de Limpë Elaëlis[1]. Les plus grands de ce monde se les arrachent. Certains n'envoient d'ailleurs des émissaires à Troyes que dans le but d'acquérir quelques-unes de ces œuvres d'art, il se raconte même que les cardinaux de la Très Sainte Inquisition ne dédaignent pas d'y goûter, un peu plus souvent qu'à leur tour. Se peut-il qu'il y ait là une des raisons qui les ont poussés à ne pas condamner le comte Thibaut lorsque celui-ci a décidé de lier sa maison à celle d'Aëlenwil, après la bataille de Hénon ? Cela ne me paraît pas impossible. Quoi qu'il en soit, la bouteille que je tiens actuellement entre les mains m'a coûté les yeux, la peau et un joli petit sac de pierres précieuses venues de Perse.

J'en avale une seconde gorgée. Toute la pression et la tension accumulées dans mes muscles depuis ces derniers jours achèvent de se dissoudre à l'intérieur du pétillement des bulles fines et fraîches, et mon esprit se débarrasse momentanément de son fardeau d'inquiétudes.

Rien que pour cela, cette bouteille vaut largement son prix.

Je perçois des pas qui approchent dans le couloir. Légers mais sûrs d'eux et volontaires. *C'est elle.* Je repose le verre et la bouteille et repasse une dernière fois dans ma tête ce que j'ai à lui dire.

Alors que la porte s'ouvre, je range dans ma

1. Vin d'étoile.

poche le sceau du chambellan de Tailly, dérobé par Edric au moment des inscriptions. *Le genre d'objet utile pour accéder aux lieux les moins fréquentés du château.*

Dans le noir de la pièce, je devine sa silhouette qui se glisse, un peu lasse mais décidée, en direction de la cheminée. Elle pose sa main sur le linteau et reste là plusieurs secondes, l'esprit perdu dans ses pensées. Je l'entends soupirer. C'est une sensation particulièrement agréable que d'être le témoin invisible de certaines scènes. Je ne souhaite ni la déranger, ni intervenir, tant que la pièce se trouve plongée dans l'obscurité. Alors, j'attends.

Mon cœur bat au moins cinquante fois dans ma poitrine avant qu'elle ne prononce enfin un mot et, instantanément, le bout de son index se pare d'une petite flamme, pareille à celle d'une bougie. Avec délicatesse, elle souffle dessus, comme font les enfants sur les fleurs de pissenlit, et le feu s'échappe de son doigt pour voleter paresseusement jusqu'à l'âtre. La bûche sur laquelle il se pose s'enflamme dans un sourd ronflement et toutes les autres s'embrasent, en un beau feu de cheminée. Elle tend les mains pour les réchauffer, je pense que c'est le meilleur moment. Je me lève du fauteuil sur lequel j'étais assis jusque-là.

« Le bonsoir, Votre Altesse ! »

La comtesse Catherine se retourne à la vitesse des deux serpents de flamme qui, sur un mot d'elle, sont apparus dans la paume de ses mains. Son beau visage est partagé entre la surprise et le courroux.

« Chevalier de Kosigan ?! Qui vous a laissé entrer céans ?! »

Je souris calmement, les mains écartées en signe de paix.

« Personne en particulier, Votre Altesse. Vous savez, c'est mon métier de faire ce genre de choses, et on me considère en général comme assez doué dans ce domaine. »

Les deux langues de flammes, toujours reliées à ses mains, bondissent jusqu'à moi, elles crépitent de façon menaçante, à moins d'une paume de mon visage. Je peux sentir leur chaleur intense à la surface de ma peau.

« Votre insolence est sans limites, chevalier ! Sortez *immédiatement* de mes appartements si vous tenez ne serait-ce qu'un tant soit peu à la vie !

— User de vos pouvoirs contre moi serait pour vous synonyme de bûcher, ma dame ! Les Interdits de 1280 sont clairs à ce sujet, et ce n'est pas pour rien que les Français ont amené avec eux le cardinal André d'Orange. Il a longtemps été l'un des meilleurs limiers du tribunal de l'Inquisition, et il ne mettrait pas bien longtemps à découvrir ce qui s'est passé ici !... Me tuer aurait donc pour vous des conséquences fâcheuses. Très fâcheuses. Ce qui serait d'autant plus dommage que je viens simplement vous proposer mon aide, afin de retrouver le prétendant bourguignon de votre fille. Celui qui a disparu. »

Les serpents reculent légèrement.

« Le baron Marc de Saulieu ? Vous... vous savez où il est ? »

Elle est d'une beauté époustouflante, éclairée par les flammes. Belle et dangereuse.

« Pas encore. Mais il vous suffit de me le demander, comtesse, et, vous pouvez me faire confiance, je le découvrirai pour vous.

— Vous le découvrirez pour moi ? » Ses sourcils se

froncent légèrement « Et pourquoi feriez-vous donc une telle chose, messire de Kosigan ? Vous êtes connu pour *détester* les Bourguignons ! Lesquels d'ailleurs, à ce que j'ai cru comprendre, en ont autant à votre service.

— Disons qu'il est dans mon caractère de me montrer opportuniste, Votre Altesse, et que je suis particulièrement doué pour voir très vite où se trouve mon intérêt... Je ne suis d'aucune utilité aux Français, et je préférerais donner mon bras gauche plutôt que d'avoir à travailler avec d'Auxois. Vous en revanche, vous avez *absolument* besoin de mes services. »

J'attrape tranquillement le second verre de cristal et commence à le remplir de vin clair avant de continuer.

« Sans compter, et ce n'est pas secondaire, que si, dans cette affaire, je pouvais gagner l'amitié et le soutien d'une des dernières grandes Faëdinane de sang elfique de la chrétienté, ce serait pour moi, à la fois, une chance et un honneur. »

J'incline la tête avec respect, puis bois une nouvelle gorgée de vin elfique. Les serpents de feu hésitent. Ils reculent doucement dans les airs, jusqu'à mi-distance. Pour autant, le regard de la comtesse reste toujours empreint de suspicion.

« Qu'est-ce qui peut vous faire croire, chevalier, que la disparition du prétendant bourguignon me pose le moindre problème ? Après tout, le seigneur de Navarre est riche et *extrêmement* influent, quant au roi de France, il serait un allié très puissant pour la Champagne...

— Évidemment que non, comtesse. Le *duc de Bourgogne* serait un véritable allié. Il ne cache

260

d'ailleurs pas ses sympathies pour les peuples anciens. Mais le roi de France, lui, serait un maître. Et il considérerait tout simplement la Champagne comme un territoire qui lui revient de droit, sans montrer beaucoup d'égard pour la famille qui l'a gouverné durant ces derniers siècles ! Vous voyez, je n'aime pas les Bourguignons mais je suis lucide. Et je pense avoir compris l'essentiel de la situation. »

Je finis de remplir le second verre et le lui tends, en guise d'invitation.

« Acceptez d'écouter ce que j'ai à vous dire, Votre Altesse, et nous trouverons peut-être une solution qui vous sera plus favorable. »

Les serpents de feu crépitent et le temps suspend son vol le long de deux ou trois respirations. Les flammes enserrent le verre de cristal que je tiens à la main comme si elles hésitaient à le briser. Puis, d'un claquement de langue, la comtesse les fait disparaître. J'aperçois du sang qui coule doucement des paumes de ses mains blanches, juste à l'endroit où les tentacules brûlants prenaient naissance. *C'est un premier pas, mais le plus dur reste à faire.* Elle m'observe encore quelques instants en frottant ses plaies à vif, puis je sens qu'elle se détend doucement. Sa main, encore un peu hésitante, s'avance jusqu'à prendre le verre que je lui tends et elle en attrape le pied. Presque accidentellement nos doigts s'effleurent. Sa peau est d'une douceur sans nom. Et son regard captivant brille autant que les bulles du vin d'étoile. Je m'autorise un sourire.

« Voici la manière dont je vois la situation, Votre Grâce : le roi Philippe VI de France est l'un des alliés les plus fidèles des puissances de l'Église catholique. Depuis des siècles sa famille a constamment cherché à affaiblir les pouvoirs du passé, et il m'étonnerait beaucoup, par conséquent, que ce soit son prétendant qui ait votre faveur. Et ce, d'autant que votre fille, Solenne, m'a avoué avoir une nette préférence pour le beau Marc de Saulieu, et que je suis certain que vous préféreriez pouvoir respecter ses vœux... Est-ce que je me trompe?

— Les choses ne sont pas si simples, chevalier. Le roi de France a promis, dans cette affaire, de proclamer la liberté des Elfes, ainsi que celle de tous les peuples anciens de Champagne, si jamais je me décidais à choisir Robert de Navarre pour gendre.

— Arrêtez-moi si je fais erreur, Votre Altesse, mais les Elfes et les autres peuples anciens de Champagne *ont déjà* leur liberté sur vos terres... C'est d'ailleurs le seul endroit d'Occident où ils puissent aller et venir à leur guise, sans avoir l'obligation de demander un sauf-conduit à l'Église, ou sans être contraints de rester confinés à l'intérieur des territoires de leurs réserves. Ces privilèges n'ont rien de nouveau dans votre comté, et il ne me semble pas que le duc Eudes de Bourgogne ait, de son côté, l'intention de les remettre en question.

— Il est vrai, messire. Mais la liberté de mes peuples s'applique, pour l'instant, *uniquement* à l'intérieur des frontières de la Champagne. Le roi de France, lui, propose, de leur offrir la libre circulation complète à travers *l'ensemble* de son royaume. Et c'est, de très loin, le plus grand d'Europe. Même si le duc décidait d'en faire autant, les terres qui s'ouvriraient aux miens seraient, au bas mot, deux fois moins vastes que celles de la France. »

Je hoche doucement la tête.

« Voilà qui m'éclaire sur les raisons ayant pu faire

penser au roi Philippe qu'il a une chance de vous voir choisir son prétendant. Mais à mon avis, il se trompe tout de même : c'est son grand-père qui a été le premier à repousser les nations elfiques de France au fin fond des réserves et à leur interdire d'en sortir. Et c'est son père qui a exterminé l'ordre des Chevaliers d'Oquelinaë. Lui-même a commencé son règne en faisant brûler les Arbres-ancêtres des forêts vieilles de Marly, d'Écouen et de Fontainebleau… Plongez vos yeux dans les miens, Votre Altesse, et osez me dire que vous ne donneriez pas votre main droite pour ne jamais être obligée de vous soumettre à cet homme… »

Elle hésite, et elle réfléchit longuement avant de répondre.

La comtesse Catherine de Champagne est une femme splendide, déterminée et courageuse, mais le poids des responsabilités qu'elle porte sur les épaules est énorme. Elle se sent probablement très seule. Seule et lasse. Coincée par un pacte qu'elle a signé de son propre sang, elle a désespérément besoin de trouver quelqu'un sur qui elle puisse s'appuyer. L'espérance est la clef de tout dans cette affaire. Il faut que je réussisse à réveiller en elle l'idée que tout n'est pas perdu, qu'il reste encore suffisamment de temps pour retrouver le prétendant du seul parti qui l'intéresse réellement, et que, pour ma part, j'ai une confiance absolue en mes capacités de réussir dans cette entreprise. C'est très exactement ce que mon regard est en train de lui dire.

Encore faut-il qu'elle le comprenne.

Ses yeux cillent doucement, et elle finit par me gratifier d'un léger sourire.

« Je dois admettre que votre analyse est intéressante, chevalier.

— Vous êtes une femme d'honneur, Votre Altesse, et le Pacte de sang que vous avez signé vous force à tenir vos engagements, quoi qu'il vous en coûte. Pour autant, vous n'êtes pas du genre à baisser les bras si facilement et, au fond de vous, vous ne demandez qu'à vous battre pour ne pas laisser la France l'emporter. Le problème, c'est que vous ne savez absolument pas comment faire sans amener la guerre et la destruction sur tout ce que vous aimez et sur tout ce que vous avez juré de défendre… Je ne me trompe pas, n'est-ce pas ? »

Elle ne répond pas immédiatement, mais j'aperçois les prunelles de ses yeux briller brièvement à la lueur du Limpë Elaëlis. Elle en boit une gorgée tout en m'observant de haut en bas avec intérêt.

« En admettant que vous ayez raison, messire le chevalier, que voudriez-vous que je fasse ?

— Bien des choses, belle comtesse. Commencez, par exemple, par me prendre à votre service, et, bien qu'il soit bourguignon, je retrouverai Marc de Saulieu pour vous. Ainsi vous pourrez sauvegarder une bonne partie de l'indépendance de votre précieux comté et, cerise sur le gâteau, vous aurez le plaisir de couper l'herbe sous le pied du roi de France. »

Elle ne peut s'empêcher d'esquisser un bref sourire à cette idée, et ses grands yeux verts se plissent légèrement en une expression à la fois pensive et douce.

« Vos mots sont agréables à l'oreille, messire de Kosigan, et les perspectives que vous faites miroiter à mes yeux loin d'être pour me déplaire. Cela étant, je crains fort que vos propositions et vos promesses ne soient que miroir aux alouettes. Figurez-vous que j'ai, évidemment, *déjà* essayé de retrouver Marc de Saulieu par moi-même : mes hommes ont fouillé de fond en comble l'hôtel particulier des Français, et j'ai fait suivre le prince de Navarre depuis la minute où l'on m'a appris que le prétendant bourguignon était introuvable. Mes meilleurs hommes l'ont recherché partout. En vain. C'est comme s'il s'était purement et simplement évanoui dans la nature.

— Intéressant. Souhaitez-vous que je vous dise ce que j'en pense ?

— Pourquoi pas, je vous écoute.

— Quelques questions sur l'affaire, d'abord. Pas de traces de magie ?

— Aucune.

— À quel moment le baron de Saulieu a-t-il été vu pour la dernière fois ?

— D'après les rapports de mes hommes, il est entré dans ses appartements dimanche soir, peu après la prière de none, à la suite du repas que nous avions partagé au château. Et le lendemain matin il n'était plus là. Aucun signe de lutte, ni de violence. Et personne qui ait vu quoi que ce soit d'anormal dans l'enceinte du palais.

— Vous savez si la porte et les fenêtres de ses appartements étaient fermées ou ouvertes ?

— Évidemment. Elles étaient fermées, mais pas à clef.

— Et en ce qui concerne ses affaires ?

— À ma connaissance, elles étaient toutes présentes dans ses appartements.

— Sauf la tenue qu'il portait la veille, n'est-ce pas ?

— En effet. »

Je hoche doucement la tête d'un air entendu.

« Et donc ?

— Et donc... » Je lui souris de l'air d'énoncer une évidence « Prenez-moi à votre service et je retrouverai Marc de Saulieu pour vous. »

Elle fronce ses jolis sourcils, endurcissant à nouveau son visage naturellement juvénile.

« Par la colère sacrée d'Eqsi Aqsaëth, qu'est-ce qui vous pousse à croire que vous auriez davantage de succès que mes propres hommes dans cette entreprise ?

— Je ne peux pas vous le dire tant que vous ne m'engagez pas, comtesse, mais n'ayez aucune crainte, ma réputation n'est pas usurpée, je suis le meilleur dans mon domaine. Je sais exactement quoi faire dans ce genre de cas et je n'échouerai pas. Si Marc de Saulieu est en vie, je vous le ramènerai avant l'ouverture du banquet de demain. Vous avez ma parole. »

Il y a dans son regard une pointe d'incrédulité, étrangement mêlée d'une certaine admiration.

« Serait-ce trop vous demander que de m'éclairer sur les méthodes que vous comptez utiliser pour cela, messire le maître espion ?

— N'y comptez pas, Votre Altesse, la seule chose que je peux faire c'est vous garantir le résultat. Le reste est de l'ordre du secret professionnel. »

Elle reste silencieuse quelques instants, mais le sourire qu'elle m'adresse paraît décontracté et, pour la première fois, presque confiant. Ce n'est plus celui d'une femme d'État, harassée et tendue, et il est si beau que je le prends comme une récompense pour ma ténacité. Sa voix également résonne du plaisir de la conversation.

« Je comprends mieux, à présent, pourquoi la

fille du comte de Forges est tombée si facilement dans vos odieux filets, chevalier de Kosigan… » Elle me jette un regard des plus agréables, avec suffisamment de fossettes et d'amusement en lui pour que je comprenne qu'elle m'invite à m'approcher. « … Vous savez vous montrer sûr de vous, plein de force et d'intelligence, vous êtes habile, perspicace, obstiné, un peu machiavélique, et je suppose que l'on pourrait même ajouter… » Elle me tourne lentement le dos, comme pour observer le feu dans la cheminée. « … Relativement séduisant…

— *Relativement* séduisant ? Décidément, Votre Grâce, encore une fois vous me sous-estimez ! »

Elle me lance un regard pétillant par-dessus son épaule et l'élégance de son maintien met en valeur les courbes arrondies de sa chute de reins, ainsi que la finesse de sa taille.

« À partir de cette heure, Bâtard de Kosigan, considérez-vous comme étant à mon service ! »

J'incline légèrement la tête.

« Sage décision, Votre Altesse. Vous êtes décidément la plus fascinante des princesses elfiques qu'il m'ait été donné de rencontrer. Et je ne parle même pas de votre sourire !

— Cette gentille comparaison inclut-elle également ma *fille* ?

— Absolument. Ses yeux d'ange et ses fossettes ne sont finalement que de petites répliques de ceux que j'ai le plaisir de voir scintiller devant moi à l'instant même… »

Je m'approche d'elle en buvant une gorgée de vin d'étoile. Elle se détourne à nouveau vers le feu mais je sens qu'elle sourit.

« La flatterie fait visiblement partie de vos nombreux talents, chevalier… »

Sa robe de velours bleu sombre, liserée de blanc, laisse ses deux épaules claires dénudées, et ses cheveux, réunis en une belle natte épaisse, tressée de perles, glissent harmonieusement sur le côté de son cou. Je pose délicatement ma main sur sa hanche.

« Je les mets tous à votre disposition, comtesse. »

Ses doigts viennent calmement à ma rencontre.

« Me direz-vous ce que vous pensez de notre affaire, à présent, messire mon chevalier ? »

Sa nuque a la grâce et la blancheur de celle de la princesse aux Cygnes des légendes. J'y dépose avec douceur un, puis deux baisers. Elle se raidit légèrement mais ne proteste pas.

« Bien sûr, Votre Altesse. À mon sens, le seigneur Marc de Saulieu a dû quitter ses appartements tout seul, comme un grand, mais avec suffisamment de discrétion pour faire en sorte que personne ne puisse l'apercevoir. Pour quelles raisons a-t-il agi ainsi ? Je n'en vois que deux possibles, qui d'ailleurs se rejoignent : soit quelqu'un, en qui il avait entière confiance, lui avait fixé un rendez-vous secret, soit quelqu'un d'autre s'est débrouillé pour lui faire croire que c'était le cas. » Ses cheveux ont l'odeur des cerisiers à la fin du printemps. Je les hume avec douceur et elle penche délicatement sa tête sur le côté. « La seconde solution me paraît la plus vraisemblable, mais je ne pourrai pas vous en dire davantage avant demain. »

L'enlaçant toujours par l'arrière, ma main gauche glisse de quelques pouces vers son ventre, faisant doucement crisser le velours de sa robe.

« Voilà qui est... fort intéressant. Et quel sera le prix de vos *services*, monsieur le beau mercenaire ?

— Votre alliance en premier lieu, ainsi que tout appui que vous pourriez me fournir pour mes activités futures, madame. »

Le tissu est tout chaud de se trouver si près du feu. Je laisse mes doigts profiter quelques instants de cette agréable sensation avant de les faire lentement remonter jusqu'aux prémices des collines de ses seins. Elle aurait, si elle le désirait, amplement le temps de les arrêter ou de les repousser. Mais elle ne le fait pas. Elle reste figée, souriante, et me laisse maître de sa robe, sans se retourner.

« Est-ce... est-ce tout, chevalier ? »

Ma main se glisse délicatement sous son corset et libère sa fort jolie poitrine elfique de la gangue qui la retenait jusque-là prisonnière. Je la sens mordre sa lèvre inférieure et elle laisse doucement sa tête aller vers l'arrière, dans un soupir.

« Pas tout à fait. J'aurai également besoin d'une lettre de recommandation pour votre frère, le prince Morgüil an Kaën, seigneur de Verte Profonde, dans mon comté natal de Kosigan, Votre Altesse. »

Je prends l'un de ses seins dans la paume de ma main et le réchauffe doucement tout en embrassant à nouveau sa nuque et ses épaules.

« Tout... tout cela ne représente que peu de chose, messire. J'imagine que... que ce n'est pas tout ? »

Très lentement, mon autre main glisse vers le bas, jusqu'à achever sa course, à travers la robe, sur la source exacte de ses plaisirs intimes. Je la caresse doucement à cet endroit secret.

« En effet, Votre Altesse. Pour ce qui est de *l'essentiel* de mon paiement, il n'y a qu'une seule chose qui m'intéresse : votre famille possède dans son trésor le dernier rubis de la couronne de Lothaire, celui qu'on surnomme la Criiséane Staneïs[1]. Il serait du meilleur effet dans ma collection d'objets du passé. Est-ce que cet arrangement pourrait vous convenir ? »

Elle avale difficilement sa salive, se retenant visiblement pour ne pas gémir.

« V-vous êtes très dur en affaires, messire de Kosigan. Mais si… si vous récupérez Marc de Saulieu avant demain soir, et que, par ailleurs, vous vous montrez aussi doué que vous le prétendez, croyezmoi, messire, vous aurez tout cela ! » Elle se retourne pour me faire face, ses yeux languissants reflétant les douces sensations qui la parcourent « Et peut-être même davantage encore… » Ses ongles se perdent dans l'épaisseur de mes cheveux et je sens naître en moi des ondes de chaleur.

La soie de ses lèvres vient sensuellement recouvrir la rugosité des miennes, elles remplacent avantageusement le pétillement du vin elfique.

*

« Tout s'est bien passé, messire ? »

Comme convenu, mon écuyer m'attend au coin de la courte ruelle de Chante-Renard, non loin des tours qui gardent la sortie du château. Je me contente d'acquiescer de la tête.

« Les autres sont déjà en place pour notre petit rendez-vous ?

— Oui, messire, conformément à vos ordres.

— Très bien. Et toi, tu as eu le temps de donner

1. Cerise de pierre.

toutes les informations nécessaires à d'Auxois concernant le retour des Français à leur hôtel particulier ce soir ?

— Affirmatif, monseigneur. J'ai même réussi à lui soutirer trente deniers d'argent dans l'histoire, pour prix de ma prétendue "trahison" ! »

Trente deniers d'argent… Il a de l'humour, ce garçon. Je lui tapote l'épaule, manière de lui dire que je trouve qu'il s'en est bien tiré.

« Fais tout de même attention, Edric, et souviens-toi que Judas a mal fini. À partir du moment où nous allons intervenir tout à l'heure, d'Auxois comprendra tout de suite que tu l'as berné. Alors, après ça, crois-moi, tu auras tout intérêt à ne plus jamais croiser son chemin, ni de près ni de loin.

— Pas d'inquiétude, messire, je ferai attention.

— Excellent, dans ce cas, il ne reste plus qu'à aller voir s'il a mordu à l'hameçon. »

37

Troyes, nuit du 8 au 9 novembre de l'an de grâce 1339.

D'après Dùn, la délégation française a prévu de rentrer juste après la mi-nuit, et il n'y a pas trente-six chemins qui s'offrent à eux pour regagner à pied leur hôtel particulier. Après avoir quitté le palais, ils doivent traverser la rue des Escourbeurs, couper au travers du quartier des Pélissiers jusqu'à la place Saint-André, puis bifurquer, au niveau du marché aux Chevaux, pour s'engager dans le tamis des orfèvres, patrouillé de jour comme de nuit par les sergents du guet. Ensuite il y a la ruelle de la Petite-Verrue, qui part en biais jusqu'à la rue des Jonquilles, et ils sont arrivés.

Du moins, s'ils survivent jusque-là.

Je jette un coup d'œil au ciel. Pourtant piqueté d'étoiles en début de soirée, il s'est progressivement chargé de nuages et la lune n'éclaire plus à présent la ville qu'avec une alternance paresseuse. Quelques gouttes glacées tombent même sans conviction sur le dessus de ma capuche au moment où je finis de me mettre en place. Rien de bien dérangeant, cependant.

Accroupi sous le porche de la porte arrière d'un gros corps de ferme, plus ou moins caché par d'imposants fagots de bois humide, j'ai réussi à dégotter un coin discret pour m'abriter de la pluie, tout en me dissimulant et en surveillant les alentours.

De cet endroit, j'aperçois la presque totalité de la venelle par laquelle Robert de Navarre doit obligatoirement passer afin de rejoindre le manoir luxueux de la rue des Jonquilles dans lequel il a pris ses quartiers, juste en face de la grande halle des Marchands de lin de la ville. La rue en question, boueuse et puante, est propice aux embuscades : large d'à peine deux toises, bordée par des façades de maisons, souvent aveugles – car les entrées de celles-ci donnent plutôt sur les rues parallèles, beaucoup plus passantes –, elle est également reliée à deux autres passages étroits et perpendiculaires, idéals pour prendre un groupe en tenaille, de face et de revers. Si Gérard d'Auxois a l'intention d'attaquer les Français, c'est ici, à n'en pas douter, qu'il a dû mettre ses hommes en planque.

Des bruits de frottement ainsi que des murmures, provenant de la plus proche des deux ruelles, confirment ma théorie. Deux fois. Puis trois. Puis plus rien. On parle très doucement dans l'ombre. Je n'ai pas réussi à entendre précisément ce qui se disait mais, *a priori*, ce sont deux hommes d'armes bourguignons qui pestent contre l'attente. Le temps passe mais cela ne devrait pas s'éterniser. Les cloches des matines ont sonné la mi-nuit il y a déjà un bon quart d'heure et les Français devraient arriver d'un instant à l'autre.

Alors que le silence est à nouveau absolu depuis deux ou trois minutes, un petit chat gris et efflanqué saute lestement à terre du haut du porche. Il se glisse à mes côtés dans l'intention manifeste de partager mon abri contre la pluie. Sans doute de gouttière, peut-être perdu, il a, en tout cas, une oreille à moitié coupée, il est crotté et marche en claudiquant. Il penche la tête en me regardant avec ses grands yeux verts, puis commence doucement à miauler…

Il peut arriver qu'un excellent plan capote entièrement par la faute d'un minuscule détail. Si jamais d'Auxois découvrait ma présence ici avant l'arrivée des Français, ce serait une catastrophe. Je fais de grands signes au chat pour essayer de le faire fuir, mais l'animal ne bouge pas d'un poil. Au contraire, au bout de quelques instants, il se rapproche de moi et commence à se frotter contre ma jambe. *Bon Dieu, cette saleté est en train de chercher à se faire adopter!* Je le repousse fermement, mais il miaule à nouveau et revient. Tant pis, je l'attrape à deux mains et le jette un peu plus loin, puis je ramasse une poignée de boue à moitié liquide dans le creux de ma main. Des cailloux seraient certainement plus efficaces, mais ses cris de douleur attireraient trop l'attention. De la boue donc. Je la lance par petites pincées pour ne pas faire de bruit, juste de quoi éclabousser son dos et sa tête. À plusieurs reprises, il cherche à revenir, mais finalement, taché de partout et visiblement vexé, il finit par renoncer. Une dernière projection sur son arrière-train et il déguerpit enfin définitivement, disparaissant en boitant à l'intérieur d'une grosse ratière, en bas du mur d'une maison à poutrelle.

Il était temps. À peine a-t-il disparu que des bruits de pas décidés se font entendre en provenance de la rue des Orfèvres. Il y a là quatre gentils-hommes portant l'épée, qui discutent tranquillement sur le chemin du retour. Aucun n'est en armure, cela les rend particulièrement vulnérables. À la lumière des torches qui s'approchent, on distingue de mieux en mieux leurs blasons et leurs visages. Il y a là le prince Robert de Navarre, accompagné du commandeur Thierry de Montrouge, Ysandre de Fercy et un autre dont le nom m'échappe.

Ils ont parcouru à peu près la moitié de la venelle lorsque les Bourguignons jaillissent soudainement, comme je l'escomptais, des deux ruelles attenantes. Ils sont dix.

« Qui va là ?!

— Bas les masques, Navarre ! »

Gérard d'Auxois en personne dirige l'embuscade. *Une très bonne chose !*

Tout le monde dégaine mais les Bourguignons sont clairement en position de force : non seulement ils possèdent l'avantage du nombre mais, en plus, ils sont bardés de mailles et de boucliers. Un tireur, en retrait, vise ostensiblement le représentant du roi de France à la tête avec une arbalète.

« P-par le Christ, d'Auxois, à quoi est-ce que vous êtes en train de jouer ?!

— Qu'est-ce que vous croyez, Navarre ? Que j'allais vous laisser faire ? Je sais pertinemment que *vous* êtes derrière la disparition de Marc de Saulieu ! Alors, maintenant vous allez gentiment me dire ce que vous avez fait de lui, sinon, demain, on racontera partout que vous avez fait une sale rencontre cette nuit, et qu'une bande d'écorcheurs vous a étranglé avec vos propres tripes ! »

Il va bientôt être temps d'intervenir. Comme les Bourguignons les plus proches de moi se trouvent tout de même à une bonne vingtaine de pas, je commence à m'approcher. Aussi discrètement que ma cotte de mailles et mon bouclier me le permettent. En longeant les murs.

« Par le Sang, vous êtes complètement fou, d'Auxois ! Vous savez très bien que mon assassinat déclencherait immédiatement une guerre. Vous ne pouvez pas faire cela alors que vous n'avez pas l'ombre d'une preuve de ce que vous avancez !

— Au diable les preuves ! Nous avons dix épées et vous quatre, sans compter le carreau d'arbalète qui va vous faire ravaler en une seule fois toutes les salades que vous essayez de me vendre ! Alors maintenant *dites-moi où il est*, ou préparez-vous à le payer ! »

Je sors de l'ombre et entre dans la lumière des torches, en dégainant mon épée.

« Bien le bonsoir, messeigneurs. J'ai l'étrange impression qu'il y a un problème ici, est-ce que je me trompe ? »

La surprise fige la scène pendant quelques instants. L'arbalétrier des Bourguignons regarde alternativement Navarre et d'Auxois, ne sachant pas s'il doit, ou non, changer de cible. Ce dernier lui fait signe de continuer à viser le prétendant français. Puis il s'approche de moi d'un ou deux pas, le visage crispé et la rage dans la voix.

« Dégage de là, Bâtard, ce ne sont pas tes affaires !… »

J'assure ma prise sur mon bouclier et sur mon épée.

« Mes affaires, c'est moi qui les choisis, d'Auxois…

— Tu veux jouer au héros ? Très bien. » D'un air mauvais, le Bourguignon fait signe à deux de ses hommes pour qu'ils me prennent à revers. « On va te crever ici, puisque c'est ça que tu cherches !

— Tirez ! »

Je lance l'ordre avec calme et fermeté, et l'air s'emplit instantanément du sifflement sinistre de plusieurs traits de guerre. Trois flèches percutent brutalement le sol, à seulement quelques centimètres des pieds de d'Auxois et de ses deux chevaliers. Tous trois s'arrêtent net et reculent sous la surprise. Un quatrième trait vient, dans un éclatement de bois et de métal, arracher l'arbalète des mains de celui qui visait Navarre. Tous les Bourguignons lèvent des yeux pleins d'appréhension en direction des toits, cherchant vainement à discerner les archers qui, dans la pénombre, tiennent leur vie au bout de leur ligne de mire.

Quand bien même les nuages dégageraient momentanément la lune, la flamme de leurs torches les aveuglerait tellement qu'ils n'auraient pas la moindre chance de repérer mes hommes.

« Le premier qui cherche à utiliser son arme est mort, Bourguignons ! Un conseil : débarrassez le plancher avant que je ne décide que je ferais mieux de vous trucider, ici et maintenant, pour être définitivement tranquille. »

Leur hésitation est un peu trop longue. Sur un signe de mon épée, un nouveau carreau se plante dans la main de l'un des soldats bourguignons, lui arrachant tout à la fois son arme, une roquille de sang et un cri de douleur.

« Dernier avertissement. »

À l'intérieur de certaines des maisons avoisinantes, des lueurs vacillantes commencent à s'allumer. Les gens ne vont pas tarder à appeler la garde.

D'Auxois est rouge de colère et on a l'impression qu'il est sur le point de me charger. Mais Rudac de Montbard pose sa main rugueuse sur son épaule et lui glisse un mot à l'oreille qui paraît le faire hésiter. La frustration et la rage le font souffler profondément, au moins deux ou trois fois, puis il fait signe à ses hommes de baisser leurs armes et de reculer.

La pointe de son épée s'élève à l'horizontale pour prolonger son bras et pointer, menaçante, dans ma direction.

« Tu te crois très fort, Bâtard, mais je jure sur l'esprit de mes ancêtres que tu ne perds rien pour attendre ! Toi et les tiens, bien planqués dans l'ombre, et ton sale petit écuyer qui m'a truandé, je saurai bien vous mettre la main dessus un jour ou l'autre, et quand ça arrivera, vous vous boufferez les doigts d'avoir osé vous mettre en travers de ma route ! »

Il crache par terre et se retourne pour faire face à Navarre.

« Quant à vous, faux-culs de Français, je trouverai un autre moyen de vous faire payer la disparition du neveu du duc de Bourgogne. Et n'allez surtout pas croire que la Champagne vous appartient déjà. Croyez-moi, de ce point de vue-là, la messe est loin d'être dite ! »

Le prétendant français, se sentant en position de force, hausse les épaules et répond à d'Auxois, un demi-sourire de victoire accroché au visage.

« Modérez votre colère, d'Auxois, elle vous égare. Heureusement pour vous, je ne suis pas un homme de rancune. Je mettrai votre attitude déplorable sur le compte des vins de qualité dont vous avez certainement abusé au cours du banquet de ce soir, et nous oublierons tout ça. »

Le grand Bourguignon s'éloigne pour rejoindre ses hommes en éructant quelques injures, non sans préciser l'endroit où il juge que le Français ferait bien de se mettre les bouteilles de vin en question. Robert de Navarre ne s'en formalise pas, au contraire, il élève la voix pour continuer à se faire entendre.

« Allons, comte d'Auxois, faisons la paix, je ne vous en veux pas ! Tenez, j'ai même l'intention de vous réserver une place d'honneur, à la gauche de Solenne de Troyes... Le jour de mon futur mariage ! »

Le Bourguignon est loin à présent. Ses hommes et lui finissent par disparaître dans la nuit et je ne suis même pas certain qu'ils aient entendu la totalité de la tirade du Français. Pour autant, celui-ci en est visiblement très fier et il se retourne vers moi, un grand sourire aux lèvres.

« J'imagine qu'il nous faut vous remercier pour cette heureuse intervention, chevalier. »

Les torches se reflètent étrangement sur sa grosse canine en or, lui donnant un air quelque peu inquiétant. J'incline la tête en signe de respect. « Pour vous servir, monseigneur ! »

Bon Dieu, pourquoi suis-je toujours obligé de sauter à pieds joints dans la gueule du loup ?

Correspondances de Kergaël de Kosigan avec Charles Chevais Deighton. Moscou, le 21 mai 1899.

Charles,

J'ai réfléchi aux propositions de Lidderdale que tu m'as transmises. Et je t'ai ouvert la ligne de crédit de cinq millions de francs-or nécessaire pour racheter les actions de la Compagnie universelle du canal interocéanique de Panama en faillite. J'y ai ajouté vingt-cinq millions, afin de prendre diverses participations dans les sociétés suivantes : trois millions dans la Compagnie internationale des wagons-lits, en Belgique, cinq millions dans la Société des automobiles Panhard et Levassor, ici en France, cinq millions dans la London and Midland Bank, sept millions dans la Standard Oil Company de Rockefeller, et enfin cinq millions dans les investissements commerciaux de la Hong Kong and Shanghai Banking Corporation en Asie. Je compte sur toi et Lidderdale pour vous occuper de tous les papiers adéquats. Fais-lui comprendre que tu as un associé mais sans révéler mon identité pour l'instant. J'ai également fait verser à ton nom propre la somme d'un million de francs que tu peux utiliser à ta guise.

Pour ce qui est des investissements immobiliers, je compte encore réfléchir. Pour l'instant je me suis contenté d'acheter un vieux bateau vapeur sur la Seine, que je fais aménager pendant mon absence afin de pouvoir y habiter.

N'oublie pas de me prévenir si quiconque paraît s'intéresser, de près ou de loin, aux liens qui peuvent exister entre moi et l'argent que tu es en train d'investir.

Sur un tout autre registre, j'ai fini par trouver le temps de m'adjoindre les services d'un détective privé professionnel, un certain Gustave Hennion, cousin du préfet de police de Paris et ami de Lavisse. L'homme, aux larges bacchantes, calme, l'œil intelligent et de bonne corpulence, m'a été chaudement recommandé. Il a l'air de bien connaître son métier, je l'ai donc mandaté pour essayer de retrouver quiconque pourrait se cacher derrière l'incroyable bonne fortune qui est la mienne. Je n'ai pas grand espoir qu'il y parvienne, mais au moins j'aurai l'impression que les choses avancent pendant que je suis en Russie.

Quant aux recherches pour retrouver l'Œil d'Odin, elles progressent relativement lentement. Katchenovski a fouillé le site de Naro-Fominsk en mon absence, mais malheureusement sans succès. Il semble que l'allusion du moine Clovaric au « village des trois rivières » ne faisait, en réalité, pas référence à cet endroit précis. J'ai, pour ma part, rejoint l'équipe à Minfina, mais nous n'y avons pas eu davantage de chance. Il nous faut donc, à présent, poursuivre les investigations plus au sud. Notre prochaine étape sera aux alentours de Serpukhov et Protvino. Il y a cependant un souci : d'après mes renseignements, l'expédition autrichienne d'Eberweizer nous a déjà devancés là-bas. Je peux te dire que cela ne me plairait pas du tout de me faire couper l'herbe sous le pied alors que nous sommes si près du but. Hélas, c'est le risque quand on cherche à courir plusieurs lièvres à la fois…

Je te tiendrai au courant,

K.

La famille du chevalier Jean de l'Estable de Tristesse compte parmi les plus renommées du royaume de France. Son trisaïeul a été anobli par Godefroy de Bouillon en personne, au moment de la première croisade, au siège de Jérusalem, en 1099. Son arrière-grand-père, d'une longévité impressionnante, a eu l'honneur d'occuper le poste de commandeur de l'ordre des Templiers à Saint-Jean-d'Acre, pendant près de quatre-vingts ans. À la génération suivante, son grand-père s'est illustré pour avoir mené la charge des griffons royaux face aux chevaliers dragons du Saint Empire, à la bataille de Bouvines en 1214. Son père, enfin, est connu pour avoir sauvé la vie du roi Saint Louis en prenant une flèche à sa place, lors du siège de la citadelle de Mansourah, au cours de la septième croisade. Quant audit Jean de l'Estable lui-même, il s'est brillamment illustré en Espagne, dans sa jeunesse, à la bataille de Ciudad Real, où il a tranché la tête, au cours d'un duel sans merci, de Gorom Togör Bay, le puissant chef orc des hordes de Demonios Rojos de Grundar Battar. Somme toute, l'une des familles les plus prestigieuses qui soit en Occident mais curieusement aussi, pendant très longtemps, l'une des plus pauvres.

Les choses, de ce point de vue, ont changé il y a de cela une petite quinzaine d'années. Jean de l'Estable, à l'époque extrêmement renommé mais peu fortuné, avait participé à Troyes au tournoi annuel de la Saint-Rémi. C'est là que le destin lui avait fait de l'œil. À cette occasion, il avait rencontré la fille unique du plus grand négociant de la ville, une certaine Clothilde Bonbaiser, qui était immédiatement tombée sous son charme. Le père de cette jeune demoiselle, immensément riche, avait à l'époque à cœur de donner à ses descendants la plus belle particule de noblesse qui soit, et celle des de l'Estable était l'une des plus convoitées. En conséquence, il avait proposé au jeune homme de vastes terres en Champagne, ainsi que mille cinq cents écus d'or de dot pour sa fille. Celle-ci étant, par ailleurs, plutôt jolie, le chevalier s'était retrouvé amoureux, riche et marié, le tout en moins de deux semaines. Et veuf immédiatement après. Sa jeune épouse ayant, en effet, perdu la vie en glissant malencontreusement sur les marches gelées du parvis de la cathédrale, au sortir de la cérémonie, le jour même de ses noces. Rougier Bonbaiser, son père, ne lui avait pas survécu de beaucoup, déjà veuf lui-même, il était mort trois mois plus tard, au cours d'une épidémie de peste dans les Ardennes. Cela avait laissé le chevalier seul et triste – au point d'en ajouter la particule « de Tristesse » à son nom de famille – mais à la tête d'une immense fortune. Et notamment de trois vastes hôtels particuliers, en plein cœur de la belle ville de Troyes.

Après l'altercation avec d'Auxois, Robert de

Navarre m'a invité à l'accompagner à l'intérieur de l'un d'eux, obligeamment prêté à la délégation française par le chevalier de l'Estable de Tristesse.

Le grand salon dans lequel nous nous sommes installés – avec également Thierry de Montrouge et Jean de l'Estable lui-même – se trouve au rez-de-chaussée. Il est agrémenté d'une longue table de chêne et luxueusement décoré de tapisseries et de rideaux de brocart, aux couleurs de la France. À l'intérieur de la vaste cheminée de pierre, ronfle un feu de bonne taille qui contribue à donner à la pièce une atmosphère chaleureuse.

« Votre intervention fut particulièrement la bienvenue, chevalier de Kosigan. » Le prince de Navarre me tend un verre de sylvaner en souriant. « Cela dit, je ne cesse de me demander par quel heureux hasard, vous vous êtes retrouvé au meilleur endroit possible, au meilleur moment possible… »

Cachée derrière les politesses d'usage, la suspicion de ses paroles est tout à fait perceptible.

J'ai intérêt à désamorcer ça au plus vite.

« Eh bien, puisque vous voulez le savoir, il se trouve que j'ai assigné l'un de mes meilleurs hommes à la surveillance permanente du comte d'Auxois, depuis le début du tournoi. En toute discrétion, bien évidemment.

— Et pour quelle raison avez-vous fait cela ?

— Disons que lui et moi avons tendance à ne pas très bien nous entendre. Et puis, avec l'aide de mon écuyer, je lui ai joué un sale tour au moment des inscriptions. Le gaillard est du genre rancunier et ce n'est pas le type d'adversaire qu'il faut sous-estimer. Encore moins le laisser vous prendre par surprise.

Mais cela, je pense que vous avez pu le constater par vous-même.

— Je ne peux pas dire le contraire. Et alors?

— Alors, ce soir, peu avant la mi-nuit, mon homme m'a fait sàvoir que d'Auxois et une bonne partie des Bourguignons avaient discrètement quitté la fête et que, non seulement ils s'étaient tous mis sur le pied de guerre, mais qu'en plus ils étaient sortis en direction de l'auberge dans laquelle j'étais descendu. Étant curieux et prudent de nature, j'ai donc décidé de les suivre avec mes gars, histoire de vérifier qu'ils n'étaient pas en train de nous préparer un sale tour.

— Je vois. Et vos hommes, où sont-ils à présent? On ne les a même pas vus.

— Vous ne les verrez pas. Ils sont à l'endroit exact où ils doivent être, chacun à son poste, afin d'assurer notre protection au mieux de leurs possibilités. »

Robert de Navarre hoche assez longuement la tête en échangeant un regard satisfait avec les deux autres chevaliers français.

« En tout cas, nous ne pouvons que nous féliciter que vous ayez pris la précaution de faire surveiller d'Auxois. Quand bien même, finalement, ce n'était pas après vous qu'il en avait.

— À ce propos justement, je dois vous avouer que j'ai eu un moment d'hésitation avant de déployer mes hommes et de risquer nos vies à tous pour avoir l'honneur de sauver les vôtres... Et puis je me suis dit qu'un prince de Navarre, cousin du roi de France et sénéchal du royaume, aurait sans doute à cœur de se montrer généreux envers ceux qui soulageraient son pied d'une si dangereuse épine. » Je tends mon verre vide vers la servante qui attend avec la carafe, un peu en retrait. « Après tout, il faut garder à l'esprit que je ne suis qu'un simple mercenaire, n'est-ce pas ? »

Robert de Navarre mordille doucement sa lèvre inférieure avec sa dent en or. Puis il lisse sa fine moustache et échange un long regard avec le commandeur Thierry de Montrouge. Enfin, il fait signe à la servante de remplir mon verre et le leur.

« Je pourrais tout à fait vous récompenser de deux écus d'or chacun, ce qui, vous en conviendrez, serait fort raisonnable pour une intervention qui ne vous aura guère pris plus de quelques minutes et pour laquelle aucun sang n'aura été versé. Cependant... »

Il laisse sa phrase en suspens quelques secondes en me scrutant une nouvelle fois du regard, comme s'il cherchait une ultime confirmation avant de continuer. Il semble la trouver quelque part au fond de mes yeux.

« Messire de Kosigan, j'ai l'intime conviction que vous pourriez être pour nous un allié des plus précieux. Comme vous l'avez fait vous-même remarquer, vous êtes mercenaire. Vous siérait-il de travailler secrètement à notre service ?

— Travailler secrètement à votre service ? Cela pourrait théoriquement s'envisager, monseigneur, mais je crains que cela ne soit guère possible. Comme vous le savez, le tournoi de demain risque de m'occuper à plein temps...

— Je l'imagine en effet, mais si je vous disais que vous pourriez sans doute faire d'une pierre deux coups. Et que, cette fois, la récompense pourrait s'élever à plusieurs *centaines* d'écus... »

Je laisse planer un bref silence, comme si la perspective me paraissait alléchante.

« Dites toujours ce que vous avez à proposer...

— Eh bien… » Il regarde, un peu gêné, le peu loquace commandeur de Montrouge avant de poursuivre. «Comme vous avez pu le constater, Gérard d'Auxois est comme une sorte de caillou coincé dans les sabots de notre cheval. Deux cents écus d'or pourraient bien changer de main si quelqu'un pouvait nous en débarrasser *définitivement*. Et les épreuves à pied de demain me paraissent être une excellente occasion pour cela…

— Je vois.» Je fais la moue. «Ce n'est pas rien ce que vous demandez là, seigneur de Navarre. Je m'interroge sur la raison qui vous pousse à vous adresser à *moi* pour cette périlleuse mission. Le seigneur de Montrouge ici présent aurait-il peur de s'en charger lui-même? Ou le seigneur de Plerval?»

De Navarre fait la grimace et Montrouge soutient difficilement mon regard.

«Il se trouve que je ne participerai pas aux combats de masse de demain, Kosigan, à cause d'une foulure au poignet. Quant à Fresne et Fercy, ils ne sont pas aussi bons combattants que vous sur un champ de bataille.

— Et Plerval?

— Plerval est un excellent bretteur, c'est vrai. Mais comprenez, messire de Kosigan, qu'il serait fort fâcheux que d'Auxois perde la vie du fait d'une main française. Cela pourrait prêter à confusion et être mal *interprété*. Vous comprenez ce que je veux dire, n'est-ce pas?

— Parfaitement. Mais je dois vous avouer que je suis un peu étonné. Vous, commandeur de Montrouge, vous cautionneriez un *assassinat*? Parce qu'il faut bien appeler un chat un chat, n'est-ce pas?»

Thierry de Montrouge serre les dents en me regardant droit dans les yeux. Cette solution ne lui plaît sans doute pas beaucoup, mais il se doit de faire passer l'intérêt du royaume de France et de son seigneur lige, le roi Philippe, avant ses propres états d'âme. Voilà qui prouve que, même chez les plus nobles chevaliers de l'ordre de l'Étoile, la vertu n'est guère plus qu'une chimère. D'une certaine manière, je trouve cela décevant. Et un peu triste aussi. De Montrouge, lui, reste de marbre et il hausse les épaules, comme pour écarter d'un geste toute critique à l'égard de son honneur.

« Les Bourguignons sont depuis fort longtemps des traîtres à leur roi, Kosigan. Les ancêtres des ducs avaient juré leur allégeance au royaume de France et aujourd'hui leurs descendants lui crachent au visage ! Vous n'avez qu'à vous dire que c'est un *ennemi* que vous allez occire. Un ennemi de votre roi légitime et un traître à la couronne ! »

J'ai déjà rencontré souvent ce genre d'argumentation : prenez quelques bonnes justifications, ajoutez-y une petite dose d'honneur et de devoir, et vous pourrez faire accomplir les pires bassesses au plus vertueux des hommes… Dans le cas présent, il est évident que le commandeur de Montrouge a fort bien réussi à se convaincre lui-même.

« La Bourgogne n'est pas terre de trahison, monseigneur. Souvenez-vous qu'elle tire ses origines du vieux royaume des Burgondes. Et des descendants du roi Lothaire. Il semble que vous oubliez bien vite leur légitimité, non ? »

Il me transperce du regard.

« Vous allez me fâcher, Kosigan. Je vous déconseille de vous y risquer. »

Espèce d'imbécile, qu'est-ce que tu es en train de faire ?

Je lève une main en signe d'apaisement.

« Je ne cherchais pas à vous offenser, commandeur, juste ma vieille éducation bourguignonne qui ressort de temps à autre.

— Eh bien ! Mettez-la au pas ! Pour l'honneur de mon roi, je n'apprécie pas beaucoup ce genre d'intervention !

— Paix mon filleul, il n'y a pas là de quoi battre un chien. Notre ami ne cherchait pas à mal. Quant à ce dont nous parlions, je préfère pour ma part n'y voir qu'un *fâcheux accident*. Nous savons tous que ce genre de choses peut malheureusement arriver, et les tournois à pied sont connus pour être particulièrement dangereux à cet égard. »

J'acquiesce d'un air entendu.

« Deux cents écus, c'est une belle somme, mais les dieux du hasard demandent des offrandes plus élevées que cela pour obtenir le genre de *fâcheux accident* dont vous parlez…

— Il s'agit tout de même du prix d'un petit château, chevalier. Et vu votre réputation et l'amour que vous portez au comte d'Auxois, je serais prêt à gager que vous seriez ravi de donner un coup de pouce au destin gratuitement ! »

Je porte le verre de sylvaner à mes lèvres avec un regard amusé, et bois quelques gorgées avant de répondre.

« Désolé de vous décevoir, monseigneur. Ma règle absolue est de ne jamais tuer – ou si vous préférez, *causer d'accident fâcheux* – à la légère. Même lorsque cela concerne mes pires ennemis.

— Voilà une attitude honorable mais particulièrement dangereuse, chevalier. Laisser vos adversaires en vie pourrait bien, un jour ou l'autre, vous coûter la vôtre. Vous en êtes conscient ?

— C'est une mise en garde que j'entends souvent, en effet. Mais cela ne change rien à l'affaire. »

Il me scrute pendant quelques instants et mon attitude le persuade que je suis tout à fait sérieux.

« Dans ce cas, j'irai jusqu'à vous proposer trois cents écus.

— Dites trois cent cinquante et, croyez-moi, dès demain après-midi, le comte d'Auxois ne sera plus là pour vous causer le moindre ennui. Et, lui disparu, on ne voit guère qui pourrait ensuite s'opposer à vous pour le contrôle de la Champagne. »

Robert de Navarre croise une nouvelle fois le regard réticent du commandeur, puis celui de Jean de l'Estable qui, au contraire, lui fait un signe de tête clairement affirmatif. Il se tourne finalement vers moi, un sourire satisfait aux lèvres.

« Marché conclu, capitaine de Kosigan ! Vous êtes à présent des nôtres ! »

*

Lorsque je quitte le castelet des Français, un beau clair de lune cristallin et glacial éclaire la ville de sa large luminosité. Seules quelques flaques d'eau boueuses, de-ci de-là, indiquent que les nuages ont lâché récemment une bonne averse et qu'ils ne sont toujours pas bien loin. Je rejoins mes hommes qui étaient restés en poste aux alentours afin de vérifier qu'on me laissait bien sortir vivant du manoir des Français, et je les autorise à aller prendre un repos bien mérité.

Edric m'emboîte le pas et nous prenons, nous aussi, le chemin de notre auberge.

« Sur ma foi, messire, c'est à ne plus rien y comprendre. Pour qui est-ce qu'on travaille au juste, maintenant ?

— On travaille pour *nous*, Edric, et c'est déjà beaucoup. Tu sais, tous les êtres humains ont deux œufs très précieux, eh bien, figure-toi que ces œufs, il ne faut jamais les mettre dans le même panier. Jamais. Tu comprends ce que j'essaye de te dire ?

— Parfaitement monseigneur. » Il sourit d'un air intelligent. « Je comprends surtout que vous n'avez aucune envie de me répondre de façon claire pour l'instant. Mais ce n'est pas grave, je ne suis pas stupide, et j'ai déjà ma petite idée sur l'endroit où vous avez l'intention de mener notre barque. »

Je m'arrête brusquement et le dévisage d'un air sévère. Puis je place ma main fermement sur son épaule.

« Edric de Gray, lorsqu'il y a des choses que je choisis de ne pas te dire, c'est que j'ai de bonnes raisons. Quand cela advient, tu dois me faire *entièrement* confiance et en aucun cas tu ne dois chercher à les découvrir. En *aucun* cas ! C'est la règle absolue que doivent respecter tous mes hommes. Si tu décides de passer outre, je peux t'assurer que tu vas au-devant de graves ennuis, de *très graves ennuis.* »

Je le fixe encore quelques instants d'un regard dur.

« Et crois-moi sur parole, tu n'aimerais absolument pas que cela arrive… »

40

Troyes, le 9 novembre de l'an de grâce 1339, dans la matinée.

« L'épreuve de ce jour consiste en un combat de masse sur un espace délimité… » La voix de de Tailly est forte et elle porte loin, jusque dans la tente de préparation où je me trouve encore.

« Vous allez être en retard, messire ! »

Comme si je ne m'en étais pas rendu compte. La mine fermée, je fais signe à mon écuyer d'accélérer la manœuvre. Il se hâte de me passer mon haubert.

« À chaque phase de l'épreuve, seront éliminés ceux qui lâcheront leurs armes, volontairement ou non, ceux qui sortiront des limites du carré de combat, et ceux qui demanderont grâce… »

J'empoigne mon heaume et mon épée, nettoie un reste de sang épais qui souille encore mon bouclier et mes bottes, et me précipite hors de la tente.

« Prends Janvier avec toi et assure-toi que les trois Bourguignons ligotés là derrière ne viennent plus nous emmerder. Je déciderai de leur sort quand on aura fini ! »

De longs nuages bas, blancs et fins, émaillent le

ciel fadasse de ce début de matinée. Il n'a pas plu depuis la fin de la nuit, mais le sol, constamment labouré par les hommes et les montures, est encore largement souillé par la boue.

« … Les chevaliers qui se trouveraient dans l'incapacité de poursuivre le combat à la suite d'une blessure devront impérativement… »

Je ralentis pour ne pas glisser au moment où je tourne au coin des gradins pour entrer sur le terreplein central. Devant moi, de dos, les rangs des grands seigneurs et des chevaliers sont alignés comme une armée, face à la tribune d'honneur d'où le chambellan déclame son discours. La foule est attentive. Vu des gradins, le spectacle doit avoir de quoi impressionner, les roturiers et leurs fils admirent l'éclat des armes et de l'acier, quant à leurs femmes et leurs filles, une bonne partie d'entre elles joue sans doute avec l'idée de dépouiller de son armure l'un ou l'autre de ces valeureux guerriers.

« Les deux premières passes d'armes permettront, chacune, de sélectionner la moitié des douze finalistes de l'épreuve. Puis, lors du carré final, le dernier des chevaliers debout sera déclaré vainqueur. »

Gunthar von Weisshaupt arrive à peu près en même temps que moi. Sa cotte de mailles ne semble pas avoir trop souffert du récent combat que nous venons de livrer, côte à côte, contre les cinq Bourguignons envoyés par d'Auxois pour nous expliquer qu'il était de notre intérêt de rester tranquillement dans nos tentes.

Nous nous joignons au dernier rang des participants, le plus discrètement possible. J'aperçois de loin la comtesse Catherine glisser un mot à l'oreille de sa fille sur la tribune d'honneur. J'espère qu'elle est contente de me voir.

294

« Chevaliers et nobles seigneurs, que le Christ sauveur vous protège et que les puissances anciennes donnent la force à vos épées et la solidité à vos boucliers. À présent, rejoignez vos groupes de combat et que le plus vaillant triomphe ! »

Je jette un regard glacial à Gérard d'Auxois alors qu'il se dirige vers le premier carré de combat. Mes yeux lui disent à quel point je n'ai pas apprécié qu'il essaie de m'empêcher d'être présent et ils lui promettent une bonne correction pour très bientôt. Il est évident que je préférerais ne pas avoir à me retrouver face à cette brute sanguinaire avec une épée à la main mais il serait, bien sûr, stupide de ma part de le lui montrer. *Avec un peu de chance, il ne passera pas le premier tour.*

Mon attention se reporte sur les tribunes, un certain nombre des chevaliers présents lors des joutes de ces derniers jours ne sont plus en lice aujourd'hui. Et pas des moindres. Beaucoup ont dû jeter l'éponge à cause de blessures plus ou moins graves. D'autres, simplement pour éviter de prendre des mauvais coups. La dame d'Andrac me fait un petit signe d'encouragement auquel je réponds par un discret mouvement de tête, tout en observant furtivement les allées et venues de Guillaume le Maréchal. Le vieux bras droit du roi d'Angleterre, trop âgé pour participer à ce genre de combat, a consacré plusieurs minutes à bavarder avec André d'Orange, l'ancien cardinal de l'Inquisition, et il se trouve, à l'instant même, en train de s'entretenir avec Robert de Navarre. Les deux personnages les plus proches des rois de France et d'Angleterre, discutant tranquillement sans en venir aux mains ?... *Une pièce d'or pour savoir ce qu'ils peuvent bien se dire…*

Comme il l'avait annoncé la veille, le commandeur de Montrouge a décliné l'épreuve lui aussi, tout comme les deux principaux chevaliers du pays d'Oc, Lard de Toulouse et Gonthier de Calquerai, tous deux victimes d'une mauvaise chute. Plusieurs autres encore sont absents mais leurs noms m'échappent. Si ce n'est, bien sûr, pour ce qui est de Mohammed Ibn Ajbar don Ribeires, toujours perdu dans les eaux grises qui séparent la vie de la mort.

Les trompettes résonnent.

Gunthar von Weisshaupt et moi-même faisons partie du second groupe de combattants et notre carré aura lieu immédiatement après celui qui débute à l'instant même.

Au signal des hérauts, les hostilités commencent. L'espace de combat fait une bonne quinzaine de mètres de côté, délimité par des lignes blanches, tracées au sol à la chaux. À l'intérieur, c'est chacun pour soi. Les combattants se rencontrent d'abord par deux ou par trois, non loin des bords. Ceux qui en sortent vainqueurs avancent ensuite en direction du centre, afin de se tenir le plus éloigné possible de la limite fatidique, tout en évitant les coups en traître et les charges par-derrière. Ils guettent, eux-mêmes, la moindre opportunité de frapper un adversaire de dos ou de le projeter de force en dehors du carré. L'exercice est particulièrement difficile car on ne peut jamais être partout à la fois, surtout avec la visibilité restreinte offerte par les heaumes de combat. Les chocs sont nombreux et violents, et la boue rajoute du glissant et de la saleté à l'amoncellement général. Les chevaliers de même origine sont, la plupart du temps, séparés au début des assauts, mais ils cherchent évidemment à se rejoindre pour s'entraider.

Le prince Edward d'Angleterre hurle des ordres pour manœuvrer, il a l'air déterminé à s'en prendre en priorité aux Français, mais cela s'avère plus compliqué qu'il ne le pensait tant la mêlée est confuse. Il finit par se retrouver seul, entouré par trois chevaliers d'azur et de lys menés par Aymeric de Plerval. Bien qu'encerclé et en position de faiblesse, le prince se bat comme un lion. Il vacille à peine sous les chocs et frappe d'estoc comme de taille avec une précision et une efficacité redoutables. Aussi incroyable que cela puisse paraître face à trois adversaires d'une telle qualité, l'avantage tourne momentanément en sa faveur, et il réussit à faire plier le genou à Ysandre de Fercy puis à Claude de Fresne, avant de se retrouver à bout de souffle et finalement éjecté hors des limites du terrain par un assaut violent du seigneur de Plerval.

Gérard d'Auxois, de son côté, braille fort et il manie sa lourde épée bâtarde d'une seule main, frappant autant avec elle qu'avec son grand bouclier. Trois chevaliers Goddams et un Flamand tentent de se jeter sur lui, mais avec l'appui du solide Gauvain de Dole, il réussit à bloquer leurs assauts et à les faire tomber, un à un, sous des coups si puissants qu'ils pourraient défoncer les portes les plus épaisses des parvis des cathédrales. Le dernier de ses adversaires s'effondre au sol en hurlant, un morceau de haubert enfoncé dans l'arrière du crâne. À peine est-il à terre que d'Auxois agite la main à l'intention de Gauvain de Dole et d'un autre des chevaliers bourguignons pour leur désigner Tanaël an Seïllar.

Le fier prince elfe est, de loin, le plus fin et le moins corpulent de tous les chevaliers présents dans le carré, mais son style est incomparable. Sa vitesse d'exécution est telle qu'on pourrait jurer que ses pieds ont des ailes. Il joue sur les angles morts des heaumes de ses adversaires, n'hésitant pas à passer sous leur champ de vision dès qu'il le peut, attaquant aux jambes, aux genoux, déséquilibrant adroitement tous ceux qui lui font face, esquivant aisément les attaques les plus dangereuses, lesquelles, face à sa souplesse incroyable, semblent presque toutes lourdes et pataudes.

Les deux chevaliers bourguignons, aux ordres de d'Auxois, se précipitent sur lui en criant, tout en faisant conjointement de larges moulinets avec leurs armes. *Autant essayer de le désarmer avec une canne à pêche...* Tanaël an Seïllar recule lestement de quelques pas puis, à un instant calculé avec précision, il pare de son bouclier l'une des deux lames, la déviant d'un seul coup sur la seconde. Ses deux adversaires se retrouvent déséquilibrés en même temps et d'un mouvement rapide, l'Elfe se retrouve à l'intérieur de la garde du plus dangereux des deux, en l'occurrence Gauvain de Dole. D'un coup d'épaule parfaitement ajusté au niveau du plexus, et malgré la différence de corpulence, il l'éjecte sans difficulté au sol et se précipite pour achever de lui arracher son arme. Mais il n'en a pas le temps, Gérard d'Auxois a profité de la diversion et des cris de ses hommes pour le contourner et fondre sur lui par-derrière, hors de son champ de vision. Le prince elfe ne pressent la menace qu'au tout dernier moment, il se jette en avant mais c'est déjà trop tard : l'épée bâtarde de d'Auxois s'abat sur lui avec brutalité. Il réussit dans un mouvement désespéré à éviter la majeure partie de l'impact, mais tombe tout de même, et le Taureau de Bourgogne le frappe à nouveau avec une violence inouïe. Tanaël an Seïllar a lâché son arme. Pour autant, cela ne semble pas devoir suffire au terrible Bourguignon. Il l'attrape par l'arrière de la cotte de mailles, le relève et le cogne sèchement au visage, jusqu'à ce que le fluide vital de l'Elfe gicle au niveau des pommettes et du nez. Puis il le laisse retomber dans la boue, inconscient, et le traîne par un pied jusqu'aux limites du carré de combat. Là, il prend le temps de jeter un coup d'œil appuyé dans ma direction et le balance avec brutalité à l'extérieur. Tanaël an Seïllar tombe au sol comme une masse. Il met bien une dizaine de secondes avant de recommencer à bouger. Les Elfes sont d'une résistance étonnante. Malgré les apparences, il n'est probablement pas si durement touché que cela. Quelques ecchymoses, peut-être deux ou trois côtes fêlées, rien de bien grave somme toute. Mais la leçon a tout de même été sévère.

Sur le carré de combat, Aymeric de Plerval achève de désarmer un Anglais aux couleurs du Suffolk et il ne reste plus que six chevaliers debout. Au signal de la trompette, le combat s'arrête. Il a dû durer une bonne vingtaine de minutes et ce sont sans nul doute les Bourguignons, d'Auxois en tête, qui en sortent grands vainqueurs : ils sont trois parmi les six finalistes, avec également un Français – Aymeric de Plerval, donc – un Écossais au service d'Edward du nom de Donald de Bruce et un chevalier étonnant : Cendre de Bar, qui concourt sous la bannière blanche et azur du comté de Champagne et qui a réussi, par on ne sait quel miracle, à conserver son heaume ainsi que le plastron de sa cotte de mailles, entièrement immaculés tout au long du combat. La foule enthousiaste acclame les vainqueurs tandis que les perdants s'éloignent par petits groupes, dépités et plus ou moins dégoulinants de sang.

J'ai une profonde admiration pour ceux qui, tout en respectant les règles, réussissent malgré tout à remporter des victoires. Je fais de mon mieux pour être dans ce cas moi-même, dans la mesure du possible. *En tout cas à chaque fois qu'il n'y a aucun moyen de faire autrement.*

Il faut une dizaine de minutes aux servants d'armes pour remettre le carré de combat en état, et dix minutes encore pour que tous les chevaliers du second groupe soient installés aux places qui leur sont assignées par le sort.

En prenant mes marques sur les bords de la ligne blanche qui délimite le carré, je constate avec satisfaction que le héraut en chef, responsable de la désignation des emplacements de chacun, a bel et bien cédé à la tentation. Pour prix de cinquante livres parisis, il a accepté de placer les chevaliers de mon groupe selon un schéma préalablement établi. Évidemment, afin de m'éviter tout ennui, je me suis arrangé pour qu'il ignore d'où venait la proposition et il y a même de bonnes chances que l'homme suppose que l'idée venait des Anglais.

Hier, en fin d'après-midi, il a reçu la visite de mon fauconnier, Gerfaut, qui s'est fait passer pour le représentant d'un puissant seigneur, participant au tournoi. Il n'a, bien sûr, rien révélé de l'identité de son maître, mais s'est débrouillé pour trébucher une ou deux fois sur un accent anglais prétendument caché, et pour laisser entrevoir, lors de son départ, le blason de la maison d'Angleterre, discrètement cousu à l'intérieur de son manteau. Je souris dans mon heaume. Ainsi, grâce à mes bons offices, les trois chevaliers anglais participant à la passe d'armes se retrouvent pratiquement côte à côte... N'importe qui y verrait pour eux un avantage déloyal, mais en réalité, je les ai fait placer non loin de trois Français, comme s'ils avaient, eux-mêmes, choisi d'en découdre au plus vite avec les ennemis jurés de leur roi... Il ne devrait pas ressortir grand monde de cette confrontation. Pour ce qui est des Bourguignons, j'ai préféré les disséminer un peu partout, bien loin les uns des autres, de façon à ce qu'ils n'aient pratiquement aucune chance de faire mouvement ensemble...

Quant à moi, je me trouve à la place exacte que je souhaitais occuper, avec d'un côté Gunthar von Weisshaupt, de l'autre, Lowell Comnène le Byzantin, et un peu plus loin, Thomas de Lusignan, le roi sans couronne de Jérusalem, cousin par alliance de la famille de Champagne. De très bons combattants qui ont la particularité d'être des solitaires et de ne bénéficier du soutien d'aucune des grandes factions en présence. Des alliés idéaux. J'ai consacré une bonne partie de ma matinée à les rencontrer, un à un, afin de m'entendre avec eux et de les convaincre que nous avions beaucoup d'intérêts en commun. L'évidence était telle que cela n'a pas été très difficile de leur faire partager mon point de vue. Nous avons donc décidé de passer un pacte d'entraide solennel, afin de faire front ensemble, durant toute la première phase des combats. Le but est que nous fassions, tous les quatre, partie des six chevaliers sélectionnés pour la finale. Et dans l'hypothèse où cela serait effectivement le cas, nous avons également promis de ne lever les armes les uns contre les autres que lorsque *l'ensemble de nos autres adversaires* auraient été éliminés.

Le combat est sur le point de commencer. Nous avons décidé de former momentanément deux binômes séparés : von Weisshaupt et moi d'un côté, Comnène et Lusignan de l'autre. Ainsi, dans un premier temps, personne ne se doutera que nous sommes ensemble et cela nous permettra, par la suite, de faire jouer l'effet de surprise.

Avant même que la musique des trompettes ne finisse de résonner, l'Humal et moi prenons à partie Géromond de Sienne, un chevalier italien situé sur notre gauche. Celui-ci tente de fuir, en se précipitant vers le centre, mais il se retrouve face à un Porte-Glaive qui l'engage et réussit à le mettre à terre en deux coups, juste avant que nous-mêmes ne le prenions en tenaille et qu'une brutale attaque de l'Humal au creux du genou ne le fasse s'écrouler. Venus de la droite, trois autres chevaliers italiens, dirigés par le condottiere Giuseppe d'Algondi, se précipitent alors sur nous – leur plan initial devait être de rejoindre Géromond de Sienne afin de former un imposant groupe de quatre.

Notre tactique en cas de supériorité numérique adverse consiste à hurler à pleins poumons tout en reculant de deux ou trois pas, puis de tenir la position défensive jusqu'à ce que le second binôme intervienne et prenne nos ennemis à revers.

Le prince de Jérusalem, Thomas de Lusignan, charge par l'arrière, droit sur l'un des Italiens qu'il élimine avec facilité, tandis que le Byzantin à l'armure d'or s'occupe de tenir à l'écart un chevalier de l'ordre des Teutoniques. Giuseppe d'Algondi réagit à la charge de Lusignan en combattant expérimenté, il comprend instantanément ce qui se passe et, à la vitesse de la foudre, frappe le prince de côté, espérant ainsi pouvoir retourner la situation. Lusignan, surpris, tente une parade, mais son bouclier ne rencontre que le vide ouvert par la feinte de son adversaire, et la lame épaisse de l'épée de tournoi de l'Italien fait résonner son heaume comme un tambour. Il recule en titubant alors qu'un second coup s'abat violemment sur sa main, le forçant à lâcher son épée et le mettant, par là même, hors jeu. De notre côté, Gunthar von Weisshaupt et moi avons balayé le troisième Italien qui nous barrait la route. Algondi, se voyant en mauvaise posture, tente de prendre la tangente. C'est sans compter sur Lowell Comnène qui, tout en repoussant une attaque du Teutonique, lance son pied pour le crocheter au passage et le faire trébucher dans son élan. Il roule assez lestement dans la boue malgré sa lourde cotte de mailles et essaie de se relever dans la foulée. Mais il est déjà trop tard. Je le repousse brutalement au sol d'un coup de botte et la pointe de ma lame se pose sans ménagement sur sa gorge, celle de Gunthar von Weisshaupt bloque le poignet qui tient son arme. Il nous regarde un court instant, l'un puis l'autre, sourit de ses dents carrées et écarte largement ses doigts afin de lâcher son épée de façon ostensible.

« Je me rends, messieurs, vous avez gagné ! »

Sans nous déconcentrer un seul instant, nous nous détournons de lui pour prendre la mesure de la situation : ainsi que nous l'escomptions, les Goddams et les Français se sont plus ou moins éliminés mutuellement et il ne reste plus beaucoup de monde dans le carré de combat. Notre allié byzantin en a fini avec le chevalier teutonique et il se trouve à présent face au dernier des

Anglais en lice, un *retainer*[1] du Lancashire, râblé et efficace, du nom de John Fenwood. Le chevalier à l'armure d'or s'en tire plutôt bien et le fait reculer, mais l'autre, solide sur ses jambes, repousse tout de même chacun de ses assauts. Nous nous précipitons pour lui prêter main-forte mais Rudac de Montbard ne nous en laisse pas le temps : un peu plus loin, le large Bourguignon vient de faire voler l'arme des mains de son dernier adversaire, ce qui amène le nombre de chevaliers encore en lice à six.

Le héraut sonne la fin des hostilités.

On n'est jamais très attentif aux mouvements et aux cris de la foule lorsque l'on se bat en plein milieu de la mêlée, en revanche, avec la tension qui retombe, le son revient d'un coup et l'on en reçoit les clameurs, hurlantes et enthousiastes, avec le plaisir de la victoire. Ce sentiment profond vous touche à l'intérieur et peut vous chavirer avec une intensité que ne peuvent même pas imaginer ceux qui n'ont jamais connu la gloire. Certains chevaliers, après y avoir goûté, ont un mal de chien à parvenir à s'en passer. Lowell Comnène est peut-être de ceux-là, en tout cas, les bras levés au ciel, il ne boude pas son plaisir et fait fièrement le tour des tribunes pour remercier la foule. Je fais de même, de manière plus mesurée, et m'incline légèrement en passant devant la tribune d'honneur. Plusieurs sourires et mouvements de tête discrets me répondent. Je crois bien que c'est la première fois qu'il y a autant de beau monde qui semble satisfait de mon succès. *Évidem-*

---

1. Noble anglais sans terre ayant juré fidélité à un seigneur plus puissant en échange d'une rente.

ment, chacun d'eux en attend des choses différentes et il est certain que je ne pourrai jamais réussir à tous les contenter…

Alors que je quitte le carré de combat, je constate que Gérard d'Auxois s'est placé volontairement sur ma trajectoire. Chercher à l'éviter serait faire preuve de faiblesse et je ne peux pas me permettre ce genre de choses. Je n'hésite donc pas un instant et marche droit sur lui. Nos épaules se heurtent sèchement au passage. La mienne ne plie pas plus que la sienne. Je m'arrête pour le toiser, manière de dire que s'il a envie de se battre maintenant, et tout de suite, je ne suis pas homme à fuir la confrontation. Lui me regarde de haut en bas, avec sa bonne demi-tête de plus que moi. La cicatrice de sa joue droite se creuse, comme une sorte de grande fossette, ce qui lui donne un faux air, à la fois cruel et souriant.

« Je trouve ça bizarre que tu te sois retrouvé juste à côté de l'Humal, du Byzantin et du sans couronne… Vous aviez l'air de vous entendre comme larrons en foire tous les quatre… »

Je le regarde d'un air froid.

« Et alors ?…

— Alors, à mon avis tu crois être le plus malin, Bâtard. Mais compte sur moi pour montrer à tout le monde que ce n'est pas le cas. Je vais t'écraser comme j'ai écrasé les Simiots[1] des Trois Buttes. Et je ramènerai ta tête à ton oncle, au cas où il veuille la faire empailler.

— Les Simiots que vous avez l'habitude d'écraser ne savent pas se défendre, d'Auxois, mais vous

---

1. Peuple de petits hommes-singes d'allure démoniaque.

allez voir qu'avec moi, ça risque d'être un petit peu différent. »

Je me retourne et rejoins Edric, sans plus faire attention aux menaces et aux injures qu'il continue à lancer dans mon sillage. Nous commençons à nous occuper de mes armes et de mon armure comme si de rien n'était, et je souris intérieurement. Avec le placement que je lui ai concocté pour tout à l'heure – loin de ses hommes et bien en tenaille entre Lowell Comnène, Gunthar von Weisshaupt et moi-même – le puissant chevalier bourguignon ne devrait pas être à même de nous causer trop de problèmes. Et avec le contrat que les Français ont placé sur sa tête, il ferait même bien de commencer à faire ses prières.

Pour autant, j'ai l'étrange sentiment qu'il y a quelque chose qui m'échappe... Pour quelle raison d'Auxois a-t-il choisi ce moment précis pour venir me provoquer ? Je ne vois pas ce qu'il avait à y gagner. Peut-être est-ce qu'il cherchait à cultiver son image de brute épaisse qui aime à impressionner ses ennemis. Mais cela me surprendrait fort qu'il se soit déplacé simplement dans ce but. Non, il voulait sans doute étudier ma réaction pour en déduire si je savais, ou si je ne savais pas, une certaine chose. La question, évidemment, c'est : de quoi est-ce qu'il pouvait bien s'agir ? Comme je n'en ai pas la moindre idée, et que le bougre paraissait particulièrement sûr de lui, il y a fort à parier que lui aussi me prépare, en ce moment même, une surprise de son cru...

41

Correspondance du professeur Michaël Konnigan avec Edward Maunde Thomson, directeur et bibliothécaire principal du British Museum. Moscou, le 6 juin 1899.

Monsieur le directeur,

Il paraît probable que vous ayez sous peu des récriminations officielles de la part de votre homologue du musée archéologique impérial de Vienne, et je crains fort que le professeur Eberweizer ne dépose, lui-même, une plainte en bonne et due forme à mon encontre. Cependant, j'ai le plaisir de vous annoncer que l'Œil d'Odin est à présent en notre possession.

Tout du moins en partie.

Il se trouve qu'Eberweizer avait réussi à soudoyer l'un des assistants du professeur Katchenovski en vue d'obtenir un certain nombre de renseignements qui étaient en notre possession (notamment les indications que nous avions découvertes à l'intérieur des tumulus de Kubinka). Grâce à cela, il était finalement parvenu à nous devancer sur le site de Serpukhov. Fort heureusement, la confluence des trois rivières qui se rejoignent à cet endroit précis regorge de petits lacs, d'îlots et de promontoires. Trouver le lieu général où le clan d'Athalaric avait livré sa dernière bataille contre les Khazars ne représentait qu'une pre-mière étape, et cela ne suffisait pas à Eberweizer pour lui per-mettre de découvrir l'emplacement exact de son tombeau.

Je mis moi-même près de trois jours à le repérer, observant une à une, à la jumelle, les centaines d'îles que compte la rivière Nara, sur une distance de deux kilomètres. Le tumulus se trouvait au creux d'un îlot en forme de croissant, orienté nord-est, sud-ouest (direction sacrée pour les Goths, qui indique le lieu de la naissance du monde et du repos des dieux). Malheu-reusement, le courant s'avéra particulièrement tumultueux à cet endroit et nous fûmes dans l'impossibilité d'accomplir la traver-sée. Les Autrichiens, arrivés le lendemain matin, disposaient, pour leur part, d'un matériel leur permettant de franchir l'obs-tacle : un treuil à vapeur sur lequel pouvait se fixer un long filin métallique. Ils avaient, évidemment, l'intention de l'utiliser.

Je tentai de négocier avec Eberweizer afin qu'il accepte de nous laisser le bénéfice de la relique des rois goths, en échange de tout le reste du trésor du tumulus — y compris les trois statuettes d'or de Thor, Sif et Freya, qu'il était censé contenir, conformément aux écrits de Clovaric. Malheureusement, il ne fut pas dupe. J'ignore de quelle manière il l'avait appris, puisque je ne m'en étais moi-même ouvert ni à Katchenovski, ni à sa charmante fille, mais toujours est-il qu'il savait, comme nous, que l'Œil d'Odin avait joué un rôle capital dans le mys-tère de la scission définitive du peuple goth, entre Ostrogoths et Wisigoths. Il était également au courant que sa disparition avait provoqué la Grande Migration, laquelle se trouvait, à son tour, à l'origine de l'effondrement de tout l'Empire romain. Un tel objet représentait une valeur infiniment plus grande que tout ce que je pouvais lui proposer en échange. Il m'a, par conséquent, ri au nez et n'a pas hésité à me provoquer, en me lançant qu'il allait se faire un plaisir de le ramener lui-même à Vienne, et que la seule chose qu'il me restait à faire, était de lui présenter mes félicitations. Face à une telle arrogance, vous conviendrez qu'une petite correction s'imposait.

Rien qui laisse des traces, je vous rassure par avance…

Il fallut quatre jours aux Autrichiens pour déblayer l'entrée et accéder enfin à l'intérieur du tumulus, puis deux autres encore, pour réaliser les relevés, les photographies et préparer l'enlèvement des objets. Pendant tout ce temps, ils faisaient garder leur précieux treuil, de jour comme de nuit, par au moins trois des hommes en armes de leur équipe.

Pas question de prendre le risque de les attaquer.

Nous les avons donc tranquillement attendus. Le jour où ils décidèrent enfin de ramener les objets sur la terre ferme, Katchenovski et moi-même les accueillîmes, accompagnés de cinquante soldats de l'Armée impériale russe. Le professeur s'était, à ma demande, rendu à Moscou dans l'intervalle, afin d'obtenir, par télégraphe, de son pupille, le frère du tsar, l'annulation pure et simple de l'autorisation de recherche qui avait été octroyée aux Autrichiens par l'université de Novgorod !

Il est vrai que, de par les règles de la profession, la découverte du tumulus, et de tout ce qu'il contient, devrait être créditée au professeur Eberweizer, puisqu'il est le premier à avoir mis le pied à l'intérieur de la tombe. Mais, vérification faite, il se trouve que sans les autorisations adéquates, cette règle est tout simplement nulle et non avenue.

Je demandai alors à Eberweizer s'il souhaitait me féliciter à son tour, mais il faillit me sauter à la gorge. Je suppose que cela voulait dire non.

L'Œil d'Odin, que je lui enlevai des mains, est une pièce superbe : une opale pure, d'environ deux pouces et demi de diamètre, polie par le temps, d'une blancheur et d'une rondeur parfaites, protégée par une magnifique treille grillagée, faite de circonvolutions de fils d'argent. Elle est marquée par une unique tache, de couleur rouge et noire, qui fait indéniablement songer à la pupille d'un œil véritable.

Au vu de la situation, vous comprendrez qu'il me fut difficile de cacher à Katchenovski son importance et les Russes décidèrent, par conséquent, de faire jouer la clause de préemption. L'Œil ne pourra donc pas, je le crains, faire partie du premier chargement qui sera expédié, dans les prochains jours, à destination de Londres. Le tsar compte d'ailleurs en faire le clou de la très prochaine inauguration du musée Maxime Gorki, à Moscou. Katchenovski, cependant, a accepté de valider mon statut de co-découvreur de l'objet et, de cette manière, j'ai tout de même pu négocier une alternance avec le British Museum, afin que l'Œil change de lieu d'accueil tous les deux ans. En attendant, j'ai bien peur que vous ne deviez vous contenter des épreuves photographiques que je joins à cet envoi.

Je suis conscient que cette solution n'est pas entièrement satisfaisante, mais dites-vous que c'est déjà mieux que de prendre trains et bateaux, afin d'aller le contempler dans l'une des vitrines du musée archéologique impérial de Vienne.

Pour ma part, je compte ne revenir à Londres qu'à la fin de l'été.

Dans l'attente de vous y rencontrer, veuillez agréer, monsieur le directeur et bibliothécaire principal, l'expression de mes sentiments les plus respectueux.

Professeur Michaël Konnigan

42

Les cloches de la cathédrale viennent de sonner la demie de onze heures et il pleut à nouveau, moitié neige fondue, moitié eau glaciale. Voilà qui ne va pas arranger l'aspect boueux du terrain. Les hérauts commencent à assigner les places de chacun des douze chevaliers encore en lice. Je les regarde faire avec une incrédulité teintée d'effroi, comme si une énorme boule de cendres s'insinuait progressivement dans mon estomac. *Par les Furies, ce n'est pas possible !* Le placement de départ ne correspond, *en aucune manière*, à ce que j'avais prévu.

« Content de te voir, Bâtard ! »

Cet enfoiré de d'Auxois, juste à côté de moi, me lance un sourire carnassier. Je me retrouve à devoir commencer le combat en plein milieu des quatre chevaliers bourguignons, et leurs regards noirs me promettent le pire… Quant à mes alliés du jour, von Weisshaupt et Comnène, ils ont été placés à l'autre bout des limites du carré, aussi éloignés de moi qu'il est possible. *Bon Dieu, je me suis fait salement avoir ce coup-ci.* J'essaie d'accrocher le regard du héraut en chef pour l'interroger sur mon placement, mais il détourne prestement les yeux et fait mine de s'intéresser aux irrégularités imaginaires de l'une des lignes blanches. J'en suis réduit aux suppositions. D'Auxois, ou l'un de ses hommes, est sans doute passé chez lui, hier, après Gerfaut. Et il a dû lui proposer une somme bien plus élevée que la mienne, à moins qu'il ne lui ait tout simplement fait suffisamment peur, pour qu'il cède et trahisse son premier engagement. Les Bourguignons ont été rusés, il faut le reconnaître : ils ont pris soin de demander au traître de bien respecter mes ordres, jusqu'à la finale. De cette manière, il n'y avait pratiquement aucune chance pour que je voie le coup venir. C'est sans doute cela que d'Auxois voulait vérifier lorsqu'il était venu me provoquer tout à l'heure : est-ce que je me doutais de ce qu'il avait préparé, ou non ? Et la réponse a clairement été non. J'aurais peut-être pu me montrer plus habile dans ma façon de lui répondre, mais, au final, cela n'aurait rien changé.

J'avale ma salive avec difficulté. *Reste calme, mon vieux, reste calme !* Si je veux trouver un moyen de m'en tirer, j'ai intérêt à réfléchir, vite et bien. L'avantage, c'est qu'il n'y a plus que douze combattants en jeu. Cela signifie obligatoirement que les espaces entre chacun vont être plus importants, et qu'il me reste, par conséquent, une mince chance de pouvoir me faufiler entre les mailles du filet, pour faire jonction avec mes deux alliés.

D'Auxois a choisi de se placer à ma droite, avec Jouve d'Arcy. À gauche, se trouvent ses deux autres acolytes, Gauvain de Dole et Rudac de Montbard. Au-delà des Bourguignons, sur ma droite comme sur ma gauche, il a fait mettre, côte à côte, un Français et un Anglais. Dans la même logique que celle que j'ai utilisée au tour précédent, il y a de grandes chances que ceux-ci se jettent à la gorge l'un de l'autre, dès le début des hostilités. Ce qui laissera les Bourguignons tranquilles, le temps qu'ils me réduisent gentiment en charpie...

Gunthar von Weisshaupt et Lowell Comnène sont sur le côté du carré qui se trouve en face de moi, séparés l'un de l'autre par le seul chevalier champenois encore en lice, Cendre de Bar. Mon unique espoir de réussir à les rejoindre serait, *a priori*, de prendre mes jambes à mon cou, dès le début du combat, pour foncer droit vers le centre. Seulement, il s'agit vraisemblablement là de ce à quoi d'Auxois s'attend. Ce n'est pas pour rien qu'il a placé ses deux hommes les plus rapides le plus loin de moi possible, l'idée étant qu'ils aient moins de chemin à parcourir pour m'intercepter. Si jamais je m'engage vers le centre et qu'ils réussissent à me barrer la route, je me trouverai alors à découvert, complètement encerclé, et avec d'Auxois dans mon dos en prime. Il est évident que ce n'est pas la tactique que je dois adopter.

Ma propre respiration résonne fort dans mon heaume et je prends soudain conscience que je serre mon arme et mon bouclier, à en avoir les doigts bleus. Je me force à inspirer plus calmement pour éclaircir mon esprit.

Tout va se jouer dans les prochaines secondes.

Les trompettes sonnent le commencement du combat et, pour une fois, l'immense clameur de la foule parvient jusqu'à mes oreilles. Je m'élance comme un diable en direction du centre... Mais sur trois pas seulement.

Avec un heaume, personne ne peut courir en regardant sans arrêt sur le côté, par conséquent

Jouve d'Arcy et Gauvain de Dole – les deux Bourguignons les plus rapides à la course – n'ont dû jeter qu'un simple coup d'œil dans ma direction pour vérifier que je faisais bien ce à quoi ils s'attendaient... À présent, ils filent à toute allure, droit devant eux, dans l'optique de m'intercepter. Ces deux-là ne se rendront compte de mon changement de direction que dans plusieurs secondes. À moi de mettre ce temps à profit, si je le peux. Je charge et frappe de toutes mes forces sur Rudac de Montbard : le gaillard est solide, mais c'est le moins habile de mes quatre adversaires. Derrière moi, j'entends déjà d'Auxois hurler des ordres pour faire revenir ses hommes. D'un coup de pied dans une flaque au sol, je fais jaillir sur le large Bourguignon une énorme gerbe de boue, inconsciemment il tente de la bloquer de son bouclier, cela ne lui prend qu'une fraction de seconde, mais lorsqu'il se remet en garde, je me suis décalé sur sa droite, et il met un instant de trop à comprendre que je suis masqué par son propre bouclier. Mon épée de tournoi fauche, d'un seul coup, ses deux pieds, et il s'effondre en criant de douleur, vers l'avant. S'il s'était agi d'une véritable arme de guerre, il aurait été bon pour finir sa vie sur des billots en bois. Dans le cas présent, il pourra recommencer à claudiquer d'ici quelques semaines. En attendant, cela fait un Bourguignon de moins.

J'entends des pas en approche rapide derrière moi. Attention. Maintenant ! J'échappe de justesse à l'épée bâtarde de d'Auxois et me retourne vivement pour tenter de le surprendre par un coup d'estoc fulgurant au niveau du plexus. Les coups d'estoc sont plus dangereux que ceux de taille, bien que les armes de tournoi soient émoussées, il leur arrive pourtant de déchirer la maille, et la chair qui est en dessous par la même occasion. Malheureusement, d'Auxois n'a pas commis l'erreur d'écarter son bouclier au moment où il a frappé, il bloque et rejette ma lame avec un grognement rageur. Gauvain de Dole et Jouve d'Arcy sont déjà revenus. J'ai à peine le temps de regarder ce qui se passe plus loin, avant d'avoir à parer un, puis deux, de leurs assauts. De ce que j'en ai vu, Gunthar von Weisshaupt est aux prises avec l'Écossais de Bruce, Lowell Comnène a éliminé Cendre de Bar mais se retrouve face au très dangereux Aymeric de Plerval, vainqueur de l'autre Anglais, John Fenwood. Aucun des deux n'est en mesure de me venir en aide.

Les deux assauts contre moi étaient des feintes, l'attaque de d'Auxois, elle, est bien réelle, je réussis à l'éviter partiellement mais elle arrache tout de même une partie de l'épaulière droite de ma cotte de mailles, un morceau de chair avec. Je serre les dents et repousse Jouve d'Arcy sur quelques pas, pour me faire une ouverture, mais sans réussir, ni à le renverser, ni à faire tomber son arme. Gauvain de Dole en profite pour m'attaquer de côté et me frapper à la cuisse. Et d'Auxois se rue à nouveau sur moi.

« Tu vas perdre du sang, aujourd'hui, Bâtard...

— Moi... moi qui vous prenais pour un ami !... »

Je détourne le premier coup de taille qu'il m'assène, mais je suis contraint de me déplacer sans arrêt pour éviter les attaques des autres, et cela lui donne des ouvertures. Gérard d'Auxois est l'un des plus dangereux adversaires qui soit, à la suite d'une feinte habile, il finit par réussir à me frapper durement au niveau des jambes. La douleur m'empêche de me mettre hors de portée à temps, et les deux

315

autres en profitent pour m'attaquer de concert, l'un à la tête, l'autre sur le côté. Je parviens, *in extremis*, à bloquer les deux coups d'un mouvement oblique de mon bouclier, mais cela me découvre entièrement et d'Auxois en profite pour frapper de taille, en parallèle du sol, son coup me défonce le milieu du ventre. *Si cela avait été une véritable épée...* Mes côtes craquent et je tombe à genoux, expulsant d'un coup tout mon air. La masse d'armes de Gauvain de Dole s'encastre pour partie sur le côté de mon heaume, le faisant résonner comme une cloche de cathédrale, et j'en ressens le choc jusqu'aux tréfonds de mon crâne. Un liquide chaud dégouline le long de ma joue, ma vue se brouille et je n'entends plus que des bourdonnements assourdis qui crachotent dans mes oreilles. À genoux, une main en terre et à moitié assommé, je m'accroche encore désespérément à mon épée.

« Cette fois c'est terminé pour toi, Kosigan ! »

Surtout ne pas lâcher mon arme.

J'attends, à tout instant, le coup de grâce qui me fera définitivement tomber. Mais il ne vient pas. L'esprit en partie noyé dans une brume épaisse, je perçois des bruits sourds et des phrases en écho. Choc de métal contre métal, un coup de masse sans doute, mais pas contre moi, suivi d'un coup de bouclier. Le long cri de douleur de Jouve d'Arcy, alors que son corps s'effondre au sol. D'Auxois semble, lui aussi, avoir été éjecté sur le côté, et puis la voix déformée et grondante de Gunthar von Weisshaupt me parvient.

« Un koup de main peut-être, mezzire de Kozigan ? »

Surtout ne pas lâcher mon arme.

« Ce... ce n'est pas de refus... »

Il faut absolument que d'Auxois cesse de me considérer comme une menace, du moins pour l'instant. Je tousse aussi fort que je peux et abaisse mon visage plus bas vers le sol pour cracher du sang à travers la visière de mon heaume. *Nom d'un chien, je me sens à peine mieux que ce dont j'ai l'air.*

Je devine vaguement que Gauvain de Dole est en train d'attaquer le géant allemand. J'essaye de me relever pour voir ce qui est en train de se passer et où se trouve d'Auxois, mais ma tête tourne et j'ai des haut-le-cœur. M'appuyer sur mon arme pour conserver mon équilibre. Me concentrer sur la situation. Le dernier chevalier français, Aymeric de Plerval, est lui aussi entré dans la danse. Il a dû attaquer d'Auxois de côté, et l'un et l'autre se font face à présent, visiblement un peu circonspects. Quant à Weisshaupt et Gauvain de Dole, ils ont l'air de faire, plus ou moins, jeu égal.

La tête me tourne encore mais je devrais bientôt être capable de me lever.

Sir Aymeric se lance le premier, il enchaîne une série d'attaques, précises et dangereuses, que d'Auxois pare de plus en plus difficilement. Le bouclier à tête de taureau de ce dernier, déjà abîmé par le premier assaut du Français, se fend sous un second choc, et plus encore sous un troisième, mais l'épée de Plerval se retrouve malencontreusement coincée dans la craquelure ainsi créée. Il tente de la retirer vivement, mais sans succès. D'Auxois ne lui laisse pas de seconde chance, d'un large mouvement de torsion de son bouclier il tente d'arracher l'épée des mains de son adversaire. Le Français s'accroche autant qu'il le peut, mais cela le rend vulnérable et le Bourguignon le secoue comme un prunier, de gauche et de droite, en profitant pour lui asséner à chaque fois des coups de plus en plus violents, sur le heaume, les épaules et le gorgeron, jusqu'à ce que le chevalier de l'ordre de l'Étoile ne finisse par lâcher prise et être déclaré à son tour hors jeu.

Le chef des Bourguignons ne perd pas de temps à savourer sa victoire, il se retourne aussi vite qu'il le peut et me lance un bref coup d'œil, manière de jauger mon état. Je ne dois pas lui paraître très fringant car il décide finalement de se précipiter sur Gunthar von Weisshaupt qui est en train d'acculer petit à petit Gauvain de Dole à la limite du terrain.

Je vacille encore un peu mais tiens presque debout à présent, et je trouve tout de même la force d'hurler pour avertir le grand Allemand de la charge du Taureau de Bourgogne.

Ce qui se passe alors est assez confus. Gunthar von Weisshaupt se retourne et l'épée de d'Auxois s'écrase lourdement sur son bouclier, mais, emporté par son élan, le Bourguignon le percute avec brutalité. Tous deux s'effondrent, aplatissant sous leur masse Gauvain de Dole, qui s'affale finalement à *l'extérieur* du carré. D'Auxois ne perd pas une seconde, l'Humal ayant subi l'essentiel du choc, il profite de sa position surélevée pour le frapper à plusieurs reprises au niveau du heaume, et le pousser, à son tour, à l'extérieur des lignes.

Bon Dieu, mes jambes, tenez le coup, il n'y a plus que moi !

Je me mets en garde en reculant doucement. Chaque seconde gagnée peut être utile. Chaque seconde. Mon ouïe est déjà redevenue presque normale et ma vue est de moins en moins brouillée, mais je ne suis pas encore en état de lui faire face. Loin de là. Il va falloir tricher.

D'Auxois se relève et se tourne dans ma direction en me jetant le regard d'un taureau dans une arène. Il commence à s'approcher, l'air mauvais et sûr de lui, il se débarrasse de son bouclier, aux sangles visiblement arrachées, et le jette au loin, puis, empoignant son épée à deux mains afin de lui donner davantage de force et de puissance, il commence à courir. Je recule jusqu'à trois mètres environ de la limite du carré, et j'entame un lent mouvement circulaire, en essayant de paraître aussi sûr de moi que possible. Je fais semblant de tracer des lignes dans les airs avec mon épée et d'incanter une espèce de sortilège, en scandant des paroles incohérentes en gaélique. Chaque seconde compte. Cette attitude étrange semble le faire hésiter et freine son élan. Il arrête de charger et s'approche à présent de moi d'un air plus circonspect.

« Tu tiens à peine debout, Bâtard, pas la peine d'essayer de m'en faire accroire ! »

Je l'observe du mieux que je peux et ce que je vois me redonne un peu d'espoir. Sa cotte de mailles est abîmée par endroits et elle comporte même deux ou trois *déchirures* de bonne taille. Je n'aurai pas plusieurs chances. Je ne sais même pas si j'en aurai une. En tout cas il faudra que le coup de la pointe de ma botte que je prévois de lui donner le frappe juste au niveau de la cuisse droite, là où sa chair est la plus accessible. Si j'arrive à le toucher là, j'ai encore une chance de remporter la victoire.

« Vas-y, utilise la magie sur moi, si tu en es capable ! Je serais ravi de te voir finir sur un bûcher ! »

Je ne réponds pas à ses provocations verbales, parce que je crains que ma voix ne trahisse ma faiblesse. Chaque seconde compte. L'air qui entre dans mes poumons ne me brûle déjà plus autant que tout à l'heure, j'ai à peu près retrouvé mon sens de l'équilibre, et je pense pouvoir réunir suffisamment de forces pour donner quelques coups. En revanche, mes jambes me font encore énormément souffrir et elles parviennent à peine à me soutenir. Face à un tel adversaire, ma mobilité devrait être mon meilleur atout, mais je sais pertinemment que je n'aurai pas le temps de la récupérer avant qu'il ne se lance à l'assaut.

Partout, autour de nous, la foule crie et lui hurle de m'attaquer, après quelques questions moqueuses, non suivies de réponse, c'est ce qu'il finit par se décider à faire. Il commence par un assaut prudent sur mon bouclier, juste pour me tester, avant de reculer immédiatement hors de portée d'un éventuel danger magique. Évidemment rien ne se passe. *Je n'ai jamais été fichu d'apprendre un seul de ces foutus sortilèges en entier.*

« Je vois qu'encore une fois tu t'es payé ma tête, Bâtard, mais je crois bien que ça va être la dernière ! »

Son second coup est plus fort et son troisième bien plus encore. Je vacille sous le choc, mais mon bouclier tient bon. Si seulement je pouvais vraiment bouger, mais j'ai peur de m'effondrer si j'essaye. Je suis obligé de parer. Et il le sait.

Il ne lui reste plus qu'à s'attaquer à moi comme un bûcheron s'attaquerait à un arbre, de plus en plus violemment, jusqu'à ce que mon bouclier finisse par céder, et que je me retrouve à ses pieds, sans défense.

J'estime qu'il faudra encore trois coups pour que cela arrive. Mais j'ai tort. Dès l'assaut suivant mon écu se fissure, dans un grand craquement, et j'en ressens les vibrations jusque dans les reins. D'Auxois hurle et frappe une dernière fois de toutes ses forces… C'est le moment que j'attendais. Le bouclier vole en éclats mais j'en profite pour donner le coup de pied que je voulais donner, exactement en même temps que son attaque, quitte à être balayé par le choc. De fait, des éclats métalliques s'enfoncent dans mes avant-bras et je m'écrase au sol, mais je crois que j'ai réussi.

Je rampe vers l'arrière de mon mieux pour juger de la situation. Le Bourguignon s'est reculé et sa cuisse saigne. Je l'ai touché. Et la discrète petite pointe métallique du bout de ma botte a fait son office. *Il va falloir un peu de temps maintenant pour que le poison fasse effet.* Malheureusement, il n'est visiblement pas dans ses intentions de me laisser souffler.

« Fais tes prières maintenant, Bâtard, tu tires ta révérence ! »

Il frappe de haut en bas avec lourdeur. Instinctivement, je saisis mon épée comme un bâton pour bloquer, tant bien que mal, son attaque. Il pourrait sans doute me transpercer, mais il s'acharne, encore, et encore, de plus en plus fort, mes mains ensanglantées vont lâcher. J'essaie désespérément de renverser ses pieds pour le faire tomber, mais mon attaque est maladroite et il l'évite sans difficulté. Son dernier coup brise littéralement mon arme en deux, en plein dans son milieu. Je lis la victoire et le meurtre dans ses yeux.

« Nom de Dieu, d'Auxois… !

— Adieu, Bâtard, ton oncle me saura gré de ce que je vais faire maintenant ! »

Il frappe, mais sa tête paraît momentanément lui tourner et il vacille un très court instant. Son épée me manque de très peu et fait jaillir la boue à moins d'un pouce de ma gorge. *Le poison, il commence à faire effet !* D'abord, cela brouille la vision, puis vient la paralysie et après... De mon côté, le souffle de la mort semble avoir fait bouillir mon sang et m'avoir rendu quelques forces, je rampe à reculons, aussi vite que je peux, vers l'arrière. Et merde à la douleur qui me vrille les jambes !

« Espèce de sale petite ordure, qu'est-ce que tu m'as encore fait ?!... »

Il frappe de toutes ses forces en me poursuivant, plus ou moins au jugé, et j'évite de justesse ses coups en roulant sur moi-même. Il hurle sa haine et cela semble lui rendre ses esprits.

« Tu vas crever, Bâtard ! »

Enfer, je suis encore à sa merci ! D'un bond, il saute vers le haut afin d'avoir davantage de poids encore à la retombée, sa lourde épée solidement ancrée dans ses deux mains, et il assène un coup vertical de toute sa fureur et de toute sa rage.

Je crie moi aussi, lâchant toute prise, et donne un grand coup latéral avec ce qu'il me reste de lame pour dévier la sienne. J'évite la mort de peu, mais son coup me touche quand même, il s'écrase avec la brutalité d'un tir de baliste lourde sur mon épaule gauche, et je hurle sous le craquement des os qui se brisent. Pas le temps de réfléchir. Par pur réflexe, ma main droite réarme et projette, avec toute la violence de l'adrénaline et de la douleur, ma lame vers le haut et vers le cœur de d'Auxois, lequel est encore plus ou moins penché sur moi. Je ne sais pas trop où je le touche, mais je sens l'acier arracher les mailles de son armure et s'enfoncer dans ses chairs. Je crois que ça a en partie ripé, mais en tout cas ça saigne et le poison achève de faire son effet. Il s'effondre sur moi, définitivement hors de combat.

C'est fini.

Au loin, j'entends comme assourdies les acclamations de la foule. *Il... il n'y a rien qui leur donne plus de frissons que lorsqu'ils pensent assister à la mort d'un homme.* Je halète. Cette saleté de d'Auxois pèse aussi lourd qu'un âne mort et il dégouline de sang, il m'écrase de partout et je n'arrive plus à respirer, et j'ai mal, très mal. J'essaye de repousser son corps du mieux que je peux, mais mon bras gauche est affreusement douloureux et tout ce que je touche est boueux et poisseux, et je n'arrive pas à avoir de prise, mon champ de vision se rétrécit de plus en plus, et j'ai comme un nid d'abeilles dans les oreilles, et envie de vomir, je hurle à nouveau pour utiliser mes dernières forces pour décaler le corps du Bourguignon, ne serait-ce qu'un peu, sur le côté, mais l'effort est trop grand, et je sombre dans le noir, et dans la boue.

Correspondances de Kergaël de Kosigan avec Charles Chevais Deighton. Paris, le 23 juin 1899.

Salutations Charles,

Cette installation sur la Seine se révèle particulièrement agréable. Le bateau est un vieux tjalk néerlandais que j'ai rebaptisé L'Esquive, *il a cette proue et ce fessier arrondi si caractéristiques des anciens transporteurs du nord, et il s'avère vaste et fort bien aménagé. L'entreprise Desmarets a fait du bon travail. Lui et moi sommes tranquillement amarrés à quai, au niveau d'une série de pontons privés, à proximité du bois de Vincennes, assez loin de la foule grouillante, et parfois un peu suspecte, des docks.*

Je peux à présent me consacrer pleinement aux recherches sur l'origine de mon héritage. À ma grande surprise, le détective Hennion a déjà fait une découverte intéressante : il a utilisé une toute nouvelle technique pour relever ce qu'il appelle des « empreintes digitales », sur le colis qui est à l'origine de toute cette affaire. Si tu observes l'extrémité de l'intérieur de tes doigts, tu constateras qu'il y a des sortes de lignes très fines qui s'imbriquent sur toute la longueur de la peau. D'après Hennion, ces lignes sont différentes pour chaque être humain. Nous disposons donc du dessin de celles qui appartiennent à la personne qui a livré le colis.

Cela ne nous mène pas à grand-chose, me diras-tu, dans la mesure où nous ne disposons d'aucun autre dessin du même type auquel le comparer. Et tu auras raison. Si ce n'est que, fort heureusement, les services de police parisiens ont mis en place, depuis l'année dernière, une vaste expérience visant précisément à relever ce type d'empreintes sur toutes les personnes gardées à vue, dans l'un ou l'autre des commissariats de la capitale.

Hennion a envoyé à son cousin – qui occupe, ainsi que je te l'ai déjà dit, le poste de préfet de police – une copie des empreintes qu'il a prélevées, en lui demandant, à titre de faveur, de faire réaliser une recherche par ses services. Évidemment, cela peut prendre plusieurs mois, vu le nombre incroyable de personnes arrêtées ici chaque année, et il y a de fortes chances que cela n'aboutisse à rien. Mais c'est une piste intéressante et il faut, bien sûr, la suivre jusqu'au bout.

À cet égard, j'apprécierais que tu voies de ton côté si monsieur Deighton père, à Scotland Yard, n'aurait pas l'opportunité de nous aider, lui aussi, de la même manière. Il est clair que le colonel ne va pas te donner son autorisation facilement, et sûrement pas pour la simple raison de me faire plaisir, il faudra donc probablement agir avec ruse. Ce n'est qu'une suggestion mais tu pourrais, par exemple, simuler une effraction dans ta propre maison, et, pourquoi pas, faire disparaître le fameux collier de perles ramené du Bengale par la grand-mère de Mary. Je suis conscient qu'il ne s'agit pas là d'une mince affaire, mais je suis certain qu'il y a au moins deux ou trois babioles victoriennes chez toi que tu serais ravi de voir se faire enlever par un voleur, par la même occasion…

La semaine prochaine j'ai l'intention d'organiser plusieurs

déplacements, à Vernon et à Maulnes, les deux endroits où j'ai hérité d'un château et d'une place au cimetière !

Je te tiendrai au courant de ce que j'y trouve.

Bien à toi.

Kergaël

Troyes, l'après-midi du 9 novembre de l'an de grâce 1339.

La douleur brûle et déchire l'intérieur de mon épaule gauche. Son intensité m'arrache un grognement en me tirant désagréablement des brumes de l'inconscience. *Beaucoup trop tôt à mon goût !* L'os a sans doute été cassé à plusieurs endroits et il est, en ce moment même, en train de se ressouder, le processus est rapide mais il a une sale tendance à faire un mal de chien. Je serre les dents en espérant que cela ne dure pas trop longtemps. La relativement bonne nouvelle, c'est que mes autres blessures, en comparaison, ne me font pratiquement plus souffrir. D'après ce que je peux juger de mon état d'ensemble, je ne devrais pas tarder à pouvoir tenir debout, et d'ici une petite heure, mon bras gauche devrait avoir de bonnes chances d'être à peu près utilisable.

J'ouvre les yeux.

Décidément, me réveiller dans un lit autre que le mien a tendance à devenir une habitude. Presque autant que de frôler la mort. Au moins, cette fois-ci, je ne suis pas attaché.

La pièce dans laquelle je me trouve est décorée de tapisseries épaisses représentant la bataille d'Hastings – je reconnais les couleurs de Guillaume le Conquérant, à la tête de sa cavalerie normande, ainsi que leurs casques à protections nasales et leurs lances si caractéristiques. La pièce est éclairée par la lumière extérieure – il fait gris dehors mais à en juger par la luminosité ambiante, il doit être approximativement trois ou quatre heures de l'après-midi – et une large cheminée de pierres accueille deux ou trois bûches d'un pas de long, desquelles émane une bonne chaleur crépitante. Au travers du verre cerclé de métal de la fenêtre, on aperçoit la façade, de l'autre côté de la rue. Je reconnais le bâtiment, c'est la halle des marchands de lin de la rue des Jonquilles. Juste en face de l'hôtel particulier de la délégation du roi de France. *On dirait bien qu'Edric a fait ce qu'il fallait.*

J'aperçois Robert de Navarre. Il est en train de parler à la servante que j'avais déjà entraperçue la veille au soir, lorsqu'il se rend compte que j'ai repris conscience.

« Ah, Kosigan, vous revenez enfin à vous. Un moment, nous avons craint le pire. Heureusement pour votre santé, il semble que vous ayez des capacités de récupération hors du commun. »

Le cousin du roi de France paraît plutôt détendu. Son visage hâlé et ridé est souriant et sa voix a l'assurance de celui qui croit sa victoire définitivement acquise.

Je regarde autour de moi en fronçant les sourcils, les yeux toujours un peu dans le vague.

« Est-ce que… Est-ce que j'ai gagné ? »

Il sourit et attrape la petite cassette de bois sombre qui se trouvait posée sur ma table de chevet.

« Gérard d'Auxois est mort, vous êtes en vie et,

dès que vous réussirez à vous lever, la comtesse vous remettra votre prix. Quant à moi, voici ce dont nous avions convenu. » Il ouvre le petit coffre et le reflet d'or des écus me confirme ses dires. « ... Alors oui, je crois, bel et bien, que vous avez gagné. »

Je grimace un sourire plus ou moins satisfait tout en grognant à cause de la douleur qui me vrille l'épaule.

« J'ai... j'ai bien l'impression que d'Auxois aussi avait l'intention de m'éliminer définitivement.

— Vu des tribunes cela en avait effectivement tout l'air. Vous voyez, j'avais raison lorsque je vous disais qu'il y a certains ennemis dont il vaut mieux savoir se débarrasser... »

Je grommelle en portant ma main droite à mon épaule.

« Les... les dieux savent qu'il ne va pas me manquer en tout cas !

— Martine, apporte le lait de pavot à la décoction d'écorce de saule que mon médecin a préparé pour notre ami. Et veille à ce qu'il ne manque de rien en mon absence ! Vous allez voir, Kosigan, avec ça vous serez un peu sonné mais la douleur va disparaître assez rapidement. »

La jeune femme d'âge presque mûr s'approche de moi, un bol empli d'un liquide laiteux entre les mains. Je lui fais signe d'attendre.

« Monseigneur de Navarre, comment se fait-il que je me réveille dans votre hôtel particulier, exactement ?

— Ah ! Oui, je comprends votre surprise. À vrai dire, c'est votre écuyer. Il m'est venu quérir peu de temps après votre combat. Et comme j'ai estimé vous être redevable, j'ai accepté de vous accueillir ici, plutôt que de vous laisser croupir, à moitié mort, dans une chambre d'auberge miteuse. »

Je serre les dents à cause d'une pointe de douleur plus importante que les autres.

« Je vous en sais gré, monseigneur. Mais est-ce qu'il n'y a pas un risque que cela fasse porter les soupçons sur vous en ce qui concerne la mort de d'Auxois ? »

Il écarte la question d'un haussement d'épaules.

« Tout le monde a assisté au combat et personne ne pourrait nier que vous étiez en état de légitime défense. Non, il n'y a pas la moindre raison de s'inquiéter à ce sujet. »

Il paraît entièrement détendu. Je hoche la tête d'un air satisfait.

« Messire de Kosigan, buvez le lait et reposez-vous ! Je dois, pour ma part, me rendre au palais pour préparer les festivités et l'annonce de mes fiançailles. Quant à vous, ne vous en faites pas, si jamais vous vous sentez trop fatigué et que vous préférez rester ici pour dormir, tout le monde le comprendra parfaitement. Après tout, plus rien ne vous presse à présent et vous pouvez être certain que la comtesse Catherine sera tout aussi heureuse de vous remettre le prix de votre victoire demain, ou après-demain. Ou même le jour d'après si vous avez besoin de davantage de repos. En tout état de cause, vous êtes le bienvenu ici, aussi longtemps que vous le désirerez.

— Merci, monseigneur. J'ignore si je serai capable de me lever, mais je ferai de mon mieux pour essayer de vous rejoindre, vous avez ma parole. »

Son visage se crispe très légèrement mais il se reprend vite et quitte la pièce avec un dernier petit signe de tête qui se veut amical.

« Ne forcez pas en tout cas, et restez au chaud !
Quant à toi, Martine, occupe-toi au mieux de mon
invité, je souhaite qu'il puisse obtenir tout ce qu'il
désire. Est-ce bien compris ? »

La servante fait une petite courbette.

« Tout à fait monseigneur. »

Et il sort.

J'avale difficilement ma salive à cause de la douleur et me concentre un instant sur ladite Martine.
Essayant de décrypter à son regard si, oui ou non, il
s'agit de Dùn. Sans grand succès. Elle est plutôt jolie
avec ses cheveux poivre et sel qui débordent de sa
coiffe, ses yeux noirs et ses lèvres douces. Son cou
harmonieux présente naturellement la grâce que certaines danseuses n'acquièrent qu'après plusieurs
années d'exercice. Et le vaste décolleté de sa robe de
servante laisse agréablement entrevoir la profonde
rainure qui sépare ses deux seins.

Voyant où se portent mes yeux, elle me lance un
regard amusé et doux tout à la fois, puis penche
délicatement le bol pour qu'il atteigne mes lèvres.
« Allons-y, mon beau seigneur, il faut boire à présent. » Elle s'y prend très bien car le liquide amer
commence à pénétrer par petites gorgées dans ma
bouche, sans qu'une seule goutte ne dégouline sur les
côtés.

L'écorce de saule et le lait de pavot sont de puissants antidouleurs, et je ne peux nier que, dans l'état
actuel des choses, j'aurais bien besoin de leurs services. Cependant, Robert de Navarre n'ignore probablement pas que leur interaction présente le petit
inconvénient de plonger celui qui les prend dans un
sommeil profond, pendant une bonne douzaine
d'heures d'affilée. On dirait bien que celui qui

ambitionne de devenir le nouveau comte de Champagne a la ferme intention de ne pas me voir me présenter au banquet de ce soir. Sans doute pour que le vainqueur du tournoi ne puisse pas lui voler la place d'honneur et qu'il ait tout le loisir de profiter pleinement de l'annonce officielle de son mariage.

Malheureusement pour vous, seigneur de Navarre, j'ai tout de même bien l'intention d'y être, à ce banquet. Et, avec un peu de chance, j'aurai encore une ou deux surprises pour vous!

Mon corps a sans nul doute la force de résister à l'effet d'endormissement des plantes, mais cela risquerait d'obscurcir sensiblement mon jugement et ma clarté d'esprit. Et avec la nausée et le mal de tête, c'est là un prix que je ne peux pas me permettre de payer pour l'instant. Je n'ai donc guère le choix, quelle que soit la manière dont je me débrouille, il est hors de question que je boive plus de quelques gorgées de cette fichue décoction.

Je souris comme je peux à la jolie Martine qui me rend gentiment la pareille. Comme je l'avais prévu, la déformation momentanée de ma bouche décale légèrement le bol, et le lait se met à couler sur les bords jusqu'à mon menton, gouttant tour à tour sur les draps, puis sur mes vêtements.

«Oh! Pardon, messire, quelle maladroite je fais!»

Elle pose le bol et attrape un torchon à sa ceinture pour m'essuyer. Avec beaucoup de délicatesse, et tout en continuant à sourire, elle en tapote doucement mon menton et mon cou. Sans doute a-t-elle à cœur de respecter les ordres de son seigneur concernant mon bien-être, car les formes agréables de son ample décolleté offrent largement ses charmes à ma vue. Et elle ne fait aucun effort pour les dissimuler.

« Laissez, jolie Martine, je peux très bien... »

J'essaie de l'aider mais l'os vrillé de l'intérieur de mon épaule stoppe net mon élan et m'empêche de finir ma phrase. Je pousse un grognement de douleur.

La jeune femme me lance un regard apitoyé. Son sourire s'accentue alors qu'elle se penche pour m'aider à me rallonger.

« Tout doux, beau sire. Ne bougez pas d'un pouce et laissez-vous aller. » Une de ses mains caresse ma joue puis mes cheveux, tandis que l'autre se pose sur mon bas-ventre. Ses lèvres douces prenant progressivement la direction des miennes. « J'ai ordre de veiller à combler tous vos désirs, messire, et j'ai bien l'intention de m'y employer ! »

Ma main valide se pose sèchement sur son cou. Pour l'arrêter. « Ça suffit comme ça, Dùn, à quoi est-ce que tu crois avoir le droit de jouer avec moi ?

— M-messire ? Je ne comprends pas, je ne suis pas... »

Je la repousse doucement. Sous l'illusion, je sens très bien sa peau rugueuse et granuleuse.

« Inutile de me faire ton petit manège. Ton geste a été bien trop rapide quand tu as déposé le bol sur la table, et une *véritable* servante ne m'aurait jamais sauté dessus comme tu viens de le faire. J'ai déjà vu des prostituées plus timides que ça ! Elle aurait peut-être accepté de se laisser faire, mais il est certain qu'elle n'aurait pas pris l'initiative. Pas de cette manière en tout cas. »

Son image se brouille un court moment.

« Très bien, messire le malin... Je suis contente de

voir que, finalement, vous ne perdez pas tout sens commun quand vous êtes face à une jolie paire de nichons… C'est plutôt rassurant.

— Je ne vois pas ce qui pouvait t'en faire douter… »

Je lui tapote la joue. Ce n'est pas la première fois que j'ai l'impression que la jeune Dùn en pince pour moi. Sauf que «la jeune Dùn», justement, n'est plus si jeune que cela. Elle est devenue une femme à présent, et ses illusions peuvent la rendre particulièrement attirante. Cela promet quelques éclaircissements difficiles, un jour ou l'autre, mais là, ce n'est ni l'heure, ni le lieu.

«Laisse tomber les excuses, ma belle, c'est oublié. À présent, cours récupérer l'élixir de sang dans mes affaires et amène-le-moi. Que je puisse essayer de finir ce qu'on a commencé, avant la fête de ce soir!»

La magie reste toujours pour moi une source d'émerveillement.

L'élixir de sang est une médecine à nulle autre pareille. Sa magie guérit les blessures, clôt les entailles et redonne de la force aux ossements du corps. Le secret de sa composition remonte à Hippocrate et seuls quelques très rares adeptes des mystères anciens en connaissent encore la formule exacte. Pour ma part, le grand mestre de la tour d'Airain de Kosigan, Joachim Lodaüs, ne m'en a appris que les ingrédients de base : du sang de dragon et de licorne en quantité inconnue, de la sève d'Arbre-cœur prélevée à l'aube du premier jour d'un mois lunaire, des épices rares et des fils de soie, en nombre et en dosage précis, et bien sûr les enchantements exacts et les mots secrets, dont la scansion m'a toujours complètement échappé. Ajoutez-y au moins une semaine de travail éreintant, et le sacrifice de trois êtres vivants, et vous obtenez l'un des plus puissants breuvages curatifs qui puisse exister. Une gorgée suffit pour vous revivifier en quelques minutes et faire disparaître d'un coup faim, soif, fatigue et blessures peu profondes. Il en faut deux, si les blessures sont plus graves, ou si les os sont brisés. Et trois si le patient a atteint les portes de la mort. Au-delà de cette limite, rien ni personne en ce bas monde ne peut plus le ramener. *Et je ne suis pas pressé de voir si mes capacités à moi peuvent aller au-delà !*

Bien que j'en perçoive assez facilement la présence ou l'utilisation, je n'ai jamais été très doué pour manipuler la magie et je suis moi-même pratiquement insensible à certaines de ses formes. Ce n'est pourtant pas faute, pour mon père, d'avoir insisté, afin que Lodaüs m'enseigne certains de ses secrets. Lui-même avait appris, me disait-il, et il n'avait jamais pu que s'en féliciter. *Jusqu'à ce qu'il finisse par en crever en tout cas !*

Les chemins qu'il faut emprunter pour acquérir le savoir et le pouvoir des dieux des temps anciens sont les plus longs et les plus dangereux qui soient. Ils nécessitent un travail acharné, de la rigueur et de l'abnégation, et une patience aussi profonde que les puits de Lune de Stanin Dhuitis. Je n'ai, pour ma part, jamais eu ce genre de patience, mais je dois reconnaître que, dans certains cas, la magie est capable de réaliser de véritables prodiges. Les éclairs, le feu, les enchantements, les illusions, tout cela est déjà phénoménal, mais j'ai vu de mes yeux, dans les débuts de ma carrière, des choses qui, peut-être, ne se reverront jamais dans toute l'histoire de l'humanité. J'étais à Milan lorsque le Cri du maître-sorcier, Scalivonzo, a déchiré les remparts de la ville en deux, comme une feuille de parchemin brûlée par le soleil, j'ai participé à la bataille de Montvermeil, où une pluie d'étoiles brûlantes, tombées du ciel, a écrasé sous son poids l'armée des chevaliers de l'Inquisition, et à Gênes, j'ai vu des lianes de métal sombre de plusieurs centaines de toises de long emprisonner dans les airs Lokilavinto, le dernier des dragons d'ombre de Ligurie, avant que les flèches enchantées des archers-sorciers de Pise ne le réduisent, définitivement, au néant éternel. Ce genre de puissance extrême est particulièrement impressionnant mais, aujourd'hui, elle se fait de plus en plus rare. Ceux qui en détenaient autrefois les obscurs secrets sont morts, ou bien ils se cachent, traqués par les chevaliers et les limiers de l'Inquisition et de l'Église.

Il faut dire qu'il n'est pas facile pour eux de se défendre. Réaliser ce genre de pratiques est loin d'être une chose aisée. Plus grands sont les pouvoirs que l'on cherche à contrôler et plus grandes sont les contreparties que l'on doit être prêt à concéder pour les obtenir. Certains rituels, parmi les plus puissants, peuvent prendre plusieurs semaines de préparation et nécessiter le sacrifice de dizaines de victimes vivantes. Et le moindre sortilège oblige les sorciers à se blesser ou à se mutiler eux-mêmes, afin de pouvoir accéder à la Source. Le sang, c'est la vie, et la vie est au cœur de la magie, c'est elle qui lui donne son énergie et sa force, sa puissance et son élan. Les mots en sont les fils qui peuvent tisser sa toile, et l'esprit en est l'aiguille. Mais plus grand est le sacrifice de source vitale et plus grand est le pouvoir obtenu. Il en a toujours été ainsi.

De nos jours, cependant, la magie est de plus en plus difficile à pratiquer, les composants provenant des races du passé ou des animaux anciens coûtent des sommes folles et certains ont même purement et simplement disparu. À ma connaissance, il ne doit plus rester que trois ou quatre dragons vivants de par le monde, de même le venin de manticore, les

337

larmes de licornes ou les serres d'aigles-lions se font de plus en plus rares, quant aux cornes des galroks[1] d'Antalaya, elles sont devenues littéralement introuvables depuis au moins dix ans. Pour les mages, c'est un peu comme s'ils perdaient progressivement des lettres, des mots, ou même des phrases entières de leur langage, et beaucoup des prouesses du passé sont d'ores et déjà impossibles à reproduire aujourd'hui.

La seconde des deux petites flasques d'élixir de sang que j'avais « empruntées » à mestre Lodaüs, au moment de mon départ en exil, n'est plus remplie qu'à un tiers, aujourd'hui. Une fois qu'elle sera entièrement vide, j'ignore si quelqu'un, quelque part, sera encore capable d'en fabriquer à nouveau. Il faut donc à tout prix que je l'économise. Je porte l'élixir de sang à mes lèvres et en avale, très précautionneusement, une seule et unique gorgée. Il en faudrait deux, vu l'importance de mes blessures, mais grâce à mes facultés naturelles de récupération, cela devrait suffire.

La magie coule lentement tout au fond de ma gorge, elle glisse comme un liquide épais, salé et amer, jusqu'au fond de mon estomac. Là, une sorte d'énergie commence à me picoter, puis elle se diffuse, donnant une impression proche de ce que pourraient faire ressentir des fourmis chaudes, courant à toute allure à l'intérieur de mes membres. Le poids dans ma tête semble s'alléger d'un coup. L'air que je respire me paraît plus pur et plus frais, et je le sens régé-

1. Les mâles gorgones sont nommés galroks, c'est leur barbe et non leur chevelure qui est composée de serpents et ils portent deux petites cornes faites d'un métal unique au monde sur le front.

nérer mon corps en profondeur. Bien que je l'entende craquer et crisser, mon épaule ne me fait déjà plus souffrir et, à la place de la fatigue et des nausées, je ressens à présent du bien-être et de la force.

Je souris en rangeant précieusement la fiole dans son réceptacle de métal.

« Rapporte-le dans sa cachette, Dùn, et dévore tout ce que tu peux pour qu'on soit tranquilles. Dès que tu reviendras nous pourrons commencer. »

*

« Mmm !... Mmmmm !... Mmmmmmh !... »

Des bruits étranges s'échappent par la porte et arrivent jusqu'aux oreilles des trois gardes, en contrebas de l'escalier qui mène à la chambre qui m'a été assignée. Des gémissements féminins, lascifs et sensuels. Après avoir mis quelques secondes à réaliser que nous étions vraisemblablement en train de faire l'amour, ils commencent, sans doute, à s'entreregarder d'un air goguenard.

La voix de Martine est douce et langoureuse.

« Ooooh !... Oh, M-monseigneur !... »

Dùn fait ça à la perfection, bien qu'à ma connaissance, elle soit encore vierge. Les trois hommes d'armes doivent se l'imaginer, jupe retroussée, seins libres et tête rejetée en arrière, ses larges hanches et ses épaules dénudées, dans un langoureux mouvement de va-et-vient. Nul doute que cela ne leur procure un certain plaisir, au début, mais avec les minutes, leurs sourires se crispent en une gêne diffuse, et ils ressentent probablement un sentiment de honte mêlé de jalousie. Je peux facilement deviner ce qu'ils se disent :

« Eh ! Ben, il se fait pas chier, l'enfoiré !

— Quand je pense qu'on n'a même pas le droit d'y toucher, nous, aux servantes !

— On pourrait peut-être aller voir pour arrêter ça, non ?

— T'as pas entendu les ordres ? Tant qu'il cherche pas à sortir de sa chambre, on lui fiche une paix royale ! S'il a envie de se fourrer toutes les servantes du coin pour se remettre d'aplomb, il fait bien ce qu'il veut ! »

Dùn a réalisé un excellent travail de préparation, grâce à elle, je sais tout ce qu'il y a à savoir sur l'hôtel particulier des Français, ainsi que sur leur organisation. Notamment que Robert de Navarre a donné des ordres pour m'empêcher, si besoin était, de me rendre aux festivités de ce soir. Pour autant, il est tout à fait dans mes intentions d'y aller quand même. Si possible en ramenant à la jeune Solenne de Troyes son beau Marc de Saulieu.

Il est temps de passer à l'étape suivante !

« M-monseigneur ?… Que… Eh !… Mais, par tous les saints, qu'est-ce qui vous arrive… ?! »

Je pousse un cri de douleur pour faire bonne mesure et « Martine » continue de réciter son texte.

« Au nom du Christ ! Au secours !! À l'aide ! »

Pour moitié recouverte d'un drap et complètement affolée, elle ouvre la porte de la chambre à la volée.

« À l'aide ! Je vous en supplie, dépêchez-vous ! Kosigan est en train de cracher du sang ! Je crois bien qu'il va crever ! »

À son ton, on jurerait que ma gorge vient d'exploser sous ses doigts, les gardes ne se le font pas dire deux fois, ils montent l'escalier quatre à quatre et les deux premiers pénètrent immédiatement dans la pièce, tandis que le troisième – leur sergent *a priori* – s'enquiert de ce qui s'est passé auprès de Martine.

« K-kosigan et moi, on était en train de... de le faire... Quand, brusquement, il a eu une espèce d'horrible haut-le-cœur, et il s'est mis à cracher un immonde vomi de sang noir ! »

Un tas de vêtements et ma besace, installés en biais, dessous les draps, donnent l'impression que je me suis à moitié effondré, de l'autre côté du lit par rapport à l'entrée. Les deux gardes qui sont à l'intérieur commencent à s'approcher pour aller voir. Caché derrière la porte qu'ils ont déjà dépassée, je pourrais aisément les embrocher de mon épée, mais dans le cas présent, j'estime que cela ne serait pas une bonne idée. Comme ils ne portent pas de casques – étant à l'intérieur – un simple bougeoir métallique va s'avérer tout aussi efficace et beaucoup moins salissant pour les mettre hors d'état de nuire. Le second n'a même pas le temps de se retourner après avoir entendu le premier s'effondrer, la masse improvisée du porte-chandelle le cueille au niveau du menton avec suffisamment de force pour qu'on entende sa mâchoire craquer.

« Guylain ? Milessent ? »

J'ai fait en sorte d'agir hors du champ de vision du sergent, mais les bruits de choc et de chute l'ont, évidemment, alerté. Son épée crisse en jaillissant de son fourreau.

« Bon Dieu ! Il se passe quoi, là-dedans ?! »

À peine est-il entré que Dùn le frappe dans le dos avec violence, il tombe à genoux et sa tête heurte le lit. Il n'a pas le temps de se retourner que la lame d'une dague est déjà sur sa gorge, et que ses cheveux sont tirés à pleine main vers l'arrière par la jeune femme.

« Pas bouger le Français, sinon la véritable Martine va être dans l'obligation de laver ton sang sur les draps !… »

C'est un soldat professionnel et comme tout soldat professionnel qui se respecte, il a la ferme intention de rester en vie pour pouvoir toucher sa solde. Il lâche donc immédiatement son épée et s'applique à ne pas faire le moindre geste qui pourrait inquiéter ses agresseurs.

« C'est bon, c'est bon ! Pas la peine de vous énerver, j'ai pas l'intention de… ? »

Le bougeoir ne lui laisse pas le temps de finir sa phrase.

Aucun sang versé. Aucun signe de lutte. C'est parfait. Quiconque ouvrira la porte de la chambre après notre départ ne découvrira qu'une pièce assombrie par la nuit tombante. Il ne pourra deviner qu'une forme allongée sous les couvertures, très probablement endormie, à peine éclairée par les braises rougeoyantes d'un feu ensommeillé. Et il refermera la porte en continuant à se demander où peuvent bien être passés les gardes.

En ce qui les concerne, c'est l'immense armoire à linge de la chambre qui les attend. Dùn m'aide à les saucissonner, à les bâillonner et à les ligoter au plus serré, de sorte qu'ils n'aient plus la moindre marge de manœuvre et qu'il y ait tellement de tissu enfoncé dans leur gorge que respirer par le nez soit leur seule et unique alternative. *Espérons pour eux que quelqu'un les trouvera avant que leurs besoins naturels ne les rattrapent…* Je referme la porte de l'armoire à l'aide des deux petites clefs prévues à cet effet, que je jette ensuite dans les braises de la cheminée. Une fois le pot aux roses découvert, ouvrir cette armoire prendra bien cinq ou dix minutes. Un temps qui peut parfois faire la différence entre la vie et la mort.

Je vérifie une dernière fois que nous avons bien tout remis en place et qu'aucun objet suspect n'attire l'attention. Puis je referme prudemment la porte.

Il doit nous rester à peine une heure pour retrouver Marc de Saulieu et le ramener au palais avant l'ouverture des festivités.

Correspondances de Kergaël de Kosigan avec Charles Chevais Deighton. Paris, le 25 juin 1899.

Charles,

J'ai dû baisser ma garde un peu trop vite avec cette histoire d'héritage. On a visité mon bateau en mon absence et, bien pire que cela, on a volé le précieux coffre de mon ancêtre !

Lorsque je suis remonté à bord de L'Esquive, hier au soir, j'ai eu la mauvaise surprise de me trouver nez à nez avec un chien des rues enragé de près de trois pieds de haut. Un molosse crotté que les voleurs avaient manifestement laissé là à mon intention. Béni soit le petit Derringer que je garde toujours caché dans ma manche et qui m'a permis de me débarrasser du monstre. Je n'ai pourtant pas l'impression que le but ait véritablement été de me tuer, sinon, on s'y serait pris différemment, il s'agissait plutôt, à mon sens, d'une sorte d'avertissement.

Pour le reste, l'appartement n'avait pas été saccagé et le coffre était le seul objet de valeur à avoir disparu. Un cambriolage d'une grande sobriété. Il faut dire qu'il n'y avait pas non plus énormément d'autres choses à voler : je conserve les rubis sur moi en permanence et j'ai utilisé du plâtre et de la peinture pour qu'ils ressemblent à de vulgaires cailloux. Quant aux titres de propriété, ils se trouvent en compagnie des actions, bien à l'abri à l'intérieur d'un blockhaus de plus de quatre pieds d'acier, au siège de la Société Générale du boulevard Haussmann. La disparition du coffre n'en est pas moins une catastrophe. Lui, la couverture étrange, ainsi que l'étendard qu'il contenait, étaient tous trois uniques et irremplaçables.

Cela étant dit, je n'ai pas eu à aller chercher bien loin pour découvrir qui était à l'origine de la cambriole : des pétales d'Adonis écarlates avaient été déchirés sur le dessus de mon lit. La fleur préférée de Gabrielle. De celles que je lui offrais en secret lorsque son père et son fiancé avaient, l'un et l'autre, le dos tourné. Tout porte à croire qu'il s'agit là d'une sorte d'invitation, je crains cependant que le but n'en soit pas de partager un bon dîner autour d'un verre de chassagne-montrachet ou de pomerol, en échangeant quelques plaisanteries agréables à propos du bon vieux temps.

Je suppose que c'est notre bon ami, le docteur Béclère, qui m'aura finalement reconnu. Mais cela fait déjà plus de deux mois que je suis passé le voir afin de radiographier le coffre, et j'ai du mal à comprendre pourquoi Gabrielle a mis si longtemps avant de se décider à agir.

La dynamite ne m'a pas encore servi, mais il se pourrait bien que cela change. Hennion me prêtera sans doute main-forte et je compte recommencer à sortir plus armé que je ne le suis. Pour autant, si Gabrielle a pris la place du Baron à la tête des Arlequins, elle doit pouvoir me faire trucider dans Paris à peu près où et quand elle le désire. Je crains donc que toutes ces précautions ne me soient guère d'une grande utilité.

La solution la plus évidente serait certainement de quitter à nouveau la France, au plus vite. Si ce n'est que je n'en ai absolument aucune envie. Mon intention est de récupérer les objets qui m'ont été dérobés et de continuer mes recherches afin *d'en éclaircir le mystère. Et puis, je me dis que si Gabrielle avait réellement voulu ma mort, il y a fort à parier que je ne serais déjà plus de ce monde pour écrire ces lignes.*

Le mieux me paraît donc de répondre à sa gentille invitation. Elle sera sans doute fâchée et en colère, mais elle et moi, nous nous sommes aimés par le passé. J'ai bon espoir que cela puisse jouer en ma faveur. Quoi qu'il en soit, je compte me rendre demain, vendredi, aux jardins du Luxembourg. Si elle n'a pas changé ses habitudes, elle y passera, à un moment ou à un autre de la journée, pour profiter des beaux jours.

Je croise les doigts pour que tout se passe bien, et te souhaite le meilleur, mon vieil ami.

À bientôt, je l'espère,

Kergaël de Kosigan

P.-S. : sache, au cas où les choses tourneraient mal, qu'il faut joindre maître Tanarson. Il s'agit du notaire qui traite mes affaires à Londres et j'ai un testament chez lui sur lequel ton nom apparaît. Si jamais le pire venait à arriver, j'aimerais également que tu inventes une histoire pour Élisabeth. Dis-lui que j'ai rencontré une belle princesse de Chandernagor aux yeux noirs et que j'ai décidé de partir m'installer définitivement avec elle aux Indes. Je préfère encore la savoir folle de jalousie et de colère plutôt que triste et éplorée.

La serrure du bureau sur lequel Robert de Navarre a jeté son dévolu, à l'intérieur de l'hôtel particulier de Jean de l'Estable de Tristesse, ne résiste pas bien longtemps aux mains expertes de Dùn. Sans atteindre le niveau de La Croche – mon précédent maître des clefs – elle en a appris suffisamment pour être capable d'ouvrir pratiquement n'importe quelle porte, avec pour seuls outils quelques fils de métal judicieusement tordus. Bien sûr, si la serrure avait été l'œuvre d'un véritable maître, il lui aurait fallu des instruments de professionnel et cela l'aurait obligée à prendre de longues et fastidieuses précautions. Heureusement, ce genre de serrure reste rare et, dans la plupart des cas, quelques secondes suffisent pour un crochetage efficace.

C'est fait. Il ne reste plus à Dùn qu'à déposer une petite goutte d'huile sur chacun des gonds, et à pousser la porte qui s'ouvre avec la douceur d'une fleur.

À l'intérieur, les volets fermés et les cendres grises de la cheminée accentuent l'atmosphère froide et noire de l'endroit. La lueur de nos deux chandeliers dessine pourtant une pièce vaste, soignée et cossue, faite pour l'agrément et le confort. Juste devant un grand fauteuil aux parements de velours, trône un large bureau de bois sombre, couvert de parchemins, d'encres, de cire et de plumes, avec quelques registres de cuir posés çà et là, apparemment en désordre. Derrière lui, ainsi que sur tout le mur du côté droit, est incrustée une fort jolie bibliothèque de bois précieux, pleine de livres reliés de cuir et de peau. Elle enjambe une fenêtre à renfoncement, à l'intérieur de laquelle deux sièges permettent d'observer la rue au travers d'un bel ouvrage de verre d'arlequin multicolore, grillagé en diagonale. En face de la fenêtre, sur le mur opposé, une très grande cheminée d'au moins quatre pas de large doit permettre de chauffer la pièce en une seule flambée, même au plein cœur des mois les plus froids de l'hiver. C'est ce que confirment les lourdes bûches entassées à côté, ainsi que le seau qui accueille les brindilles et les branches d'allumage. Je m'en approche. Les chenets, la lourde plaque de fonte du contre-feu, le pare-flammes et le grand écusson sculpté sur la pierre grise du manteau de la cheminée disent tous que l'endroit appartient au seigneur de l'Estable de Tristesse, et la Salamandre qui Pleure, provenant de ses armoiries, se trouve présente sur toutes les décorations. Couvrant les murs et le sol, différents tapis et tentures reprennent les couleurs de deux tableaux de maître, accrochés de part et d'autre du grand âtre, et qui représentent, pour l'un le seigneur des lieux, et pour l'autre, son épouse, trop tôt disparue. Aucune porte, aucune grille, aucun passage visible.

Dùn referme silencieusement la porte derrière nous et je murmure dans sa direction :

« Tu es certaine que c'est bien ici ?

— Sûre et certaine, capitaine. On me faisait ame-

ner les plats que je préparais pour le prisonnier jusqu'à la porte de cette pièce, et j'avais pour consigne
de revenir chercher le panier vide une demi-heure
plus tard.

— Tu as vérifié qu'il ne s'agissait pas d'une ruse
et qu'ils n'amenaient pas la nourriture quelque part
ailleurs, juste après ton départ ? »

Elle me sourit d'un air faussement offensé.

« Est-ce que, par hasard, vous me prendriez pour
une amatrice, monseigneur ? »

Je hoche doucement la tête pendant qu'elle achève
de crocheter à nouveau la porte, afin de la refermer
à clef. Il ne nous reste plus qu'à trouver le passage
secret qui est *forcément* caché quelque part dans la
pièce.

Toujours sans bruit et avec beaucoup de minutie,
nous commençons par opérer une fouille des murs et
du sol. Une porte secrète que l'on ouvre et que l'on
referme laisse obligatoirement des traces, rainures,
rayures ou raclures, qui devraient nous permettre de
déterminer rapidement l'endroit exact où elle se
trouve. Malheureusement, sous les tapis et les tentures, les parois de pierre sont relativement égales,
rien n'indique que l'une d'elles puisse ouvrir sur une
quelconque porte dérobée ou sur une trappe. Aucune
charnière dissimulée non plus.

Au bout de dix minutes de recherches infruc-
tueuses, je fais signe à Dùn d'arrêter la fouille. Cela
ne nous mène nulle part. Mes yeux l'interrogent à
nouveau pour savoir si elle est toujours aussi sûre de
son fait qu'elle le prétend. Elle répond une nouvelle
fois par un signe de tête affirmatif, mais son regard
semble plus inquiet qu'il ne l'était précédemment. Je
murmure :

« Essayons plutôt de mettre la main sur le mécanisme d'ouverture. »

Nous nous répartissons le travail : je m'occupe des
porte-torches, du fauteuil, des tableaux et de la cheminée, et Dùn, du bureau, de la fenêtre, ainsi que
des étagères et des livres de la bibliothèque. Nos
recherches durent, en tout, une grosse vingtaine de
minutes, jusqu'au moment où il nous faut changer
les bougies sur les chandeliers. Mon regard dépité
croise le sien. Toujours rien.

*Il reste tout de même une chose que je n'ai pas ten-
tée.*

Je lui fais signe d'attendre sans rien dire et me
concentre une bonne minute, afin d'essayer de percevoir une éventuelle trace d'effluve magique. Mes
yeux se ferment et j'ouvre calmement mon esprit aux
fluctuations de la Source. Il est certes peu probable
qu'un chevalier du très catholique roi de France ait
eu recours aux services d'un sorcier, mais si jamais
cela avait tout de même été le cas, il serait bien stupide de ma part de passer à côté. Malheureusement,
une fois encore, je n'obtiens aucun résultat. Pas
d'objet-portail sur le bureau non plus. Et pas la
moindre illusion au niveau des murs et des tentures.

Et le temps qui passe…

Dùn écarte les mains en signe d'impuissance et je
lui réponds par une moue contrariée. Réfléchissons.
Vite. Et bien. Pas de magie, pas de traces d'ouverture, pas de bouton ou de levier déclencheur, pas de
double fond, ni d'endroit qui sonne creux à l'intérieur du fauteuil, du bureau, des tableaux ou de la
bibliothèque…

*Il y a pourtant forcément quelque chose qui nous
échappe.*

Je tends mon chandelier en direction du plafond, au cas où la réponse s'y trouverait, et Dùn fait de même. Mais une ou deux minutes suffisent pour nous convaincre que la clef du problème ne se trouve pas en hauteur.

Il faut que je réussisse à me mettre à la place du chevalier de l'Estable de Tristesse… Si mécanisme il y a, il doit forcément être en relation avec quelque chose qui revêt de l'importance à ses yeux. J'ai déjà vérifié le tableau de sa femme sous toutes ses coutures, et il ne présente aucune anomalie, ni aucune caractéristique remarquable. Ce qui nous laisse, éventuellement, ses différentes armoiries. Je m'approche donc, à nouveau, de la cheminée, puisque c'est là – sur le manteau et sur la plupart des ustensiles en fer forgé – que celles-ci sont le plus représentées. L'épaisse construction de pierre est largement assez grande pour accueillir un homme debout et, *a fortiori*, un passage dérobé. Mais s'il s'avère que c'est effectivement le cas, je n'ai réussi à en relever nulle trace lors de mes précédentes investigations. Et pas le moindre élément de décor qui ait le bon goût de s'enfoncer, de pivoter ou de se tourner, non plus.

L'inquiétude me gagne de plus en plus et, avec elle, la nervosité qui n'est jamais bonne conseillère. Je songe à retourner dans la chambre dans l'espoir de forcer les gardes à me révéler où se trouve le passage. Une folie. Ce serait beaucoup trop long et, vraisemblablement, pas très silencieux. Pour autant, il va peut-être falloir en passer par là.

Alors que je suis en train de peser le pour et le contre de cette solution stupide, Dùn s'agenouille devant la cheminée. Elle se penche sur les cendres, en touche quelques-unes du doigt, les porte à ses lèvres et souffle dessus avec délicatesse. Son regard accroche le mien et m'intime de les observer de plus près. Je m'exécute. Elles sont froides, fines et surtout, très peu nombreuses, à peine plus de quelques résidus de poussières grises et blanches, disséminés, çà et là, dans l'âtre. Mes précédentes explorations de la cheminée s'étaient concentrées sur la recherche de mécanismes et je n'avais donc pas repéré l'arbre, caché au milieu de la forêt. Mais à présent que Dùn me le met sous le nez, la réalité me saute aux yeux : cette cheminée est beaucoup trop propre pour être honnête, il doit y avoir belle lurette que personne n'y a fait brûler le moindre morceau de bois. Le passage est donc *forcément* là, juste sous nos yeux. Et je crois bien que je devine où il se trouve.

Je fais signe à Dùn de saisir l'un des bords de l'immense plaque de fonte, ornée d'une grande salamandre pleurant des larmes de flammes, qui couvre le fond de la cheminée. Je fais de même de mon côté. La plaque en question doit bien mesurer ses deux pas de haut, pour trois de large, et peser un bon cent vingt livres. Avec un peu de chance, il pourrait s'agir de la porte dérobée que nous cherchons.

Cela ne peut tout de même pas être aussi facile…

Et pourtant si. La plaque n'est pas fixée au mur comme elle le devrait. Tout simplement. Il suffit donc de décaler de quelques pouces les deux chenets qui la maintiennent en place pour pouvoir, ensuite, la soulever et à la déposer sur le côté ! Deux personnes sont nécessaires pour cela. La fonte s'avère un peu lourde pour Dùn mais elle prend sur elle et grogne à peine sous l'effort. Un système à la fois ingénieux et d'une extrême simplicité. Pas de trace, pas de mécanisme et, au dos de la plaque, deux poignées qui permettent de la remettre en place beaucoup plus facilement qu'on ne l'a retirée.

De l'autre côté du mur de moellons éventré se trouve un palier de pierre. De là s'enfonce un large escalier aux marches grises, parsemées de minuscules mousses d'un vert très sombre. Marc de Saulieu doit, très certainement, être retenu en bas.

Des paroles, presque inaudibles, provenant d'une discussion entre hommes d'armes résonnent, assourdies par la distance. Nous commençons à descendre. Les mots se font plus nets et des plaisanteries graveleuses font peu à peu écho au bruit chaotique des jets de dés.

Je respire profondément, puis fais signe à Dùn que je vais passer le premier.

Troyes, palais des comtes de Champagne, au soir du 9 novembre de l'an de grâce 1339. Scène relatée par Gunthar von Weisshaupt, engagé à mon service depuis la veille au matin.

« Capitaine de Kosigan,

Ainsi que vous m'en avez fait la requête, j'essaie d'utiliser l'objet que vous m'avez confié afin de prendre en note les événements de cette soirée de clôture du tournoi de la Saint-Rémi, dans l'attente de votre arrivée. J'ai bien compris que vous souhaitiez que je m'attache tout particulièrement à ce qui peut concerner la noble comtesse de Champagne, sa fille Solenne ainsi que l'ignoble sénéchal du roi de France.

Il me faut tout d'abord commencer par préciser que le décor, céans, est digne des plus glorieuses agapes de l'Olympe. Les jardins du palais sont savamment illuminés de magie et de flammes, et les jets d'eau, jaillissant des fontaines, ressemblent à de splendides flots de diamants, décollant vers le ciel, avant de retomber en pluie d'étoiles dans la clarté transparente des bassins. Partout, des musiciens portant violes, perthuis et tambourins, et d'autres, jouant de plusieurs types de flûtes, d'orcales et de pipeaux, courent de bosquet en bosquet, donnant à la nuit, pourtant froide, un aspect enchanteur et gai. De merveilleuses Nymphes d'une pâleur sublime – et dont les petits seins velus sont à peine dressés par le froid – entonnent des airs doux et joyeux. Et les fiers archers de la Première Garde elfique, tout habillés de vert et d'or, tirent au firmament des flèches de feu multicolores. D'allée en allée, les invités se meuvent avec la lenteur et le calme des grandes festivités, ils convergent vers l'esplanade centrale et la grande salle d'honneur, qui commence progressivement à se remplir. Beaucoup font halte, de-ci, de-là, autour d'un brasero ou d'une fontaine, afin d'honorer de leur conversation l'évêque de ceci ou le baron de cela, et ils n'hésitent pas à changer de groupe à l'envi. Autour d'eux, gravite la foule discrète des serviteurs aux couleurs de la maison de Champagne, portant vins, cidres et mises en bouche, ainsi que certains seaux qui servent à soulager les besoins naturels.

Les gardes se révèlent nombreux, eux aussi, et je compte davantage de Français que de Champenois. Les Bourguignons, en ce qui les concerne, demeurent particulièrement en retrait, et tout porte à croire qu'ils ont déjà accepté leur défaite.

Ayant repéré le groupe qui correspond à votre demande, je profite de la nuit pour m'en approcher, avec la discrétion subtile qui m'est coutumière. Ma taille pourrait paraître gênante en ce genre de circonstances, mais ne vous y fiez pas : mes pas sont fluides et légers comme la plume, et je ne vois rien au monde qui m'interdise de m'accroupir et de me faufiler entre les buissons, avec la vivacité souple du félin.

Sont présents la comtesse Catherine de Champagne, son chambellan, le sieur de Tailly, ainsi que le grand sénéchal du roi de France, Robert de Navarre. Chaque parti a, avec lui, deux chevaliers qui le gardent de tout péril éventuel. Les visages sont tendus et les voix animées, et voilà ce qu'elles racontent à mes oreilles :

"Comtesse, vous savez pertinemment que vous avez donné votre parole, vous avez engagé votre sang !

— Si fait, monseigneur, je ne peux le nier. Seulement, je déteste, plus que tout, ne pas avoir le choix ! Je souhaite prendre le risque de surseoir à l'annonce des fiançailles de ma fille pendant encore un jour ou deux, ne vous déplaise. Le temps que j'aie une chance de faire la lumière sur ce qu'il est advenu du baron de Saulieu."

Je vois mal à travers le feuillage et n'ose m'approcher davantage de peur d'être démasqué et d'avoir à en affronter de fâcheuses conséquences, mais, malgré la distance, je jurerais voir le visage suffisant du Français prendre le cramoisi et se déformer sous l'effet de la colère.

"Il n'en est absolument pas question, madame ! Du mariage de votre fille dépendent *l'avenir* et la *paix* de votre comté. Si vous vous désistez ce soir, non seulement le Pacte de sang sera rompu, mais tous les accords qui nous lient seront nuls et non avenus. Et cela signifiera la *guerre*, quoi que vous fassiez ensuite pour essayer de l'empêcher !

— Vous *osez* me menacer, seigneur de Navarre ?…"

Est-il normal que le vent se soit fait plus fort au moment où la comtesse montrait son exaspération ?

En tout cas son interlocuteur recule et il rabat un peu le caquet de sa réponse.

"Que nenni, comtesse. Je me contente juste de vous rappeler ce que vous savez déjà : votre *Parole de sang* vous engage de manière indéfectible, par conséquent tout à l'heure, lors de l'allocution d'ouverture du banquet, vous n'aurez d'autre choix que de me désigner comme votre futur gendre... Que cela vous plaise, ou non."

La dame de Champagne pince ses lèvres de frustration. Dans ses yeux, la tempête lance encore quelques éclairs avant de rendre lentement les armes et de se changer en un ciel de traîne, morne et désabusé. Le prince français, se sentant à nouveau en position de force, profite du silence pour ajouter quelques méprisantes perfidies.

"Vous avez déjà trouvé bon de m'humilier en faisant *forcer* la porte de mon palais aux fins de le fouiller, comtesse. Comme si je pouvais, moi, prince de sang royal et sénéchal du roi de France, craindre la concurrence d'un pauvre petit baronnet bourguigneux ! Que vous faut-il de plus à présent ? Cracher sur le Pacte que vous avez signé de votre sang ? Vous sacrifier, vous et votre précieuse fille, aux seules fins de poursuivre une enquête, qui, de toute évidence, ne donnera aucun résultat ? Et, pourquoi pas, choisir de vous torcher avec l'honneur légendaire de la maison des Aëlenwil ? Je ne peux me résoudre à croire que vous ayez, *réellement*, l'intention d'en arriver là... Mais peut-être faut-il que je commence à... réviser mon jugement ?"

La lourdeur du silence qui suit plane pesamment jusqu'à l'endroit où je me tiens dissimulé, il bouillonne de fierté blessée, de colère et de douleur, déborde de rage contenue et pèse du poids amer de la crainte et du sens des responsabilités. Aurais-je été à la place de la comtesse que j'aurais taillé le Français en charpie sur-le-champ, et envoyé ses restes sanglants dans une boîte à son maître, pour avoir osé s'adresser à moi de la sorte. Je suppose que l'on peut ici mettre en évidence une des raisons pour lesquelles ceux de mon peuple sont aujourd'hui si peu nombreux. Notre fougue majestueuse ne va pas toujours de pair avec la sagesse nécessaire à la survie.

Toujours est-il que les Elfes, eux, s'en tirent autrement que nous dans ce genre de situations. S'il faut céder pour sauver ce qui peut l'être, ils cèdent, et je vois de mes yeux la noble comtesse de Champagne baisser la tête en signe de reddition.

"Inutile de revoir votre jugement, seigneur de Navarre. Vous... avez bien sûr raison."

L'ignoble Français affiche un sourire satisfait.

"À la bonne heure! Dans ce cas, je peux partir en avant l'esprit tranquille. Nous nous retrouverons au banquet.

— Faisons cela, oui.

— J'ai grand hâte de vous y voir, comtesse... Autant que de pouvoir saluer votre charmante fille et de la serrer dans mes bras!..."

Un sourire passablement narquois accompagne son odieuse révérence, il fait ensuite volte-face et s'éloigne, accompagné des deux chevaliers de l'Ordre de l'Étoile qui lui font escorte. Son départ laisse du froid et du vide derrière lui. Après quelques battements de cœur de silence, la comtesse se tourne doucement vers le chambellan de Tailly:

"Des nouvelles du Bâtard de Kosigan?

— Nenni, Votre Altesse. À ce qu'on en sait, il est

toujours chez de l'Estable. Si vous voulez m'en accroire, je pense qu'il est malheureusement possible qu'il soit passé du côté des Français. Si tant est qu'il ait jamais été du nôtre, d'ailleurs. Ce genre de mercenaires, voyez-vous, n'a ni foi ni loi, et leur cœur est davantage fait d'or que de loyauté. Vous ne devriez pas trop compter sur son aide.

— Les Puissances fassent que vous ayez tort mon vieil ami, car pour l'instant, il demeure mon seul et unique espoir. Le Pacte de sang ne stipule pas à quelle heure la cérémonie doit commencer, aussi est-il impératif que je fasse tout ce qui est en mon pouvoir pour lui gagner le plus de temps possible. Je monte chercher Solenne qui, je crois, ne se sent pas très bien… Trouvez ce que vous voulez, mais ne venez nous chercher que lorsque Navarre vous mettra le couteau sous la gorge. Est-ce bien compris ?"

Le grisonnant acquiesce en s'inclinant d'un air grave, et l'un et l'autre partent de leur côté, chacun suivi par l'un de leurs deux bannerets de garde.

Je constate avec déception que vous ne m'aviez pas tenu au courant de vos engagements au service de la maison de Champagne, capitaine. Vous payez bien, certes, mais si vous souhaitez à l'avenir conserver l'insigne privilège de m'avoir à vos côtés, il faudra me tenir davantage informé de vos petits arrangements. »

Correspondances de Kergaël de Kosigan avec Charles Chevais Deighton. Paris, le 27 juin 1899.

Salutations, vieux frère,

Je suis salement amoché mais toujours en vie. Je suppose qu'être accompagné par le cousin du préfet de police de Paris a dû jouer, au moins en partie, en ma faveur.

Gabrielle n'est pas venue elle-même aux jardins du Luxembourg, mais elle devait se douter que j'y serais, car elle a envoyé quelqu'un pour venir nous chercher. Une femme, de vingt-cinq ans environ, deux nattes de cheveux châtains et l'apparence d'une fille de bonne famille, qui nous a entraînés vers le boulevard Saint-Germain, puis dans la petite rue de la Huchette. Une porte étroite, un vieil escalier en colimaçon appartenant probablement aux restes d'un castelet détruit pendant la Révolution, et enfin un vieux caveau voûté, éclairé de torches et de bougies, à l'odeur de cire et de suif.

Cinq gaillards patibulaires et équipés de fusils à canon court s'occupèrent alors de nous fouiller, nous délestant, d'un œil torve, de nos armes, ainsi que des trois bâtons de dynamite que j'avais emportés avec moi, et même du Derringer caché dans ma manche. Hennion fut obligé d'attendre dans une pièce voisine, et moi, on m'attacha les mains dans le dos, on me bâillonna et on me poussa à l'intérieur d'une vaste salle voûtée, dont la porte se referma sèchement sur mon passage.

Gabrielle m'attendait. La revoir après toutes ces années me fit monter le chaud au visage comme un gamin, comme si la main invisible d'un rêve éveillé empoignait d'un seul coup mon cœur à travers le temps, et se mettait à le caresser avec entrain. Sa beauté délurée, ses grands yeux bleus étincelants, toujours rehaussés de noir, ses jolies dents irrégulières qui donnent à son sourire un petit côté piquant et charmeur, elle n'a pratiquement pas changé. Le grain de beauté de son cou rehausse, comme autrefois, la grâce de son maintien, et son décolleté, aujourd'hui pigeonnant, confère à sa robe en indienne pourpre l'élégance des anciennes toilettes de la Cour. À peine quelques rides ont-elles osé tracer leur sillon au coin de ses yeux, accompagnant une froideur nouvelle que l'exercice du pouvoir s'est permis de glisser dans son regard, autrefois si doux.

Sa voix pour m'accueillir s'avéra glacée et hostile, et ses yeux brillaient d'une lueur dangereuse. Rien de bien étonnant à cela, compte tenu du fait qu'elle et moi avions été amants, et si proches, que nous en étions venus au point d'envisager de fuir ensemble… Juste avant que les choses ne tournent mal et que je ne finisse par tuer son père, pratiquement devant ses yeux. À quoi il faut ajouter que j'avais, par la suite, maquillé ma propre mort et que, durant toutes ces années, jamais je n'avais cherché à la revoir, ni même à lui faire savoir, d'une manière ou d'une autre, que j'étais encore en vie.

Les mâchoires serrées, elle s'approcha de moi et sa main douce s'insinua dans mes cheveux, glissa sur mes sourcils, puis s'attarda sur la petite cicatrice de mon cou. Un peu hésitante. Presque avec tendresse. Je crus percevoir brièvement un éclair de soulagement dans ses yeux. Puis son regard s'assombrit à nouveau et elle me frappa violemment au visage, à plusieurs reprises, avant de sortir un couteau à manche de nacre et de me le placer au niveau de la jugulaire, me forçant, par la pression, à m'asseoir sur un sofa d'un rouge de mauvais augure. Là, elle me gifla à nouveau, à la volée, me traitant d'assassin, de traître et de salaud, tout en lacérant ma chemise et ma peau de sa lame. Quel imbécile je faisais de m'être jeté ainsi en plein milieu de la gueule du loup ! Je tentai de lui parler dans l'espoir de désamorcer sa colère, mais le tissu enfoncé dans ma bouche étouffait mes mots, et le simple son de ma voix semblait attiser encore plus la rage sourde qui l'animait. Pour finir, elle coupa le bâillon d'un coup sec de son couteau, m'entaillant par la même occasion un bon quart de l'oreille droite, puis elle m'ordonna de lui raconter ce qui faisait que j'étais encore en vie. Dans les moindres détails.

Le sang qui coulait abondamment sur ma joue et mon torse représentait, à ce moment, le dernier de mes soucis. Elle m'offrait un espoir de me tirer de ce guêpier, alors je ne me fis pas prier. Je lui expliquai que Valvert, l'un des lieutenants du Baron, avait découvert notre liaison secrète, et qu'il s'était fait un malin plaisir de nous dénoncer à son père. Je lui dis comment celui-ci, fou de rage, m'avait fait bastonner par ses hommes et livrer à lui, pieds et poings liés. Et comment, après avoir retiré la cagoule noire qui me couvrait le visage, il s'était vanté d'avoir l'intention de la manipuler, elle, pour que, tout en m'assassinant quasiment sous ses yeux, elle soit persuadée que j'avais tenté de le tuer, lui, dans le but de prendre sa place à la tête des Arlequins.

Je lui racontai de quelle manière il avait détaché mes liens et le sourire cynique qu'il avait eu en déposant deux revolvers Lebel, un à chaque extrémité de son immense bureau. Comment il avait alors tranquillement pris son arme, sachant pertinemment qu'elle, sa fille, était, à l'instant même, en train de gravir *les escaliers pour venir nous rejoindre, et de quelle façon il s'en était servi afin de se tirer une balle au ras de l'épaule, juste avant de chercher à me viser.*

Je lui expliquai que le revolver qu'on m'invitait à prendre, là, sur la table, devait très certainement être vide, ou, au mieux, chargé à blanc, et que, dans l'instant où le Baron avait actionné son arme contre sa propre épaule, j'avais pris la décision de me jeter en direction du mur afin d'y saisir l'une des épées de duel qui s'y trouvaient exposées. Je lui racontai la tension avec laquelle j'avais plongé sous le bureau, au premier tir de son père, et comment j'avais couru presque à ras du sol, en zigzag, pour l'atteindre, malgré le feu nerveux de ses balles. Je lui parlai du bruit de la lame quand elle avait pénétré dans son corps, du sang qui avait jailli, de la porte qui s'était ouverte, en même temps que la bouche de son père, ébahi par la mort.

Je racontai mon regard qui avait croisé l'incompréhension et l'effroi dans celui de celle qu'il aimait, et qui avait aperçu, derrière elle, son frère, ainsi que le fameux Valvert et les deux mastards qui se trouvaient de faction à la porte ce soir-là. J'expliquai ma fuite par la fenêtre, le combat dans la cour entre ceux de ma bande et les hommes de son père, toi, Charles, qui avais tiré une balle dans la tête de Maillechort, après qu'il m'eut brisé la jambe. Notre décision à tous deux de quitter la France. Le coup du carrosse, jeté à la Seine, avec à l'intérieur les deux cadavres, frais de la veille, récupérés en graissant la patte du gardien du cimetière du Père-Lachaise. Notre fuite jusqu'à Calais dans le coffre d'un coche, notre arrivée en Angleterre, les arnaques, les fausses lettres de recommandation, nos réussites respectives, bref, tout, ou presque tout – à l'exception de Rosemary Nimblestone, de Mary Deighton et d'Elizabeth Hardy dont il me parut plus judicieux de taire les noms.

Quant au fait de ne jamais l'avoir contactée par la suite, je craignais pour ma vie, autant que pour la sienne, et ne souhaitais, en aucune façon, la mettre dans une situation qui pouvait s'avérer dangereuse. J'ajoutai enfin que, de toute manière, nous savions bien, elle comme moi, qu'elle méritait beaucoup mieux qu'un homme dans mon genre. Et je souris.

Elle m'observa un long moment, en silence. Puis ses deux yeux bleus clignèrent, elle répondit que c'était bien vrai et, après avoir légèrement hésité, se décida enfin à me rendre mon sourire. Nos regards s'accrochèrent alors l'un à l'autre, long-temps, comme autrefois, et je ressentis un agréable frisson se faufiler sous ma peau. Tu sais, j'ai l'impression qu'il n'y a pas grand-chose de changé entre nous de ce point de vue. Il y a toujours cette sorte d'attirance magnétique qui réveille nos envies et emballe cœurs, gorges et poumons, chaque fois que nous nous trouvons en présence l'un de l'autre. Précisément la même émotion viscérale qui nous a jetés dans les toilettes de l'hôpital Tenon, la première fois où nous nous sommes ren-contrés, il y a douze ans, alors que son père venait à peine de la fiancer à Béclère. Un fluide aimanté, qui nous a plongés dans la folie, nous poussant à nous retrouver secrètement, encore et encore, dans le manoir du Baron, sachant pertinemment avec quelle violence ce dernier réagirait si d'aventure il venait à l'apprendre. J'ignore si tu as déjà ressenti quelque chose d'approchant, il s'agit d'une impression étrange, profonde, qui prend aux tripes et fait tourner l'esprit, avec quelques gouttes de sublime en elle. Même lorsque j'étais attaché, ensanglanté, et que tout portait à croire que Gabrielle avait l'intention de faire en sorte que ma mort ne soit plus une fiction, je pouvais la sentir. Et je suis persuadé qu'elle la sentait aussi. Alors, elle a coupé mes liens, m'a embrassé à pleine bouche et nous avons fait l'amour. Deux fois. Et ensuite, nous avons parlé.

Son père était un salaud de toute façon et, d'après ses propres dires, elle n'avait jamais regretté sa mort. Depuis sa plus tendre enfance il l'avait toujours élevée à la dure, et plus que cela *même, en visitant souvent ses sous-vêtements à partir du moment où elle avait commencé à avoir des formes de femme, et en s'introduisant de force dans ses couvertures à au moins trois ou quatre reprises par la suite.*

Quant à son frère, il avait très logiquement repris les affaires familiales à la mort du Baron. Cela n'avait cependant pas duré très longtemps. Il était mort six ans plus tard dans l'attentat anarchiste du train de Roconval. Gabrielle avait ensuite eu davantage de mal que lui pour s'imposer à la tête des Arlequins, et elle avait dû faire face à la fronde de deux de ses principaux lieutenants ; des types pourtant compétents mais qui avaient fait la lourde erreur de présumer, sans doute du fait de son anatomie féminine, qu'elle n'avait pas l'étoffe pour diriger l'organisation. Ils avaient fini émasculés et écorchés vifs sur les remparts de l'octroi, histoire de leur apprendre à respecter les dames, et aujourd'hui Gabrielle était la Baronne à part entière.

En ce qui concerne le fait qu'elle ait tant tardé à me contacter depuis mon arrivée à Paris, elle m'a expliqué qu'elle n'en avait été mise au courant que tardivement. Béclère, avec qui elle s'était finalement mariée, avait en effet eu des doutes sur mon identité, dès lors que j'avais eu recours à ses services pour faire radiographier le coffre, il y a deux mois. Mais il n'avait, semble-t-il, pas tenu à en informer sa femme. Probablement de peur que nous ne recommencions à nous voir. En définitive, ce n'est donc que la semaine dernière que l'un des hommes de confiance de Gabrielle avait fini par lui apprendre que son mari faisait discrètement mener une enquête sur moi. À la suite de quoi il y avait eu une dispute, puis elle avait pris la relève de l'enquête, et tu connais plus ou moins la suite.

Nous fîmes à nouveau l'amour, mais cette fois-ci elle termina en sanglots dans mes bras. C'est alors que les choses recommencèrent à dégénérer. J'ignore pour quelle raison exacte elle s'était mise à pleurer. Peut-être était-ce cette sorte d'amertume que l'on peut parfois ressentir lorsque l'on songe à ce qui aurait pu être, mais qui finalement ne sera jamais. Je n'eus, malheureusement, pas le temps de le lui demander. Elle se mordit les lèvres, respira profondément, se rhabilla sans m'adresser la parole, puis prit le temps de me regarder droit dans les yeux en se forçant à sourire. À la suite de quoi, elle se remit à me gifler, deux fois, tout en murmurant qu'elle était désolée et qu'elle m'aimait. La petite cloche attachée à une chaîne en haut du mur fit venir quatre de ses hommes et elle leur ordonna calmement de me faire mal et de ne pas me ménager. Malgré mes tentatives pour essayer de la faire changer d'avis, il fallut se battre. L'arcade sourcilière éclatée, les deux côtes fêlées et l'œil au beurre noir qui m'ont été laissés en souvenir ont été vengés par au moins un bras cassé et deux ou trois dents crachées sur le tapis, mais au final, ils m'ont bloqué et maîtrisé et je me suis fait étriller purement et simplement. Après quoi Gabrielle m'embrassa une dernière fois sur la joue, en me glissant à l'oreille qu'elle n'avait pas le choix et que j'avais eu tort de l'abandonner durant toutes ces années. Puis elle envoya toute sa clique nous jeter, Hennion et moi, dans la Seine, au niveau des égouts des grandes boucheries des Halles. J'ai bien cru qu'ils allaient nous y noyer, en utilisant de longues perches pour nous repousser constamment loin du bord. Mais au bout d'une dizaine de minutes ils finirent par se lasser et nous laissèrent regagner la rive.

Finalement ma rencontre avec mon ex-maîtresse s'est bien mieux terminée que je ne l'avais craint. J'ai, certes, failli y laisser ma peau, mais je ne peux m'empêcher de ressentir une envie terrible de la revoir. Elle est dangereuse, je le sais, mais elle est toujours aussi splendide, intelligente, et incroyablement attirante. Et quand je suis remonté à bord de L'Esquive, le coffre du chevalier de Kosigan y avait été ramené. Ainsi que tout ce qui se trouvait à l'intérieur.

Je compte repousser mes voyages d'une semaine, le temps de me remettre en état. Et, dès demain, je vais engager une équipe de protection beaucoup plus conséquente. Et puis il faudra aussi que je m'achète un nouveau Derringer. Je crois que Wilkinson en fait avec un double canon maintenant.

Bien à toi mon ami, et encore en vie,

Kergaël

50

« Par le roi, messire de Kosigan, qu'est-ce que vous foutez ici ? » Dans cette grande cave de craie profonde, séparée de plusieurs alcôves voûtées et éclairée par des torches, le garde qui se trouvait assis face à l'escalier a été, tout naturellement, le premier à se lever. Ses quatre camarades font précipitamment de même, alors qu'un dé à la trajectoire erratique achève seulement de tourner et de s'immobiliser.

Leurs mains se tendent doucement vers leurs armes.

L'endroit sent l'humidité et le suif à plein nez, et tout indique qu'il n'a que récemment été transformé en prison. Dans un des renfoncements, initialement prévu pour le vin et à présent fermé d'une lourde herse, j'ai le soulagement d'apercevoir le prétendant préféré de Solenne de Troyes.

Je finis de descendre les dernières marches de l'escalier d'un air aussi calme et détendu que possible, la fausse Martine dans mon sillage, et je m'adresse à l'officier en charge de l'endroit.

« Je suis ici avec l'autorisation explicite du seigneur Robert de Navarre, lieutenant. »

L'homme est grand et mince, mais sa jeunesse ne

l'empêche pas d'avoir une considérable balafre au niveau du cou, et son regard est vif et intelligent. La simple présence de Martine, derrière moi, devrait sans difficulté le rassurer et confirmer mes dires, mais cela ne semble pas tout à fait lui suffire : il fronce légèrement les sourcils.

« L'autorisation explicite du seigneur de Navarre ? Mais… Pourquoi est-ce que… ? »

Il va falloir le convaincre.

« Je gage que vous avez dû entendre parler du *profond amour* que je porte aux Bourguignons… Eh bien, le prince de Navarre m'a donné sa permission pour que je puisse… Comment dire ?… "M'amuser" un peu avec celui-là !… »

Les cinq hommes s'entreregardent durant quelques secondes. Puis l'officier reprend la parole :

« Vous… voulez le soumettre à la question ?

— C'est à peu près ça. » Je souris d'un air dur. « Si ce n'est que, évidemment, je n'ai aucune question à lui poser…

— Écoutez, de Kosigan… Je… ne sais pas si…

— Pas la peine de vous inquiéter, lieutenant, je sais ce que je fais et je ne vais pas vous l'abîmer. Juste lui rappeler qu'on devrait toujours réfléchir avant d'insulter les gens et de leur cracher son mépris à la figure…

— Je vois. »

Il laisse un temps de silence.

« Après tout, je suppose qu'il n'y a effectivement pas de mal à… s'amuser un peu. »

Le lieutenant est visiblement homme à laisser des moments de latence entre ses phrases afin de s'assurer qu'on prête bien attention à ses paroles.

« Et puis, ça ne pourra que lui apprendre ce qu'on

pense, en France, de ceux qui prêtent allégeance à la félonie de la Bourgogne ! »

Il fait signe à son second d'aller ouvrir la cellule. Il s'agit d'un sergent d'une cinquantaine d'années, râblé, aux cheveux gris, coupés ras. Malgré son air obtus, il acquiesce d'un grognement, et détache un lourd trousseau de clefs ferrées de sa ceinture. Il se dirige ensuite d'un pas traînant vers la grille épaisse qui sépare la salle principale de l'alcôve dans laquelle Marc de Saulieu est séquestré, et déverrouille l'entrée. La porte s'ouvre en grinçant.

« Faites tout de même un peu gaffe, messire, il est pas attaché. »

J'opine du chef et entre dans la minuscule pièce. Elle est pratiquement vide : une simple paillasse, une couverture miteuse, un seau puant dont la fonction saute au nez, et on considère visiblement que cela suffit. Le prisonnier ne semble pas malade, mais il est à l'évidence affaibli et on voit mal comment il pourrait représenter une quelconque menace. Ses vêtements sont froissés et déchirés par endroits, on lui a retiré ses bottes et sa barbe de quatre jours lui donne un petit aspect négligé qui lui irait presque bien, si ce n'était la pâleur de son teint et ses yeux cernés. Marc de Saulieu est un bel homme, et il a conservé sa fierté. Malgré son état il cherche à se redresser comme il peut, le long du mur.

« De... de Kosigan... Vous êtes un fils de Bourgogne... Vous n'allez tout de même pas... ! »

Il n'a pas le temps de se protéger du coup de poing qui s'écrase lourdement sur son visage.

« Tu *oses* me donner le nom de fils de Bourgogne, espèce de faussard de merde ! » Je l'agrippe par le col et le plaque violemment contre le mur. « Il n'y a pas si longtemps, à Beaune, c'est *bâtard* que tu m'appelais, et tu m'as fait rouer de coups en pleine rue par six de tes hommes d'armes, tu te rappelles ?... Tu ne vas pas me dire que tu l'as oublié quand même ? » Tout cela est évidemment faux, mais il ne faudrait pas que Saulieu ait l'occasion de le clamer trop ouvertement. Mon poing dans son estomac l'empêche de parler, tout en masquant élégamment ma phrase suivante, laquelle est murmurée pour échapper aux gardes : « Faites semblant d'avoir mal, Saulieu, je vais vous tirer de là. » Et le grognement de douleur que cela lui arrache – assez peu feint, il est vrai – couvre à son tour ma voix pour la suite :

« Laissez-vous tomber, à présent ! »

Il ne se le fait pas dire deux fois. Dans un râle très convaincant, il glisse le long du mur jusqu'au sol. Il est difficile de mesurer la force de ses coups dans ce genre de cas, parce qu'il est capital que la douleur ait l'air vraie. Je pense tout de même ne pas l'avoir trop amoché et j'espère qu'il est moins touché qu'il n'y paraît.

Cachée par mon propre corps, je sors discrètement ma dague de son fourreau et, sous le prétexte de le relever, je me penche vers lui pour la lui fourrer dans la main. Il la prend d'un geste qui me semble suffisamment ferme et la cache prestement derrière son dos. Alors je l'attrape à nouveau par le col et le plaque une nouvelle fois durement contre le mur. Le bruit du choc couvre les mots que je lui glisse :

« Crachez-moi au visage ! »

Et pour les autres :

« Alors, on ravale un peu son mépris aujourd'hui, pas vrai le Bourguignon ? »

Marc de Saulieu obéit à mon ordre. Son glaviot en

partie rouge de sang – du fait du coup de poing que je lui ai donné précédemment – s'écrase droit sur mon front, juste au-dessus de l'arcade sourcilière. Une lueur de satisfaction complice brille brièvement dans son regard, manière de dire qu'il n'est pas mécontent de me rendre un peu la monnaie des coups que je viens de lui porter. Mes yeux lui intiment l'ordre d'arrêter immédiatement ! *Quel imbécile ! Si jamais les gardes s'en rendent compte…* Il cille et parvient à retrouver une expression plus neutre, avec une pointe de colère en plus, ce qui n'est pas de trop pour renforcer sa crédibilité.

Allez ! Il faut enchaîner.

J'enlève le crachat du revers de ma manche et l'essuie longuement sur le côté de son surcot.

« J'avais l'intention de m'arrêter là, Saulieu, mais on dirait que vous faites tout pour recevoir quelques coups de plus… Venez vous autres, je vais avoir besoin de votre aide pour le tenir ! »

Il y a un très court instant de silence. Puis les soldats du rang commencent à s'approcher pesamment. On sent en eux la nonchalance virile de ceux qui savent qu'ils peuvent inspirer la terreur à leur victime.

« Faites attention à ne pas trop me l'abîmer, Kosigan ! »

Le lieutenant semble ne s'être rendu compte de rien. *En définitive, on dirait bien que la négligence de Saulieu n'aura pas eu de trop fâcheuses conséquences.*

À cet instant précis, venant d'un peu plus loin derrière moi, j'entends le crissement caractéristique d'une lame sortant lentement de son fourreau.

« Par le culdieu, mon lieutenant, faut pas les laisser faire ! Je sais pas ce qui se passe, mais ma main

au feu qu'ils sont en train de nous jouer un sale tour
à leur façon ! »

*Finalement ce sergent a l'air un peu moins obtus
que ce que j'avais cru au départ… C'est dommage
pour tout le monde.*

51

Le temps n'est plus à la discussion.

Sans l'ombre d'une hésitation mon poing ganté heurte de plein fouet le visage du garde qui se trouve à ma gauche. J'y mets toutes mes forces.

« Maintenant ! Vite ! »

Le soldat français s'effondre, le nez éclaboussé de sang, et je dégaine prestement mon épée afin de faire face aux deux autres. J'aperçois Dùn, la dague déjà dans la main, en train de sauter par l'arrière sur le sergent. Celui-ci, l'ayant sans doute repérée du coin de l'œil, parvient à pivoter pour bloquer son attaque et la repousse, de plusieurs coups de taille, jusqu'aux marches basses de l'escalier. De mon côté, la surprise me donne l'avantage, je frappe au moment précis où les deux gardes commencent à sortir leurs épées. Celui que je vise se trouve obligé de reculer en catastrophe, il bute plus ou moins sur le seigneur de Saulieu et trébuche vers l'arrière, j'en profite pour lui passer mon arme à travers la jambe et il s'effondre au sol en hurlant. Le second est déjà sur moi. En catastrophe, j'extrais ma lame de la cuisse de son camarade, le sang gicle et m'éclabousse mais l'attaque qui me prenait pour cible est déviée. J'enchaîne en frappant le soldat au visage de ma main libre, mais il accompagne le coup et parvient même à m'estafiler légèrement l'avant-bras dans son mouvement. Ces gars ne sont pas nés de la dernière pluie et ils savent se battre.

À ma droite, le sergent a coincé ce qu'il pense être Martine au bout de l'allonge de son épée.

« Rendez les armes, Kosigan, sinon, je lui arrache sa petite gueule de félonne ! »

Il fait la terrible erreur de ne voir en elle qu'une simple servante sans défense. D'un mouvement fluide et rapide, Dùn reprend sa véritable apparence et se glisse, tout en souplesse, sous la ligne d'assaut du vieux routier. Elle éjecte son épée sur le côté, pénètre dans sa garde et, en deux pas, lui colle sèchement sa dague sous la gorge. La grisaille déchiquetée de son visage grimace devant celui du sergent.

« Qui va arracher la gueule à qui maintenant, vieil homme ?

— B-bon Dieu de merde, c'est quoi ce bordel ! »

Au même moment, le lieutenant décide d'attaquer Dùn par-derrière, se fendant pour essayer de la transpercer.

Je n'ai pas le temps de voir ce qui se passe ensuite, mais la voix du sergent monte brusquement dans les aigus alors que la mort prend son dû. J'ignore ce qui s'est passé exactement mais soit Dùn l'a égorgé, soit elle s'en est servie comme bouclier et c'est le lieutenant qui l'a embroché par accident. Le cri s'achève dans un gargouillis de sang.

Je bloque la lame du garde et la repousse. Trois fois. À chaque fois il recule d'un pas. Pratiquement jusque dans les bras de Marc de Saulieu auquel il ne prêtait, à l'évidence, plus du tout attention. La dague que j'ai donnée au jeune baron finit sous la gorge du soldat et le Bourguignon l'oblige brutalement à lâcher son arme.

À l'extérieur de la cellule, le combat a malheureusement tourné à l'avantage de l'officier français : c'est effectivement lui qui avait, en définitive, tué le sergent de son épée. Et comme sa lame s'était retrouvée coincée dans son corps, Dùn avait dû juger bon de l'attaquer. Hélas, cette tactique n'avait pas porté ses fruits et lorsque je ressors de la cellule, c'est son poing à lui qui est en train de s'écraser avec violence sur sa pommette à elle. La Changesang vacille et recule sous le choc. Pendant ce temps, prenant appui avec sa botte sur le dos du sergent, le lieutenant dégage sa lame.

Je me précipite.

Mais il n'a visiblement pas l'intention de rester pour m'attendre. Il a compris que le combat était perdu et que son seul espoir résidait dans la fuite. Alors, il jette brutalement un grand chandelier sur pied en fer forgé dans ma direction, et s'élance aussi vite qu'il le peut droit vers les escaliers, pour les monter quatre à quatre.

Bon Dieu de merde !

Je me lance à sa poursuite.

Il perd un peu de temps en arrivant au niveau du passage secret de la cheminée, mais sortir s'avère beaucoup plus aisé qu'entrer et il ne s'encombre pas de fioritures. D'un coup de botte, il pousse brutalement le lourd couvre-feu de fonte qui masque le passage et, dans un bruit de tonnerre, se jette de l'autre côté de l'âtre, à l'intérieur du bureau.

Je l'ai presque rattrapé. Cette fois, il ne va pas pouvoir m'échapper : je ralentis et passe tranquillement le seuil de la cheminée. De l'autre côté, je le trouve en grande gesticulation au niveau de la porte. Dùn l'a prudemment refermée à clef tout à l'heure, afin que nous puissions effectuer nos fouilles en toute tranquillité. Pressé par mon arrivée, il jette un coup d'œil fébrile vers l'arrière et projette, de toutes ses forces, son épaule contre le battant de chêne, pour tenter de le faire céder. Le bois émet un craquement plaintif, mais résiste. Il en faudrait bien plus pour faire rendre les armes à ses presque deux pouces et demi de chêne et le lieutenant s'en rend compte. Le dos au mur, il se retourne, épée à la main, pour me faire face. Et il s'élance en hurlant, avec la ferme intention de m'embrocher :

« Holà ! La garde !! Aux armes, on nous attaque !! »

Je pare sa lame avec une relative facilité et le repousse brutalement contre la porte.

« Laissez tomber, officier, la garde est déjà hors d'état de nuire, inutile d'espérer qu'on vous entende. »

À vrai dire, ce n'est pas l'entière vérité : d'après le rapport de Dùn, Navarre a laissé vingt hommes d'armes en faction à l'intérieur du manoir. Moins les sept que nous avons déjà éliminés, et sans compter le lieutenant, ici présent, cela en laisse encore une bonne douzaine, bien valides et tout à fait capables de nuire.

Mais il l'ignore. Et j'ai tout intérêt à faire en sorte qu'il continue de croire que ce n'est pas le cas.

« Les autres hommes de votre unité ont été faits prisonniers, ils sont ligotés mais *tous* en vie. Je vous offre une chance raisonnable de vous rendre et de les rejoindre… Il vous suffit de lâcher votre arme. »

Il cligne des yeux, les dents serrées à s'en rompre les mâchoires.

« M-mon honneur... »

Derrière moi dans l'escalier, on entend les pas de Dùn et de Marc de Saulieu qui s'approchent.

« Rendez-vous, lieutenant, l'honneur n'a jamais aidé personne une fois allongé dans une tombe. »

Ses yeux, un moment hésitants, s'emplissent de haine et de colère au moment où Dùn entre dans la pièce.

« L-la Démone ! Cette saloperie a tué Jarl ! » Il raffermit sa prise sur le pommeau de son arme. La Changesang le regarde d'un air froid, puis hausse tranquillement les épaules.

« J'aurais pourtant juré que c'était votre épée à vous que vous aviez retirée de son dos... »

Il cligne deux ou trois fois des yeux, l'air visiblement de plus en plus agité.

« Je... je ne voulais pas le tuer ! C'est toi ! C'est de ta faute ! »

Cet imbécile nous fait perdre beaucoup trop de temps... Je profite de l'instant précis où ses paupières se ferment brièvement sur l'un de ses clignements d'yeux, pour me projeter en avant. La pointe de ma lame s'enfonce profondément dans sa main et son arme tombe au sol, accompagnée d'un cri de douleur et de quelques taches rouge sombre. Aussitôt Dùn est sur lui, bras tordu dans le dos et dague sous le menton. Il se débat et se met stupidement à hurler.

« Pourriture de démons, je vais tous vous cr... »

Elle ne lui laisse pas le temps de finir sa phrase et le sang gicle partout.

52

« Par les dieux, messire, il n'y a que trois Français là-haut sur le chemin de toit, pourquoi est-ce qu'il faudrait qu'on s'acharne à sortir par le portail de la rue ? Ils sont au moins sept ou huit là-bas ! »

Tout en achevant d'enfiler le surcot aux couleurs de la France que j'ai récupéré sur l'un des gardes, je jette un coup d'œil à la cour principale, au travers de l'une des fenêtres du hall d'entrée. Celle-ci est protégée par des grilles de métal noir d'un demi-pouce de diamètre, ce qui m'oblige à bouger constamment la tête afin d'éviter les angles morts, néanmoins je parviens tout de même à apercevoir ce que je voulais. À l'extérieur, la nuit est sombre, mais les feux de plusieurs grosses torchères brûlent de l'autre côté de la cour, près de la lourde double porte qui commande les entrées et les sorties du manoir. Elles sont abritées sous des arches de pierre, juste à droite des deux portails – l'un pour les piétons, l'autre pour les chevaux – qui séparent la cour pavée de la rue des Jonquilles et de la liberté.

« La pente des toits est beaucoup trop forte, Dùn. Et avec la pluie ça glisse. Pas question de donner l'occasion à leurs arbalétriers de s'amuser à nous tirer comme des lapins. »

Sous le préau que soutiennent les arches, je compte les Français. Ils sont neuf en tout, cinq hommes d'armes, trois arbalétriers et un chevalier qui dirige le tout. À portée d'oreille de la rue, pour le cas où quelqu'un appellerait pour entrer, ils restent prudemment à l'abri des arches de pierre qui les protègent du désagréable crachin de la nuit de novembre. Trois autres gardes n'ont pas cette chance, ce sont eux qui sont de faction au-dessus de nous, au deuxième étage, sur le chemin de ronde qui court le long des toits et surplombe l'ensemble de la cour.

« Monseigneur, sauf votre respect… qu'est-ce que vous êtes en train de me raconter ? Si on élimine discrètement les trois gardes là-haut, personne ne pourra nous voir. Donc pas de risque de se faire tirer dessus. Et pour ce qui est de la pente des toits, je connais un débarras, à côté de la cuisine, où on peut trouver de la bonne corde de chanvre et peut-être même une petite échelle si vous avez besoin de ça pour vous sentir rassuré… »

Quand j'avais huit ans je me suis retrouvé un jour à jouer à la bagarre sur le parapet du pont de Saint-Würz, à moins d'une lieue de mon village. Et au cours d'une de mes premières missions de mercenaire, les dieux du hasard m'ont amené à m'enfuir en courant sur les toits de la ville haute de Dijon. Dans les deux cas j'étais accompagné par plusieurs camarades. Dans les deux cas, j'ai fini par me retrouver suspendu dans le vide. Et dans les deux cas quelqu'un dont j'étais très proche a perdu la vie.

Jamais deux sans trois, à ce qu'on dit.

Alors, tant que je pourrai éviter d'aller me balader en altitude…

Je regarde Dùn quelques instants, hésitant à lui en dire davantage. Mais finalement j'y renonce.

« Trois gardes c'est trop pour être certain de pouvoir les éliminer discrètement. On s'en tient au plan initial ! »

Elle fait la grimace d'un air mécontent mais réajuste tout de même sa coiffe et, obéissant à mes ordres, se prépare enfin à sortir dans la cour. Elle a courbé la lumière afin de remodeler son visage à l'image de celui de Martine et d'écheveler une partie de ses mèches de cheveux, et elle a déchiré le haut de sa robe au niveau de son épaule gauche, dans le but de donner davantage d'intensité à son intervention. En prévision de sa sortie elle s'empare d'une torche éteinte et l'allume au feu vacillant de la cheminée du hall d'entrée.

De mon côté, je fais signe à Marc de Saulieu – comme moi vêtu de mailles et d'un surcot aux couleurs du roi de France – afin qu'il m'accompagne en direction des cuisines. Elles sont noires et vides à cette heure et sentent la soupe froide et les gros légumes, mais elles ont l'immense avantage de donner, après une courte volée de trois petites marches, sur une porte de bois gris qui permet d'accéder aux écuries.

Là, le noir est plus profond encore, et l'odeur dominante hésite entre celle du cheval et celle du purin. J'allume la petite lanterne aveugle que j'ai prévue pour l'occasion à l'aide d'un frotte-pierre à amadou. La mèche crépite un peu avant de s'allumer et lorsque la flamme grandit, elle révèle un bâtiment très long et haut de plafond, tout en poutres, en palissades et en chaume. Il y a là de la place pour une bonne cinquantaine de chevaux, mais seule une vingtaine de stalles sont occupées.

Nos pas crissent doucement sur la paille alors que nous avançons, à la recherche de deux spécimens qui soient à la fois éveillés et dociles.

À l'extérieur, les cris de Dùn nous indiquent que la partie commence pour elle et je sens mon cœur battre un petit peu plus vite.

« Au secours !! Seigneur de Liancourt ! Vite ! Je vous en prie, venez !! »

Je colle mon visage au grand portail central et observe ce qui se passe par une fissure du bois pendant que Saulieu continue de s'occuper de sélectionner les chevaux : la prétendue Martine vient d'ouvrir la belle porte ouvragée du bâtiment principal et elle sort, affolée, pour interpeller le chevalier et les gardes du portail. De l'autre côté du grand parvis, ceux-ci s'entreregardent un instant, surpris. Puis le sieur de Liancourt commence doucement à s'approcher, suivi de quelques-uns de ses hommes.

« Calmez-vous, Martine, voyons. Qu'est-ce qu'il vous arrive exactement ? »

Elle éclate en sanglots.

« L-le Bâtard de Kosigan, il m'a frappée ! Et pas qu'une fois ! Et puis il a tué Milessent et Guylain et il s'est enfermé à clef à l'intérieur du bureau de monseigneur de Navarre !

— Quoi ?! »

Alors qu'ils prennent conscience de ce que signifie cette dernière information, en rapport avec leur précieux prisonnier bourguignon, les Français s'agitent. Ledit chevalier de Liancourt se met à presser le pas en direction de Martine et de la porte d'entrée, presque jusqu'à courir, entraînant ses hommes à sa suite et hurlant des ordres à la ronde : « Levrai, toi tu restes là pour garder le portail ! Vous, là-haut, sur les toits, vous rentrez à l'intérieur et vous me bloquez toutes les issues à votre niveau : si jamais il s'enfuit par chez vous, je vous étripe, c'est bien compris !! Quant aux autres, avec moi, il faut qu'on arrête cet enfoiré, et tout de suite ! »

Il s'engouffre par la porte du corps de logis principal, l'épée à la main, suivi par sept de ses hommes d'armes.

La robe des deux chevaux que Marc de Saulieu nous a dégottés paraît presque aussi sombre que la nuit. Il s'agit de roussins bien calmes et aucun n'a rechigné lorsqu'il les a approchés, ni lorsqu'il a placé les tapis de monte sur leur dos. Je commence à ouvrir le plus doucement possible les lourds vantaux qui donnent sur la cour. Il n'y a pas de lumière au niveau de la porte de l'écurie, par conséquent personne ne devrait se rendre compte de ce qui se passe avant que nous ne décidions de sortir. Lorsque je me retourne, le Bourguignon est déjà à cheval et je note au passage qu'il a le maintien, l'équilibre et la main ferme des meilleurs cavaliers. Je saute moi-même en selle et retiens calmement ma monture avec les genoux, tout en flattant son encolure de la main.

« On y va, Kosigan ? »

Je fais non de la tête. Pas encore.

Si jamais nous sortions trop tôt avec nos déguisements de soldats français, le dernier garde encore de faction au portail aurait une chance de se douter de quelque chose et de donner l'alerte. Il faut absolument qu'il pense que le chevalier de Liancourt a pu envoyer deux hommes porter un message au château.

Or, trouver les chevaux et les seller prend du temps. Il va falloir attendre un peu.

D'après ce que je peux en estimer, Liancourt et ses hommes doivent, en ce moment même, être en train de commencer à défoncer la porte du bureau. Cela va leur prendre quelques minutes mais lorsque ce sera fait, ils entreront et constateront qu'il y a du sang partout, alors ils se précipiteront pour ouvrir le passage secret et descendront au plus vite dans les geôles, dans l'espoir d'empêcher la libération du prétendant bourguignon. C'est seulement là qu'ils se rendront compte qu'il est probablement déjà trop tard et que les gardes ligotés pourront leur dire qu'ils se sont fait flouer. Il faudra absolument avoir quitté les lieux avant qu'ils ne remontent et ne se précipitent à nouveau dans la cour dans le but d'essayer de nous arrêter.

Nous attendons une minute ou deux en silence, l'ouïe et le regard aux aguets, fouillant l'ombre et la nuit à la recherche d'un quelconque indice laissant penser que quelque chose pourrait, d'une façon ou d'une autre, être en train de mal tourner. La tension est extrêmement forte car agir est toujours plus facile que d'attendre. Je me force à compter encore dans ma tête jusqu'à trente, et chaque seconde semble s'acharner à s'égrener avec la lenteur d'une chenille tissant sa chrysalide. Enfin, j'estime que le temps est venu et je fais signe à Marc de Saulieu que nous pouvons commencer à avancer. « Martine », quant à elle, est déjà ressortie. Je la regarde se diriger à grands pas pressés vers le dernier garde de la porte. Alors qu'elle arrive à sa hauteur, le petit trot de nos chevaux commence à faire doucement claquer les pavés humides de la cour. Dépassant rapidement le grand puits qui jouxte l'écurie, nous nous approchons à notre tour du portail qui donne sur la rue. Il est à une bonne trentaine de pas. Martine est en train d'adresser la parole au garde.

« Le chevalier de Liancourt vous demande d'ouvrir le portail, il a dit qu'il envoyait deux hommes pour prévenir le prince. »

Nous nous trouvons encore à une bonne quinzaine de pas de lui et il ne distingue donc pas nos visages. Sans poser de questions, il commence à se mettre à la tâche. Mais la lourde planche de bois renforcée de fer qui barre le portail paraît très lourde et elle n'a pas été prévue pour être soulevée par un seul homme.

« Je vous donne un coup de main, soldat ?

— C'est gentil ça, ma jolie, mais c'est pas trop un boulot pour les donzelles, si vous voyez ce que je veux dire. »

Martine éclate de rire.

« Chez mes parents, je bûcheronnais tout le bois pour l'hiver avec mon père, alors v-vous inquiétez pas trop pour moi, sergent ! »

L'homme n'a rien remarqué, mais moi oui, « Martine » commence à payer son écot à la fatigue accumulée depuis hier : elle a trébuché sur sa phrase, et son image a fluctué pendant une seconde. Il est plus que temps que nous fichions le camp d'ici.

« Dans ce cas, c'est pas de refus. »

Dùn l'aide donc à débarricader les deux grands vantaux de chêne. Elle ahane sous l'effort mais bientôt la double porte qui donne sur la rue est ouverte. Sur un signe de ma part, Marc de Saulieu passe devant au petit trot et prend par la droite en sortant. Quant à moi je me penche en direction du garde. Les torchères ne sont pas bien loin et elles éclairent à présent nettement mon visage. Le soldat ouvre de grands yeux en me reconnaissant et il se prépare à crier, mais la dague de Dùn, derrière lui, est déjà collée à sa pomme d'Adam.

« Tu remercieras le prince de Navarre pour sa gentille hospitalité, soldat, et tu lui diras que je suis navré d'avoir eu besoin d'en abuser. À présent, dégrafe le ceinturon de ton arme et cours jusqu'à l'intérieur du bâtiment. Si tu le fais sans te retourner tu auras la vie sauve. »

Le brave gars ne se le fait pas dire deux fois, nous laissant ainsi le champ entièrement libre.

Je tends la main à Dùn qui attrape mon avant-bras. Elle monte en croupe avec difficulté. Puis je talonne mon cheval et nous sortons à notre tour au trot, sous la pluie qui maintenant tombe de plus en plus drue.

*

J'apprécie particulièrement les contrats qui permettent de se préparer longtemps à l'avance. Comme c'est le cas de celui-ci.

Saulieu nous attend un peu plus loin, au coin d'une bicoque à colombages, à moitié délabrée. Il nous faut ensuite moins d'une minute, à bonne vitesse, pour atteindre notre lieu de repli. Là, les deux roussins, dont les naseaux exhalent de longs nuages de vapeur dans le froid et la pluie, pénètrent à l'intérieur de la cour fermée du petit hôtel particulier que Gerfaut a acheté pour moi en secret, il y a de cela un peu plus d'un mois.

La bâtisse en question est vieille et elle ne compte qu'un seul et unique étage. Passablement défraîchie, elle est loin d'être aussi grande et luxueuse que celles de la famille de l'Estable. Six pièces seulement, cuisine comprise, des fenêtres étroites et des écuries qui ne sont capables d'accueillir cinq chevaux que dans l'hypothèse où l'on consent à en mettre deux ensemble dans la stalle la plus grande. Pour autant, il s'agit d'un endroit discret et idéalement situé, au creux d'un renfoncement de la petite rue Saint-Frobert, juste entre l'arrière de la grande cathédrale Saint-Paul et le canal de Trévois, à moins de cent cinquante toises du château comtal.

Malgré sa fatigue évidente, Dùn saute de son mieux à bas de ma monture et court aider Edric qui est déjà en train de refermer les battants du portail derrière nous. Sans mot dire, chacun fait ce qu'il a à faire pour mettre les chevaux à l'abri et en moins de deux minutes, nous pouvons tous pénétrer dans la chaleur de l'intérieur du corps principal d'habitation.

La porte d'entrée donne directement sur une vaste pièce un peu poussiéreuse, au sol de terre battue, qui fait à la fois office de salle à manger et de cuisine. À l'intérieur, un gros feu de cheminée éclaire et réchauffe agréablement l'endroit, et tout particulièrement la longue table de chêne qui est dressée en plein centre. Dessus, il y a largement de quoi manger et reprendre des forces : des pains de seigle en quantité, des fromages de Chaource et de Langres, du saucisson d'âne et de sanglier, des jambons, deux gros pots de terrines, ainsi que trois bonnes bouteilles de morgon. Sans compter les deux poulets bien dorés qui achèvent de cuire en crépitant doucement dans une rôtissoire à côté de la cheminée, et dont le fumet est si délicieux et si appétissant que l'eau m'en vient toute seule à la bouche. *Puisque l'organisation du temps nous oblige à faire une pause, autant en profiter pour se requinquer un peu...* Dùn se précipite sur les poulets sans même attendre de voir si nous nous joignons à elle, elle attrape la poignée de la tige de fer sur laquelle ils tournent doucement, les débroche encore fumants à même le bois de la table, le jus avec, et commence à en déchiqueter un à pleines dents. Elle a entièrement abandonné son identité d'emprunt à présent et, à la lueur des flammes et des trois grosses bougies qui éclairent la pièce, son appétit paraît presque effrayant. Marc de Saulieu la fixe avec de grands yeux.

« Messire de Kosigan, pardon de vous poser la question mais... comment se fait-il que nous nous arrêtions céans ? Ne devrions-nous pas être en train de filer en direction du palais ? Je croyais que nous étions pressés.

— Asseyez-vous et mangez, seigneur de Saulieu, cela vous fera le plus grand bien. Après vous nettoierez le sang que vous avez encore sur vous et vous vous changerez. Il y a des vêtements propres dans l'armoire de la pièce d'à côté et vous pourrez aussi y choisir une cape ou un manteau si vous en avez envie. Gardez votre épée et votre maille, elles pourront vous être utiles. Pour ce qui est du palais, nous irons, ne vous faites aucun souci là-dessus. Et je suis aussi pressé que vous d'y arriver. Mais il faut attendre le bon moment. Et là, tout de suite, ce n'est pas le bon moment. Dùn, assure-toi d'être prête à partir d'ici dix minutes. Toi, Edric, tu viens avec moi. »

J'attrape un pain rond et une bonne cuisse de poulet, puis entraîne mon écuyer en direction de l'escalier de bois gris qui mène à l'étage.

« Prends du vin et deux verres, qu'on voie un peu où on en est. »

*

Du haut du vieux pigeonnier qui surplombe un des angles du petit hôtel particulier de la rue Saint-Frobert, Edric lance Tunis, l'un des cinq faucons élevés et entraînés par Gerfaut, dans la froideur de l'air nocturne. Sans pousser le moindre cri, l'oiseau s'envole à tire-d'aile afin d'aller rejoindre son maître au palais comtal. Le message qu'il emporte avec lui est bien évidemment codé et il ne comporte aucun sceau, ni aucune signature. Au cas où. Il contient juste la confirmation que nous avons réussi à libérer Marc de Saulieu, ainsi que les directives pour que notre arrivée au château se déroule dans les meilleures conditions possibles.

Ceux qui doivent se préparer n'ont plus qu'à le faire à présent. Et à nous en donner confirmation.

53

Troyes, palais de la comtesse de Champagne, au soir du 9 novembre de l'an de grâce 1339. Scène relatée par Gunthar von Weisshaupt.

« Je n'ai d'yeux que pour le vil prince de Navarre, et je le suis comme son ombre, profitant des moindres noirceurs nocturnes pour masquer ma féline présence. Il joue au conquérant un peu partout, exhibant sa dent d'or comme un symbole de sa force, parlant fort et riant ainsi que le ferait le comte de Champagne et seigneur de Troyes en personne, aussi sûr de lui et de sa victoire que si elle lui était déjà pleinement acquise.

Les dieux de mes ancêtres fassent que nous réussissions à lui rabattre sa superbe ! Vous ai-je dit que cet ignoble individu, il y a dix-sept ans de cela, avait fait arrêter mon oncle pour sorcellerie et l'avait livré au tribunal de l'Inquisition à la suite d'un procès odieusement truqué, dans le seul but de faire main basse sur ses biens et toute sa fortune ? De la sorcellerie ! Nous, les von Weisshaupt, y avons renoncé il y a plus de deux cents ans et nos familles ont même reçu des sauf-conduits du pape pour cela. Quel traître infâme! Truquer des preuves contre un honnête chevalier-marchand!

Cela dit, je suppute que vous n'êtes pas homme à ignorer ce genre de renseignement et qu'il ne faut pas voir la main du hasard derrière le fait que vous vous soyez adressé à moi dans cette affaire.

Le félon de Navarre a longuement conversé avec le gros et sournois cardinal d'Orange, l'ancien chantre de l'Inquisition, bien boudiné dans son manteau de prélat écarlate, et portant avec morgue son anneau de pouvoir aux armoiries d'Avignon, ainsi que son rouge chapeau de cardinal. Malgré son air bon enfant et le teint rosé de ses joues, il ne faut guère s'y tromper, l'homme est dangereux et prudent. Bien qu'il ait quitté leurs rangs depuis des années, il porte toujours la croix du Christ de silence, propre aux limiers de l'Inquisition, et ses yeux d'aigle soupçonneux ont à maintes reprises interrogé les ombres, à l'endroit invisible où je me tenais caché.

Impossible, en conséquence, de m'approcher et de découvrir l'objet précis de leur conversation. Fort heureusement, il n'est pas toujours besoin d'ouïr pour comprendre certaines choses! Le cardinal s'en est allé en direction des parties privatives du palais, accompagné de trois officiers des gardes Porte-lames d'Avignon. Si vous m'en croyez, c'est à l'évidence pour surveiller la comtesse et s'assurer qu'elle ne pratique une quelconque sorcellerie dont les seigneurs des Elfes pourraient avoir le secret, dans le but de ne pas souscrire à ses engagements.

Je me hâte d'en avertir votre homme, Gerfaut, ainsi que le baron Cendre de Bar, le vaillant Champenois, grand banneret de la comtesse. Et le prince an Seïllar également, pour faire bonne mesure.

Remettre ensuite la main sur le félon de Navarre ne s'avère guère difficile. Son odeur est si forte qu'elle s'accroche plusieurs minutes aux particules d'air qu'il traverse de sa présence : il pue la fourberie et la suffisance, agrémentées d'une dose non négligeable de musc et de sueur vicieuse. Le suivre se révèle donc, tout à la fois, aisé et particulièrement désagréable.

Lorsque je le retrouve, il se tient à proximité de la balustrade de pierre blanche, au coin de la terrasse qui donne, par de larges ouvertures vitrées, sur la grande salle de réception. Toujours accompagné de deux chevaliers de l'ordre de l'Étoile, il se trouve en pleine conversation avec le chambellan de Tailly.

N'écoutant que ma curiosité, je pénètre dans un long bosquet de joncs situé à proximité, lequel me permet de m'approcher au plus près sans être vu, dans l'ombre, juste en contrebas de la terrasse.

La cérémonie devrait avoir débuté depuis long-temps à présent, et la voix de l'ignoble cousin du roi de France est comme un grondement sourd de colère contrôlée. L'homme bout d'impatience et on le sent sur le point d'atteindre l'état que la comtesse avait défini plus tôt dans la soirée comme étant prêt à coller un couteau sous la gorge du chambellan. Les débuts de la discussion m'ont échappé mais nul besoin d'être grand clerc pour prendre la mesure de ce qui se dit ici.

"... au plus vite, monseigneur, je vous en donne ma parole.

— Au plus vite ? Vous vous foutez de moi, de Tailly ? C'est *maintenant* que je l'attends et que je la veux ici ! Et avec sa comtesse de mère pour lancer les festivités ! Vous vous rendez compte de ce qui est en train de se passer ? Tout le monde a faim et s'impatiente ! Il n'est pas question que l'annonce de mon futur mariage se fasse dans des conditions aussi déplorables !"

La voix du chambellan conserve calme et dignité.

"J'en suis entièrement d'accord, votre seigneurie. Souhaiteriez-vous que je fasse une annonce pour dire que vous préférez repousser les festivités de quelques jours, le temps que la jeune comtesse se remette entièrement de son indisposition ?...

— Indisposition, mon cul ! Envoyez-les chercher, de Tailly, et tout de suite ! Sinon, par le Christ tout-puissant, je ne réponds pas de… !"

Le félon de Navarre est momentanément hors de mon champ de vision, aussi j'ignore ce qui explique qu'il s'arrête en plein milieu de sa phrase. Je pencherais pour l'intervention d'une tierce personne qui l'aurait tiré par la manche afin de lui indiquer que quelqu'un d'autre souhaiterait s'entretenir avec lui.

"Je m'absente quelques minutes, de Tailly, mais à mon retour, *j'exige* que tout le monde soit en place, sinon, croyez-moi, tout cela va très mal finir ! J'espère que ce que je dis est suffisamment clair pour votre vieil esprit !

— Oui, monseigneur.

— Dans ce cas, obéissez à mes ordres et tout se passera bien !"

Il s'éloigne rapidement et je l'aperçois descendre l'escalier central de la terrasse pour rejoindre la cour arborée, à présent pratiquement vide de monde.

Sans la moindre hésitation, je lui emboîte lointainement le pas. Suivre sa piste âcre s'avère chose aisée et je peux donc demeurer discrètement dans l'ombre, hors de portée de vue. L'homme qu'il rejoint derrière une haie d'arbustes est un jeune chevalier aux couleurs de la France, armé et armuré de mailles, son visage paraît grave et des plus ennuyés. Nul doute qu'il ne s'agisse ici de la rencontre que vous m'aviez demandé de guetter.

"… de si important, chevalier de Liancourt, pour que vous me dérangiez céans et en cet instant précis ?

— Une catastrophe, monseigneur, une véritable catastrophe. De Saulieu s'est échappé !

— Quoi ?!

— Avec l'aide du Bâtard, monseigneur !

— L'enfant de putain ! Mais, par les cornes du Malin, comment est-ce possible ? Il était censé dormir au moins jusqu'à demain après-midi !

— Il… À vrai dire… Martine l'a aidé !

— Par tous les démons de l'enfer ! Et où est-ce qu'ils sont à présent ?

— Monseigneur… On n'en sait rien du tout."

L'infâme prince de Navarre reste coi durant quelques instants. Est-ce mal de reconnaître que sa colère et sa frustration me procurent le plus grand plaisir ? Son teint est devenu livide et ses lèvres sont si pincées qu'elles ne forment plus qu'un trait mince et tendu au bas de son visage. Au passage, je me permets de vous adresser mes plus sincères félicitations, messire de Kosigan.

"D'évidence, le Bâtard et Saulieu n'ont pas encore pénétré dans le château. Ils doivent chercher un moyen d'atteindre la salle de réception sans se faire arrêter par nos hommes devant l'entrée principale.

— Les nôtres sont partout, monseigneur, ils ne passeront pas ! D'autant plus que les eaux des douves sont glacées, et qu'aucun nageur, aussi émérite soit-il, ne pourrait les traverser.

— Il est d'autres moyens. Prenez vos hommes et patrouillez les jardins, Liancourt. J'enverrai le comte de Plerval vous prêter main-forte. Et puis, faites dire au capitaine de Joinville de former deux autres groupes, pour surveiller les remparts et les abords de la terrasse. Nous avons près de cent hommes dans ce palais. Il n'est pas question que Saulieu arrive *vivant* jusqu'à la salle de réception. Vous comprenez ce que j'essaie de vous dire, n'est-ce pas lieutenant ?

— Tout à fait monseigneur. Je vais prévenir le capitaine de Joinville sur-le-champ.

— Liancourt !

— Oui monseigneur ?

— Dois-je préciser que je vous conseille de ne pas les laisser s'échapper cette fois ?…"

Le chevalier de Liancourt parti, je m'éloigne à mon tour furtivement, puis cours avec célérité et discrétion afin de remettre au plus vite mon rapport à votre silencieux Gerfaut.

Force m'est d'avouer que je commence à bien aimer vos manières de faire, messire le Bâtard de Kosigan ! »

Correspondances de Kergaël de Kosigan avec Charles Chevais Deighton. Vernon, le 19 juillet 1899.

Salutations mon ami,

Je vais nettement mieux, merci. Et j'ai bien reçu tes confirmations de placements dans les compagnies Nobel et Stratford. J'espère que de ton côté tes vacances à Brighton se déroulent comme tu l'espérais et que Mary peut t'éblouir avec les nouveaux vêtements de plage que je lui ai trouvés au Magasin de nouveautés de la rue Lafayette. Espèce de veinard !

En ce qui me concerne, je me concentre sur mon héritage, pour éviter de trop penser à Gabrielle. Les choses, de ce côté, évoluent plutôt vite. Les titres de propriété des deux petits châteaux et du terrain de Maulnes ont finalement été expertisés et ils sont tout ce qu'il y a de plus authentique. Celui de Vernon s'avère tout particulièrement intéressant dans la mesure où il porte une mention manuscrite, de la main d'un personnage illustre : le fameux connétable de France, Bertrand Du Guesclin. Celui-ci précise faire don du château dit des Tourelles à son « cousin », Pierre Cordwain de Kosigan, « pour faits d'armes et récompense personnelle ».

Une révélation étonnante ! Et pourtant tout ce qu'il y a de plus crédible, dans la mesure où les Du Guesclin, tout comme les Kosigan, présentent une aigle bicéphale comme élément central de leur blason ! Le seul hic, tu t'en doutes déjà, est qu'aucune source, nulle part, ne confirme le lien de parenté entre les deux familles. Le nom de Kosigan n'apparaît d'ailleurs à aucun endroit dans l'historique des registres officiels qui concernent le château, celui-ci étant, sur le papier, demeuré la possession des Du Guesclin jusqu'en 1453.

Voilà qui nous place, une nouvelle fois, devant une situation purement et simplement incompréhensible ! Les preuves de l'existence de mon ancêtre s'accumulent, mais elles se heurtent au vide absolu de l'Histoire officielle le concernant. Je ne sais pas du tout quoi en penser. Et, pour tout dire, je déteste cela ! Tout se passe très précisément comme si quelqu'un s'était acharné à faire disparaître scrupuleusement et de manière systématique toutes les traces écrites concernant mon ancêtre et sa famille. Comme si on avait, en quelque sorte, essayé de les rayer, purement et simplement, de l'histoire.

J'ai conscience que cela paraît insensé, et ni moi, ni Lavisse, ni Delisle, n'avons la moindre idée de la manière dont une telle manipulation aurait pu être menée, mais c'est pour l'instant la seule théorie qui peut nous apporter une once d'explication. Quant à déterminer qui a bien pu faire une chose pareille, comment, et surtout, dans quel but, cela reste de l'ordre du mystère le plus absolu.

Je suppose qu'il faut, pour l'instant, en prendre notre parti et nous concentrer sur les recherches concrètes, afin de faire en sorte que les choses avancent.

Le château de Vernon – ou plus exactement de Vernonnet, sur la rive droite de la Seine – est celui par lequel j'ai décidé de débuter. Il s'est révélé tout à fait digne d'intérêt. Il s'agit d'une bâtisse en bon état, faisant facilement ses vingt-cinq bons mètres de haut, toute en pierre blanche, grisée par le temps, et flanquée de quatre tours rondes, à toit gris, accolées à un donjon central rectangulaire. Une véritable sentinelle de pierre dressée contre les Anglais par Philippe Auguste, quelque part au cœur du XIIᵉ siècle, à la frontière entre l'île de France et la Normandie.

L'intérieur s'étend sur trois niveaux et l'atmosphère, en été, s'y trouve particulièrement fraîche, ce qui est loin d'être désagréable vu la chaleur accablante qui règne en ce milieu du mois de juillet. En revanche, la lumière du jour a bien du mal à se faufiler au travers des rares meurtrières. Le tout se trouve évidemment totalement vide, avec des paliers de bois vermoulus sur lesquels il faut être attentif à ne marcher que sur les poutres maîtresses, afin d'éviter la désagréable mésaventure de passer au travers du plancher.

J'ai engagé une entreprise de bâtiment qui a travaillé dix jours sur le site pour le sécuriser, ce qui m'a permis, ensuite, de le fouiller en détail. Pratiquement à la loupe. Je crois être le premier à me servir du tout récent générateur de lumière de Wood[1] du British Museum. C'est un instrument fantastique qui utilise certaines fréquences lumineuses pour faire apparaître des traces de composants invisibles à l'œil nu. Cela m'a permis de repérer un nombre invraisemblable de taches de sang, de formes et de tailles les plus variées, absorbées dans les murs de pierres moisies ainsi que dans le bois des planchers. Des centaines de taches. Peut-être des milliers. J'ignore combien de soldats ou d'innocents ont été massacrés ici à travers les âges, mais cela fait presque froid dans le dos.

Bien plus intéressant que le sang, la lumière noire a fait ressortir un espace circulaire beaucoup moins vermoulu que le

---

1. Également appelée lumière noire, découverte aux États-Unis par Robert William Wood en 1896.

reste des planchers de bois, et dissimulé sous les mousses et les scories du sol du troisième niveau. Une cache ronde. D'une quinzaine de pouces de diamètre. Je suis pourtant habitué à l'excitation de ce genre de découverte, mais je peux te dire, mon vieil ami, que lorsque l'on est personnellement concerné, l'espoir et l'envie de mettre au jour quelque chose de nouveau sont pratiquement décuplés.

Beaucoup de poussière à l'intérieur du petit renfoncement. De la moisissure et même quelques minuscules champignons. Mais surtout, un étui à parchemin de petite taille, en cuir mou, craquelé et moisi sur un bon tiers de sa longueur ! Le blason incrusté au niveau de l'ouverture était en partie effacé, mais on arrivait tout de même à deviner un lion unique, rampant – c'est-à-dire debout – et tourné vers la gauche. Impossible, sans les couleurs d'origine, de déterminer la maison à laquelle il appartenait. Peut-être celle de Flandres ou celle de Luxembourg, mais il y en a des dizaines d'autres qui peuvent également être concernées.

Roulée à l'intérieur, jaunie et affadie par les siècles, l'étui protégeait encore la lettre qui lui avait été confiée, plusieurs centaines d'années auparavant. Manuscrite, sur du vélin, elle comportait dans sa partie inférieure le sceau des Kosigan ainsi que la mention P.C.K. pour Pierre Cordwain de Kosigan.

J'ai pris le temps de l'étudier en détail, notamment pour en comparer l'écriture avec les phrases de mon ancêtre qui étaient déjà en ma possession, et j'ai demandé à Delisle de m'en confirmer la traduction par télégraphe. La lettre est presque entièrement intacte et elle s'adresse à une certaine Dùnevïa Il'lavaelle qui paraissait être au service du chevalier de Kosigan. Un nom étrange, qui ne correspond à rien de connu au Moyen Âge, c'est pourquoi je pense qu'il s'agit très certainement d'un nom d'emprunt. Toujours est-il que le chevalier lui ordonne de se rendre sans délai à la forteresse de Maulnes et « de brusler icelle de par le feu, aux fins d'en garantir tous les secrets, celements [1] et autres parchemins de la Livrerie [2] ». *La lettre avait le ton de l'urgence et les instructions qu'elle donnait à ladite Dùnevïa Il'lavaelle étaient claires : un groupe de chevaliers de l'Inquisition mené par un officier du nom de Giovanni Antonio Serbelli était, semble-t-il, en train de remonter de Rome en direction de la Bourgogne, avec l'ordre express de s'emparer du château de Maulnes, ainsi que de tout son contenu. Il fallait faire en sorte que cela n'arrive pas.*

J'ignore ce que mon ancêtre avait caché là-bas de si important, mais je suis d'ores et déjà en route vers la Bourgogne pour essayer de le découvrir.

Bien à toi,

K.

P.-S. : je vais contacter l'ami Palienti à Rome pour voir s'il peut me trouver des renseignements sur cet inquisiteur. Et, au passage par Paris, Lavisse doit me présenter à un de ses étudiants de doctorat qui travaille, lui-même, sur les ramifications et les origines de l'organisation de l'Inquisition. Cela pourrait s'avérer intéressant.

---

1. Se dit de quelque chose qui est caché.
2. Bibliothèque.

55

Gerfaut, mon maître fauconnier, s'apparente plutôt au genre taciturne. La quarantaine bien tassée, une grosse moustache sous un nez fort, des arcades sourcilières marquées, il préfère la plupart du temps garder le silence et aime à s'exprimer par l'intermédiaire de sifflements ou de bruits de bouche. Edric s'est tout de suite entendu avec lui. Ce qui peut sembler paradoxal si on considère le fait que, de son côté, sa langue a une tendance prononcée à ne jamais rester dans sa poche, et que ce trait de caractère était encore bien plus développé à l'époque de ses quinze ans. Pourtant, quand on y réfléchit, la chose ne paraît pas si surprenante. Gerfaut, tout rude et bougon soit-il, appartient à la catégorie rare des gens qui aiment rendre des services – il le fait avec discrétion, sans se mettre en avant et sans rien demander en retour – et Edric, quant à lui, présentait à ses débuts la double qualité, d'une part, d'avoir besoin de tout apprendre du métier et, d'autre part, de posséder cette faculté qu'ont certains de remercier ceux qui leur viennent en aide avec chaleur et sincérité.

Savoir exprimer sa gratitude de manière juste et touchante n'est pas aussi simple qu'on pourrait le penser. C'est la raison pour laquelle il y a un paquet de monde qui ne s'y risque pratiquement jamais, et à peu près le double qui le fait, mais avec une telle froideur ou une telle maladresse, qu'on a l'impression qu'il aurait mieux valu se casser le pied le matin, plutôt que de venir lui prêter main-forte. Edric, pour sa part, a toujours su naturellement comment faire pour que ceux à qui il disait merci aient l'impression que c'était *lui* qui leur faisait un cadeau. Sa reconnaissance, il la leur montre par des regards chaleureux, de l'enthousiasme ou encore une main amicalement placée sur l'épaule. Et ça marche.

Quoi qu'il en soit, il y a immédiatement eu une sorte de proximité entre Gerfaut et lui, quelque chose de fort qui touchait à l'instinct paternel d'un côté et à l'amitié filiale de l'autre. Edric a ainsi pu engranger toutes les techniques de fauconnerie que l'autre ne demandait qu'à lui apprendre, et c'est de cette manière qu'il a commencé à se montrer vraiment utile. Aujourd'hui il est capable de faire à peu près tout et n'importe quoi dans la meute, et il prouve chaque jour qu'il a largement sa place dans la compagnie.

« Cette fois, ça y est, messire, Tunis vient de revenir ! »

Je tends la main dans sa direction.

« Très bien, donne-moi la pierre. »

Il me tend avec beaucoup de précaution le petit *okram* magique, confié le matin même à Gunthar von Weisshaupt.

« Pas d'inquiétude, ça ne casse pas. »

La pierre est tiède au toucher et seule sa première encoche – sur les sept qu'elle comporte en tout – a pris une couleur argentée. Cela signifie qu'elle a été utilisée récemment mais qu'elle est encore loin d'être remplie.

Les braises d'Okma[1], ou *okrams*, sont de petits galets pâles, gravés il y a de cela plusieurs siècles de minuscules runes divines, par les prêtres nains du dieu du savoir. J'en possède trois, et elles sont d'une extrême utilité pour recevoir des rapports ou garder la trace de certaines conversations. En les plaçant au centre du front, ou bien à la base de la nuque, et en récitant les mots tissés de magie de l'antique troisième prière d'Okma, celui qui les utilise crée un lien entre la pierre et son esprit. Il a dès lors la possibilité d'inscrire à l'intérieur, par le simple exercice de sa volonté, le fil entier de ses pensées ainsi que tous les mots et sons qu'il peut entendre. La quatrième prière de mots tissés permet, à n'importe quel moment par la suite, « d'écouter » à nouveau les pensées en question. Quant à la cinquième, elle vide la pierre et la prépare pour une nouvelle utilisation.

« File dire aux autres de se tenir prêts. Si jamais ce rapport confirme mes prévisions, nous devrons partir dans la minute ! »

Edric sort, me laissant seul dans la pièce qui jouxte le vieux pigeonnier du manoir. *Il n'y a plus de temps à perdre.* Je sors ma dague et la pose sur mon avant-bras gauche. Sans hésiter plus d'une seconde je l'entaille profondément, sur une longueur de trois ou quatre pouces. La douleur picote et tiraille, et le sang se met à couler en longs ruisseaux sombres qui dégoulinent rapidement sur l'*okram*. Celui-ci en

---

1. Dieu nain de la connaissance et de l'écriture, créateur des *okrams*.

absorbe chaque goutte jusqu'à devenir lui-même d'un rouge de plus en plus foncé, presque noir. Je prononce alors la prière à Okma, tout en appliquant un linge propre et bouillant sur la longue estafilade de mon bras. Puis je place soigneusement l'*okram* au centre du bandeau de cou qui sert à le maintenir en position, et remplace celui que je porte sur moi pratiquement en permanence. Les élancements et les douleurs de mon bras se font plus vifs alors que commence le processus de régénération. J'essaie de me concentrer sur mes mouvements mais, malgré cela, le bandeau et l'*okram* glissent par deux fois avant que je ne réussisse à bien les fixer.

À mon sens, on peut trouver là une des clefs des progrès fulgurants de la religion chrétienne face aux multiples puissances anciennes qu'elle cherche à remplacer : terminé le sang versé en échange de l'aide de l'Au-delà, plus aucun *sacrifice*, plus de douleur. De simples prières. Et la foi et l'espérance pour unique moteur. J'ai longtemps été convaincu que ces petites prières des chrétiens étaient insignifiantes, en regard de la puissance incommensurable de la magie des temps anciens, que celle-ci soit, d'ailleurs, de nature divine ou profane. Mais je me trompais. Leur pouvoir est bien plus grand que ce que je pouvais penser au premier abord et il est tout ce qu'il y a de plus réel. En Italie, à Venise, j'ai vu de mes yeux un prêtre faire reculer une meute de chiens de cauchemars avec un simple *credo*[1], et une unique flasque d'eau, bénite par ses soins, m'a permis de survivre à la traversée à cheval du *Bosco delle Morti che*

1. Prière du « Je crois en Dieu ».

camminano[1], et de prendre ainsi de vitesse le condottiere Gino Chionti pour défendre la ville de Bologne.

Tandis que les magies et les religions du passé en appellent à des forces et à des énergies *extérieures*, très puissantes certes, mais extrêmement difficiles à manipuler et à maîtriser – et souvent longues à mettre en place – le christianisme, lui, puise, de façon quasiment instantanée à une source d'énergie immense, cachée à *l'intérieur* de chaque être pensant. Invisible mais néanmoins toujours présente. Cette source réside dans le pouvoir incroyable des sentiments, de la conviction et de la volonté. La rage, la peur ou l'amour, même le plus illettré des paysans bretons ou auvergnats peut y avoir accès, alors qu'il faut au moins quinze années d'études, rigoureuses et intenses, pour former un mage approximativement digne de ce nom. Et encore, une fois sur deux, il meurt, écharpé par des êtres maléfiques ou réduit en cendres par les énergies sombres. Le seul inconvénient notable des prières chrétiennes, c'est que leur efficacité semble toujours aléatoire, et qu'il faut, paraît-il, croire plus dur que le fer avant d'avoir une chance d'obtenir un résultat. Dieu est au cœur de chaque homme, apparemment. Mais, la plupart du temps, il demeure trop bien caché pour qu'on puisse le trouver.

Le sang qui coule dans mes veines est plus rouge et plus chaud que celui de n'importe quel être vivant que je connaisse. Il confère à la braise d'Okma une puissance inégalée et fait ainsi apparaître progressivement dans mon esprit, avec une parfaite netteté, le rapport préparé par Gunthar von Weisshaupt.

Ainsi que je l'espérais, la comtesse cherche à

1. Le bois des Morts qui marchent.

retarder au maximum le moment de l'annonce du mariage. Quant aux troupes françaises, il n'est pas inintéressant de connaître exactement les secteurs dans lesquels elles sont en train de se déployer. Rien de bien exceptionnel, mais avoir une certaine visibilité peut toujours se révéler utile lorsqu'on envisage de se jeter sciemment dans la gueule du loup.

Je mettrai tout cela par écrit demain. Avec peut-être également les raisons pour lesquelles j'ai laissé aux Français le temps de s'organiser. Dans l'hypothèse où toute cette affaire finisse bien, évidemment.

Pour l'heure, il n'y a plus un instant à perdre. Passant dans le vieux pigeonnier et attrapant au passage un lourd gant de fauconnier, je replace l'*okram* dans la petite bourse attachée à la patte droite de Tunis. Je le libère du capuchon de cuir qui couvre sa tête, le prends sur mon gant, me rapproche rapidement de la grande ouverture qui donne sur le vide, puis tends mon bras en avant. Comme s'il s'agissait d'un signal, les serres du faucon repoussent brutalement ma main et il prend son essor, ses ailes tachetées déployées dans la nuit, vers le ciel, vers le château et vers son maître.

À présent, en route pour le dernier acte.

*

Capuche sur la tête et épée au côté, nous quittons l'hôtel particulier de la rue Saint-Frobert en empruntant la petite porte en ogive réservée aux piétons. La voie est libre.

Dehors, le froid intense commence à geler la boue, heureusement il n'y a pas de vent. La pluie de tout à l'heure a cessé, remplacée par de la neige qui tombe à présent éparse, en gros flocons soyeux et doux. Dans la noirceur de la nuit on jurerait que les étoiles du ciel ont envahi l'air pour venir mourir d'un seul coup, au contact des toits, du sol ou de nos vêtements.

Dùn se place à une vingtaine de pas devant nous, en position d'éclaireur. Ses yeux verticaux n'ont nul besoin de lumière pour y voir presque comme en plein jour. Nous évitons, grâce à elle, la seule et unique patrouille du guet qui vient à croiser notre route en direction du palais. Edric ferme la marche, une flèche encochée à son arc.

Rapidement nous arrivons en vue du château.

Les murailles extérieures, blanches, sont hautes de quatre toises, ponctuées de belles tours arrondies, et entourées de douves dont l'eau courante est directement reliée au cours de la Seine. La lourde double porte de la barbacane, qui défend de ses remparts l'entrée du grand pont-levis, est bien éclairée, de torchères et de braseros.

Cachés au coin de la dernière maison des alentours, nous réussissons à compter cinq ou six gardes de la maison de Champagne, accompagnés par une bonne vingtaine de Français.

« Par les mânes de Lothaire, chevalier de Kosigan, on ne va pas pouvoir passer par là ! »

Il fallait bien qu'il s'en rende compte par lui-même.

« Ne vous en faites pas, seigneur de Saulieu, je m'en doutais un peu. Je me suis arrangé avec la comtesse pour que nous puissions avoir un itinéraire de rechange, au cas où. Suivez-moi, il faut longer les remparts jusqu'à leur extrémité est. »

Repartant légèrement vers l'arrière pour ne pas prendre le risque d'être vus, nous commençons à faire mouvement. Seule Dùn reste en arrière. La mission qu'elle a à mener est d'une importance capitale. D'ici à une dizaine de minutes il va lui falloir jouer le rôle d'un officier du guet de la ville dont la patrouille vient d'être décimée par un groupe d'hommes d'armes résolus, menés par le fameux Bâtard de Kosigan, qui cherchaient visiblement le moyen de pénétrer dans la forteresse. Par le côté ouest des remparts...

56

Le flot des douves est sombre et leur surface, dans le calme nocturne, reste incroyablement lisse. Les flocons de neige viennent s'y perdre, s'évanouissant instantanément au touché de l'eau noire. Comme par enchantement.

J'émets les trois courts sifflements du signal convenu.

À peine une dizaine de battements de cœur plus tard, la surface liquide se met à onduler doucement et à se plisser en longs sillages fluides, tandis que trois formes ondulent à grande vitesse dans notre direction, à moins d'une paume sous la surface.

Les Esprits des lacs qui gardent le cours froid de la Seine le long du pourtour du château scintillent légèrement dans la nuit en dressant leur long corps, à la fois humanoïde et liquide, hors de la protection de l'eau. Ils se trouvent à quelques pas de nous, qui attendons sur la rive, et leur voix, pourtant douce et fluide, porte en elle une menace qui n'est pas à négliger.

« Qui vive ? »

J'ai bien appris le texte que m'a donné la comtesse :

« Au nom de Sass an Halas[1] et du Pacte des lacs, cédez-nous le passage ! »

S'ensuit un court instant de silence.

« Qui vous a appris les mots de passe ?

— Nous sommes au service de la comtesse et de la Champagne. Nous laisserez-vous passer ?

— Nenni. Le droit de se targuer du Pacte des lacs ne peut être l'apanage que *des seuls membres de la famille* du comte Hugues de Champagne. Lui et les siens ont versé leur sang pour cela, aux temps anciens. Et ses enfants et ses petits-enfants ont toujours protégé les derniers qui survivaient parmi les nôtres. Nul ne saurait contrevenir au pacte. »

Je fronce les sourcils.

« Vous voulez dire que la comtesse ne vous a pas prévenus de notre arrivée et qu'elle ne vous a pas donné l'ordre de nous laisser traverser ?

— L'ordre est venu, il est vrai. Du vieux chevalier qui est son chambellan. Mais rien ne nous oblige à le respecter, car nous sommes libres et nul ne saurait contrevenir au pacte ! »

Un contretemps fâcheux.

Très fâcheux.

« À présent, trouvez un autre chemin, humains ! Car aussi vrai que la source coule jusqu'à la mer, vous n'êtes *pas* de la famille de la maison de Champagne, et si d'aventure vos pas osaient vous mener dessus les eaux que nous protégeons, ce serait à vos risques et périls ! »

Les Esprits des lacs sont des puissances qu'il vaut mieux ne pas prendre à la légère. De manière générale je ne suis guère effrayé par les êtres magiques, et

---

1. Nom elfique de la principale divinité des esprits de l'eau.

ma résistance naturelle me permet de les combattre pratiquement d'égal à égal, si le besoin s'en fait sentir. Mais là... Je n'ai juste aucun moyen de forcer ces êtres à nous céder le passage. Ni l'arc, ni l'épée ne sont de la moindre utilité contre leurs corps liquides, et il faudrait des milliers de quintaux de sel et de soude pour les exterminer au sein même de leur élément. L'eau est leur domaine et quiconque essaierait de traverser ici, sans leur accord, serait un fou suicidaire – à moins bien sûr qu'il n'ait appris à respirer sous l'eau ou qu'il ne dispose de certains sortilèges d'envol ou d'oubli. Malheureusement ce n'est pas mon cas. Et comme la noyade ne fait guère partie des façons de mourir qui pourraient me séduire, il me faut trouver, au plus vite, un moyen de les convaincre de nous laisser traverser.

J'échange un coup d'œil soucieux avec Marc de Saulieu. Il est clair qu'à présent le temps joue sérieusement en notre défaveur. Je réfléchis à toute vitesse.

C'est tiré par les cheveux, mais je peux peut-être essayer.

« Un instant, Esprits ! Vous avez bien dit que seuls les membres de la famille des comtes de Champagne pouvaient passer, c'est bien cela ?

— Telle est l'essence du pacte.

— Y compris, je suppose, les époux et les femmes desdits membres de la famille ? »

Un silence.

« Oui.

— Alors sachez que le baron de Saulieu ici présent doit justement pénétrer dans le château afin que la comtesse Catherine annonce *son futur mariage* avec sa fille, Solenne. Et que de puissants ennemis du comté cherchent à tout prix à l'en empêcher ! Si nous ne passons pas par le pont-levis, c'est que nous avons des raisons. Et si vous nous empêchez de traverser, à cet endroit précis, cela sera d'une extrême gravité : car vous aurez fait en sorte qu'un membre de la famille *ne puisse jamais le devenir* ! »

Silence à nouveau. Les Esprits des lacs s'entreregardent longuement et leurs expressions de visage, liquides et toujours mouvantes, sont impossibles à déchiffrer. Ils clapotent et s'ébrouent à moins de trois mètres de nous et paraissent très agités. Visiblement, ils sont en désaccord. Le temps s'égrène, et cela commence à mettre mes nerfs à rude épreuve. Ils ne communiquent entre eux que par ondes et par vibrations, pas moyen donc de se faire une idée de ce qu'ils se disent exactement.

Il faut à tout prix que nous passions, sinon tout est perdu !

À mes côtés, Marc de Saulieu s'avance, jusqu'à moins d'une paume de l'eau.

« Seigneurs des lacs, écoutez-moi. Si j'épouse Solenne de Troyes – ce qui sera le cas si vous acceptez de nous laisser traverser – je vous donne ma Parole de sang, sur le Dieu unique et sur les Puissances anciennes, de tout faire pour vous protéger, vous et les vôtres, et ce, jusqu'à la mort s'il le faut ! »

Leurs gesticulations liquides se calment doucement, et les mouvements sporadiques et brusques qui indiquent l'intensité de leur tension se font plus rares et moins erratiques. Pour autant, ils paraissent encore hésitants.

J'avance moi aussi d'un pas :

« En revanche... Si jamais c'était le prince de Navarre, cousin du roi de France, qui devenait le mari de la jeune comtesse... Inutile de vous dire que

412

vos jours seraient comptés et que votre précieux Pacte des lacs ne survivrait pas bien longtemps avant d'être jeté aux orties. Il pourrait être sage d'intégrer cela à votre réflexion, vous ne croyez pas ? »

L'un des êtres liquides se rapproche de la rive.

« Qu'il plonge ses mains dans l'eau !

— Pardon ?

— Que cet homme place ses mains dans l'eau ! Immédiatement ! »

Saulieu me regarde d'un air interrogateur et je lui fais un signe confiant de la tête pour le rassurer. *De toute façon on n'a pas le choix, alors autant qu'il croie que j'ai une idée précise de ce qui va se passer.* Encouragé et déterminé, il s'accroupit et relève le tissu et la maille de ses avant-bras jusqu'à la moitié, puis il les plonge silencieusement dans l'eau glacée. Un instant, il ne se passe rien, puis de petites bulles blanches commencent à pétiller autour de ses mains, reflétant sous l'eau les flocons de neige qui continuent à tomber régulièrement du ciel. Les bulles deviennent progressivement plus grosses, et lumineuses. De plus en plus. Jusqu'à ce qu'enfin, elles finissent par se regrouper en deux boules de lumière pure d'environ un empan de diamètre, englobant l'ensemble des doigts et de la paume du prétendant bourguignon.

Celui-ci se met à gémir et son dos se crispe, comme si brusquement la lumière le faisait souffrir.

« Qu'il garde ses mains dans l'eau ! »

Serrant les dents, Saulieu pousse de longs grognements de douleur endiguée.

« Ça… ça brûle, Kosigan !

— Tenez le coup, Saulieu, il n'y a pas le choix !

— Je… Je ne vais pas y arriver ! »

Ça, c'est hors de question! Je tire mon épée et la lui pose sans ménagement sous la gorge.

« Vous êtes prévenu, baron, si jamais vous échouez, tout est perdu ! Et dans ce cas, c'est votre sang qui va colorer l'eau ! Tenez ou mourez !

— Bon Dieu, Kosigan, c'est… c'est trop dur !!

— Je ne plaisante pas ! Débrouillez-vous pour y arriver ou je vous tranche la gorge !! »

La tension semble durer une éternité. Il grogne et gémit, mais parvient à ne pas retirer ses mains. Et puis, d'un coup, au bout d'une trentaine de secondes, les bulles disparaissent, Marc de Saulieu s'effondre au sol, et trois poissons morts remontent du fond de l'eau comme des bouchons, ventre en l'air. Le silence se fait. Et s'éternise un peu. Je range doucement mon épée et colle la lanterne aveugle au creux des mains du Bourguignon qui revient peu à peu à lui. Pour le réchauffer.

« Désolé d'avoir dû en arriver à cette extrémité, baron. » Puis je me tourne vers l'Esprit des lacs qui a orchestré le test. Lui aussi semble moins vaillant que tout à l'heure et l'eau qui le compose paraît nettement plus terne.

« Alors ?

— Le jeune humain est… est courageux. Il dit la vérité sur son futur mariage, lui et la jeune Solenne ont même déjà secrètement échangé leurs vœux. À sa parole nous pouvons donc nous fier. Et oncques ne pourra prétendre que les Esprits des lacs ont nui à la famille du comte Hugues. Oncques !

— Est-ce que cela signifie que… vous nous autorisez à traverser les douves ? »

Sans répondre, les trois Esprits s'effacent doucement à l'intérieur de l'eau. Et les petites vagues ondulantes qu'ils causent à la surface disparaissent peu à peu, laissant celle-ci à nouveau lisse et pure, tout autant que le reflet argenté d'un miroir.

Au loin, l'une des cloches de la cathédrale sonne le petit coup bref de la demi-heure qui précède la mi-nuit.

Correspondances de Kergaël de Kosigan avec Charles Chevais Deighton, le 9 août 1899.

Je suis à Maulnes.

Selon les archives auxquelles on m'a laissé accéder, les murailles de l'ancienne place forte médiévale qui occupait la grande clairière de la forêt de Maulnes s'élançaient jadis à plus de quinze mètres de hauteur. Il n'en reste malheureusement presque plus rien aujourd'hui. Elles ont été en grande partie ravagées lors d'un gigantesque incendie – probablement allumé par la fameuse Dùnevïa Il'lavaelle, sur ordre du chevalier de Kosigan – en 1366, et, par la suite, le temps, la pluie, ainsi que les éboulis se sont chargés d'en poursuivre la destruction. Aujourd'hui, les restes des remparts ne dépassent guère les deux ou trois mètres de haut. Ils sont recouverts par des monceaux de terre, de mousse, de ronces, de fougères et d'arbustes de toutes tailles. Un autre château a d'ailleurs été reconstruit à une lieue de là, dans le courant du XVIᵉ siècle.

Mes investigations ont débuté par la concession n° 29 du cimetière, qui se trouve, elle aussi, en grande partie recouverte par la végétation. Il m'a toujours semblé étrange que mon ancêtre ait pris la décision de mettre dans son coffre des papiers concernant un simple caveau. Bien qu'en apparence moins bien défendu qu'une forteresse, il pourrait s'agir d'un endroit plus fiable et plus discret pour quelqu'un cherchant à y dissimuler tel ou tel secret qui lui tiendrait à cœur. Sans compter, évidemment, qu'il n'est pas absurde d'espérer y découvrir le lieu que le chevalier avait choisi pour son propre repos éternel.

Ce que le gardien du cimetière m'a appris à propos de la concession n° 29 s'avère tout à fait fascinant. Elle est en quelque sorte célèbre. Il s'agit, sans conteste, de la plus ancienne tombe de la région, ce qui suffit déjà en soi à la rendre intéressante, mais la grande singularité, qui en faisait la renommée jusqu'à aujourd'hui, tenait surtout au fait que personne, jamais, n'avait su précisément qui s'y trouvait enterré, ni quelle famille particulière pouvait bien s'occuper de son entretien. On faisait, à Maulnes, mille suppositions de père en fils depuis des générations, toutes plus extravagantes les unes que les autres, et ma venue avait dû, en définitive, en décevoir plus d'un.

À cette nuance près qu'en réalité, nous savons, toi comme moi, que ma présence ici n'offre de réponse à strictement aucune question, bien au contraire, et que le mystère demeure bel et bien entier : en 1566, date à laquelle la commune avait, pour la première fois, fixé la durée maximum des concessions du cimetière à cent ans, quelqu'un avait commencé à payer pour la conserver en l'état ! Depuis, à chaque échéance, on avait toujours scrupuleusement fait parvenir une somme d'argent anonyme, afin d'effectuer la prolongation. La dernière fois avait été en mars 1866. Le 29, très précisément. Il m'a fallu quelques minutes avant de faire le lien. Se peut-il que tu saches à quoi correspond cette date, Charles ? Je suppose que non. Il s'agit très exactement de celle du jour où j'ai été officiellement recueilli par l'Institution des innocents !

Dans l'hypothèse où tu aurais une théorie susceptible

d'expliquer cette nouvelle bizarrerie, n'hésite pas à m'en faire part, mais une chose me paraît certaine, nous n'avons assurément pas affaire à une coïncidence.

Quant au caveau proprement dit, le lien avec mon ancêtre a rapidement pu être confirmé. Une fois les ronces et les herbes hautes arrachées, l'épaisse porte de métal – toujours solide, bien qu'abîmée par les ans – s'est avérée être fermée à l'aide d'une serrure d'un genre particulier. Un genre que j'avais déjà rencontré, puisqu'elle fonctionne tout simplement en utilisant la même clef que celle du coffre dont j'ai hérité ! À l'intérieur, Hennion et moi avons déblayé les énormes toiles d'araignée, la tonne de poussière et les multiples gravats qui masquaient en partie le grand tombeau de pierre grise érigé au centre de la pièce. Comme souvent à cette époque, il était surmonté d'un gisant[1] finement sculpté, à l'effigie de son propriétaire. Il m'a déjà été donné de voir des centaines de gisants de ce type par le passé… Mais celui-ci… Charles, le chevalier couronné et portant l'épée qu'il représente me ressemble trait pour trait ! Il possède même la petite déformation de mon lobe d'oreille droit et la légère torsion centrale de mon nez. Voilà qui est pour le moins troublant. Hennion, lui aussi, m'a reconnu sur-le-champ. Évidemment il doit s'agir là d'une sculpture de mon ancêtre, mais je peux te promettre que la ressemblance est réellement stupéfiante.

Quant à l'escalier secret, le découvrir n'a pas été aussi élémentaire qu'on pourrait se l'imaginer. Le mécanisme qui en gardait l'accès était pourtant conçu afin que quiconque ayant préalablement réussi à se rendre maître du coffre en comprenne assez rapidement le principe.

Sur le bord extérieur de la mince corniche du gisant se trouvait gravée une phrase – forcément difficile à lire du fait de l'usure et des piqûres blanches, orange et noires, imprimées à la

---

1. Sculpture mortuaire qui couvre le couvercle des tombeaux.

pierre par le temps – mais avec du papier adéquat et du fusain,
la retranscription n'a pas été un trop gros obstacle. À l'image de
la serrure, les mots résonnaient de manière familière, ils évo-
quaient les cinq doigts de la main…

J'ai donc immédiatement cherché aux quatre coins du tom-
beau, en quête de serrures secondaires. Sans succès, dans un
premier temps. L'énigme comportait, en effet, une variable :
dans le cas présent, il ne fallait pas s'intéresser à la tombe elle-
même, mais à la pièce dans son entier. À chacun de ses angles,
une plinthe de pierre grise pouvait se desceller, révélant une
serrure à encoches, identique aux autres, et parfaitement adaptée
à la clef qui ouvrait le coffre secret.

Pour autant le système d'ouverture demeurait incomplet.
Restait à découvrir la cinquième serrure, celle qui devait, selon
toute vraisemblance, se trouver au centre de l'agencement. Or,
celle-ci n'était pas incrustée sur le gisant, ni, semblait-il, nulle
part ailleurs à la surface du tombeau. À vrai dire, après avoir
étudié ce dernier sous toutes ses coutures, et avoir, par la suite,
passé deux jours entiers à nous assurer que l'objet de nos
recherches ne se trouvait dissimulé, ni dans les sculptures des
piliers, ni dans une quelconque cache au sol, pas plus que sur
les murs, au plafond, ou sur le toit extérieur, nous avons connu
un certain moment de découragement.

Dans ce genre de situation, il est nécessaire de procéder avec
méthode. Deux choses pouvaient être tenues pour certaines : la
première était que la cinquième serrure existait forcément, cachée
quelque part dans ce damné caveau. La seconde nous rappelait
que nous en avions déjà fouillé le moindre recoin avec la plus
grande minutie, et ce, sans résultat. Par conséquent, il fallait en
conclure que, aussi paradoxal que cela puisse paraître, le seul
endroit où elle pouvait encore se trouver cachée était à l'intérieur
du tombeau lui-même.

Nous étions partis du principe que le système d'ouverture

avait pour but de donner accès au cercueil. Mais rien n'était moins sûr. Et, de toute façon, au point où nous en étions, nous n'avions pas grand-chose à perdre à essayer de le forcer.

J'embauchai deux forestiers qui travaillaient non loin de là afin de nous aider à desceller le couvercle. À quatre, nous y mîmes toutes nos forces, en vain. Jusqu'à ce que, pour finir, Hennion ne découvre que la partie inférieure du gisant, sur la gauche, avait la faculté de glisser latéralement sur le côté, pour peu qu'on lui imprime une poussée initiale suffisamment forte. Le mécanisme était grippé par la rouille et l'usure, et se mettre à quatre pour en venir à bout n'a pas été inutile. En définitive, le couvercle a pivoté en râlant, nous livrant ainsi accès à l'intérieur du tombeau.

Contrairement à ce que j'avais espéré, celui-ci se révéla vide. Et fort poussiéreux. Si la dépouille de mon ancêtre avait été inhumée quelque part, ce n'était pas, à l'évidence, dans le caveau qu'il avait fait construire à Maulnes. En revanche, une observation rapide me permit de repérer la cinquième serrure, bien en évidence, au centre de la face interne du couvercle.

Je donnai congé aux forestiers afin de poursuivre les investigations, non sans leur expliquer qu'il se pourrait bien qu'il y ait encore du travail pour eux dans les jours à venir. J'ai dans l'intention, en effet, d'inviter quelques étudiants chercheurs de Lavisse afin de commencer des fouilles plus approfondies du château lui-même dès la semaine prochaine, et je gage qu'un peu de main-d'œuvre supplémentaire ne nous sera pas inutile.

Une fois les forestiers partis, je me hâtai de faire tourner la clef dans les différentes serrures. La dernière joua en grinçant et déclencha l'ouverture d'une trappe au fond du cercueil, sur un espace d'environ quatre-vingts centimètres de côté. Une véritable prouesse technique ! Le bois des planches avait été masqué à l'aide d'une fine couche de pierre identique à celle du reste du cercueil, et l'on avait fait en sorte que les bords en soient irréguliers, de manière à ce qu'on puisse les confondre avec de simples rainures. Les charnières, pour leur part, avaient été intégrées à un doigt de profondeur, de sorte qu'elles demeuraient entièrement invisibles et indécelables à l'œil nu. Quant aux poulies et aux filins nécessaires au bon fonctionnement de l'ensemble du mécanisme, ils étaient faits d'un mélange improbable de métal et de résine, prévu, de toute évidence, pour résister aux assauts du temps.

De ce que nous avons pu voir en éclairant le dessous de la trappe, celle-ci débouche sur un escalier qui mène vers les profondeurs du caveau. Nous comptons bien le sécuriser et en commencer l'exploration au plus vite.

Je te tiendrai au courant des éventuelles nouveautés au fur et à mesure qu'elles interviendront.

En hâte,

K.

Troyes, grande salle de réception du palais de la comtesse de Champagne, au soir du 9 novembre de l'an de grâce 1339. Scène relatée par Gunthar von Weisshaupt.

« Votre damnée pierre ne cesse de me chatouiller l'arrière du cou et de la tête, et le collier de cuir qui m'a été donné aux fins de la maintenir attachée me gratte furieusement. N'allez pas imaginer que c'est parce que j'ai arraché le tissu qui protégeait ma peau, car celui-ci me démangeait davantage encore. Je suis un Humal léonin, que diable, pas un caniche apprivoisé !

Je supporte. Mais sachez que je n'apprécie guère.

En pénétrant dans la grande salle de réception, dont les lumières pourraient aisément illuminer le monde, je constate que tout un chacun est enfin prêt à s'asseoir, sous la protection discrète de quelques hommes d'armes champenois et d'un nombre beaucoup plus conséquent de Français. Cela signifie que la comtesse doit enfin être arrivée – avec plus de deux bonnes heures de retard tout de même. Je l'aperçois en effet, fendant la foule sans un regard pour quiconque, suivie de sa fille Solenne, livide, et du chambellan de Tailly.

L'ignoble seigneur de Navarre, quant à lui, accompagné de la fine fleur de la chevalerie française, est déjà prêt à s'installer à la table d'honneur. Tout comme le prince an Seïllar, le cardinal d'Orange, l'évêque de Châlons, ainsi que le prince Edward d'Angleterre, son épouse, Georgine de Gloucester, et le sénéchal de son père, Guillaume le Maréchal. Sans oublier, bien sûr, les deux grands héritiers sans couronne : Lowell Andronic Comnène et Thomas de Lusignan.

Profitant de la confusion ambiante, habilement masquée par l'agréable musique des orcales, des guitares effilées et des citoles, je me glisse fièrement vers l'arrière de la salle et m'approche de la comtesse, avec la certitude sereine de celui qui est sûr de son fait. On me toise. On fronce les sourcils sur mon passage. Mais finalement on renonce à m'interpeller, et je me place calmement à son arrière, comme si elle-même m'avait choisi en tant que garde du corps attitré.

Lorsque enfin elle s'assoit – donnant par là même à tous les convives l'autorisation de faire de même – je me penche à son côté et lui glisse un mot écrit de ma main. Celui-ci dit en substance :

Le grand chevalier que vous appelez de vos vœux,
Est en route à présent et vole vers ces lieux.
Courage, madame, courage, car il lui faut du temps,
Votre parole seule, peut vaincre, en lui donnant.

Ma mère dans mon jeune âge, me voyait troubadour, clamant des vers radieux aux grands noms de la cour, j'aurais voulu lui plaire et bien la contenter, mais je ne suis moi-même, qu'un grand combattant-né.

Bref.

La jolie comtesse froisse doucement le mot et m'adresse un sourire que je qualifierais d'*indéchiffrable* – sans doute pour me féliciter de mes talents pour la rime. Je reprends ma place calmement. L'échange cependant n'a pas échappé au vil Français qui me lance un regard de glace et interpelle notre hôte à voix basse.

"J'ignorais que cet *animal* de von Weisshaupt était à votre service, comtesse."

Se peut-il que je me trompe ou bien y a-t-il du mépris dans son ton ? Je me demande s'il sait qu'il me faudrait moins de trois battements de cœur pour lui arracher la gorge de mes griffes... À moins qu'il ne cherche sciemment à mourir la tête dans une assiette en argent ?

"Si fait, seigneur de Navarre. Depuis peu. Et je n'ai pour l'heure que des raisons de m'en féliciter.

— Puis-je vous demander quelle était la teneur du mot qu'il vous a fait passer ?

— Non, vous ne le pouvez pas. Les affaires de la Champagne ne concernent pour l'heure que la Champagne."

De Navarre se rembrunit.

"Cela ne va, fort heureusement, pas tarder à changer...

— Reste à savoir dans quel sens..."

Navarre jette un coup d'œil inquiet vers les entrées.

"Ma dame, la mi-nuit va bientôt sonner. Et avec elle l'heure de la malédiction de sang qui s'abattra sur vous et les vôtres. Cessez donc de résister. Il est plus que temps que vous commenciez votre allocution et que vous annonciez à tous *l'heureux événement*…

— Seigneur de Navarre, au cas où cela vous aurait échappé malgré mon insistance, vous n'êtes pas encore maître en ces lieux. Et avant de commencer mon *allocution* comme vous dites, j'aimerais d'abord entendre vos *explications* quant aux soldats que vous avez cru bon de devoir placer en si grand nombre aux entrées et dans les jardins de *mon* palais…"

Le sourire du félon se fige quelque peu et sa dent d'or paraît prendre un éclat plus terne.

"Ma dame, en tant que futur gendre je… j'ai cru bon de renforcer votre garde. On m'a rapporté que certains groupes de brigands particulièrement actifs *sévissaient* dans la région… Et des Ogres également… Il serait fâcheux que…

— Seigneur de Navarre, quand je vous vois agir, je me dis que ceux qui *sévissent* sont peut-être beaucoup plus près qu'on ne se l'imagine…

— Comtesse, cette hostilité à mon égard me peine beaucoup. Sur mes ancêtres, je vous jure que je ne souhaite rien d'autre que d'être votre ami et celui de la Champagne. Quant à la disparition du baron de Saulieu, vous avez ma parole, elle n'est en aucun cas de mon fait. L'homme est connu pour apprécier les plaisirs de la fête et il s'est sans doute attiré des ennuis par lui-même. Il n'y a rien à ajouter à cela."

Assis à la gauche de Solenne de Troyes, les Anglais paraissent atteindre les limites de la patience. C'est d'ailleurs également le cas de pratiquement l'ensemble des convives. La grosse Georgine de Gloucester finit par se tortiller pour se pencher par-dessus la table en souriant un peu jaune.

"Pardonnez-moi, Votre Altesse. Mais pourriez-vous nous expliquer pourquoi il serait nécessaire que nous continuions à attendre *encore*?…" »

Correspondances de Kergaël de Kosigan avec Charles Chevais Deighton. Maulnes, le 12 août 1899.

La trappe du tombeau permet d'accéder à un escalier en colimaçon tout usé qui descend le long d'une vingtaine de marches, jusqu'à une porte en chêne bardée de fer. Celle-ci donne sur une pièce aux murs de moellons sombres, de bonne taille, dotée d'une cheminée et d'un petit puits. Vraisemblablement une ancienne cache souterraine, avec un lit confortable, un grand coffre, une table et de multiples ustensiles de cuisine. Tout ici avait été commodément aménagé dans le but évident d'accueillir une personne en fuite, et ce durant une assez longue période de temps.

L'endroit, tel que nous le découvrons, a été entièrement dévasté. La porte d'entrée, manifestement forcée, tient à peine sur ses seuls gonds inférieurs. Les montants de bois du lit ont été réduits en charpie, probablement à la hache, et ils accueillent, à présent, une famille de rats qui, à l'évidence, n'apprécie guère que nous entrions ainsi sur son domaine. Le grand coffre ferré gît, renversé, à moitié démembré et noirci d'avoir été brûlé. Quant à la longue table de chêne, un coup d'une force colossale paraît l'avoir brisée en deux sur toute sa longueur.

Partout, un incroyable capharnaüm, recouvert d'une épaisse couche de poussière, témoigne de ce qui semble avoir été un combat acharné, mais qui, pourtant, n'a laissé ni corps, ni victime.

Les recherches dans cette pièce se sont cependant avérées fructueuses. La personne qui l'a fait construire était manifestement adepte des secrets, des passages dérobés et des caches en tout genre. Trois jours de fouille active nous ont permis d'en découvrir douze, de tailles diverses, dissimulées à de nombreux endroits de la pièce. Malheureusement, exception faite d'un petit sac de sel à l'intérieur de celle qui était la plus petite, toutes les autres étaient vides.

Nous avons également mis au jour un tunnel qui, en revanche, paraît extrêmement intéressant. Il semble mener droit en direction du château et nous en commencerons l'exploration dès demain, aux aurores.

Janvier a bien fait les choses : la petite barque qu'il a préparée à l'avance pour nous est camouflée à environ trois ou quatre toises de l'endroit où nous avons rencontré les Esprits. Nous la dégageons aussi vite que possible des roseaux qui la masquent et nous y embarquons tous les trois – Edric, de Saulieu et moi.

Les rames sont entre nos mains. Et la barque avance, vite. Avec la neige qui tombe le spectacle est magnifique, mais l'heure n'est pas à la contemlation. Il n'y a plus une seule seconde à perdre à présent.

Arrivés aux pieds des remparts, il ne nous faut que quelques instants pour repérer l'échelle de corde préalablement installée le long du mur par Janvier. Elle pend discrètement des créneaux jusqu'à l'eau, copieusement maquillée avec de la craie et de la mousse, de manière à ce qu'il soit impossible, pour quiconque ignore son existence, d'en déceler la présence.

« Edric, dès que le seigneur Marc sera en haut, nous partirons devant. Toi tu nous rejoindras dès que tu pourras. Il n'est pas impossible qu'on ait besoin de ton arc à un moment ou à un autre, alors ne traîne pas trop en route.

— Bien, messire. »

Je pose le pied sur le premier échelon et commence à grimper aussi vite qu'il est possible sans risquer de dévisser. Rapidement, j'atteins le sommet. Marc de Saulieu monte à son tour, il se révèle plutôt agile et l'ascension ne lui cause aucun souci.

Personne sur le chemin de ronde. *Parfait.* À cet endroit précis, les tours de guet sont suffisamment éloignées pour ne pas nous inquiéter outre mesure. Pour autant, nous nous hâtons, à moitié courbés, afin de réduire encore les risques d'être aperçus par les gardes. La descente des escaliers de pierre qui mènent aux jardins d'hiver se fait rapidement, et nous commençons à nous faufiler de notre mieux le long des serres, des bosquets et des fontaines, éclairés chichement par la maigre lueur de nos lanternes aveugles.

Nous parvenons vite à des endroits beaucoup plus lumineux du fait des feux et des enchantements de la fête : un vaste patio à fines colonnades, une porte ouvragée, un couloir à ciel ouvert, nous conduisent à un second espace de jardin, puis à un troisième, et nous permettent rapidement de nous approcher de la grande esplanade qui donne sur la salle de réception.

La neige commence à tenir au sol à présent.

Correspondances de Kergaël de Kosigan avec Charles Chevais Deighton. Maulnes, le 13 août 1899.

Bon sang, Charles, j'ignore ce qui a pu se passer dans ce fichu tunnel, mais les pierres des murs ont fondu sur pratiquement toute la longueur. Tout est noirci et certaines coulées dégoulinent jusqu'à toucher le sol. On jurerait de la lave solidifiée. Quant au plafond, il s'est presque entièrement écroulé à une dizaine de mètres de l'entrée, bloquant ainsi en grande partie le passage.

Écrasés en dessous des premiers gravats, nous avons découvert les ossements des pattes antérieures d'un animal. À ce qu'il semble, il s'agirait d'une sorte d'énorme chien. Au vu de la taille de ses os, il devait bien faire près d'un mètre au garrot.

Il y avait un morceau de lame d'épée, également.

Nous nous sommes immédiatement mis au travail pour commencer à déblayer le reste.

Troyes, grande salle de réception du palais de la comtesse de Champagne, au soir du 9 novembre de l'an de grâce 1339. Scène relatée par Gunthar von Weisshaupt.

« La comtesse se tient debout à présent. Malgré la noblesse elfique de son maintien et la grâce exaltante qui se dégage de ses traits, son visage demeure fermé et tendu. Elle se force à sourire tandis qu'à ses côtés, sa fille, Solenne, fixe alternativement d'un air absent, soit la table, soit le sol, et que son teint, à l'habitude si lumineux, a ce soir ce quelque chose de gris et de cireux qu'ont tous ceux dont l'estomac noué se dérobe, au bord de la nausée.

"Seigneurs et dames, amis et parents, chevaliers de toute la chrétienté qui m'avez fait l'honneur de participer au grand tournoi de la Saint-Rémi..." Elle fait une pause et son regard se perd fugitivement sur les grandes baies vitrées qui donnent sur l'esplanade. Nul doute qu'elle ne s'inquiète de votre réussite, capitaine. Et je dois bien avouer que je commence à être dans le même cas : qu'est-ce que vous foutez, bon sang ?

"En ce jour anniversaire de la mort de mon époux, feu le comte Thibaut, je prie pour le salut de son âme... Je prie également pour sire Gérard d'Auxois, grièvement touché au combat... Et je prie pour le comté de Champagne, pour son peuple, ainsi que pour son avenir... Du fait de ses blessures, le chevalier Pierre Cordwain de Kosigan ne sera pas céans ce soir pour recevoir le prix de sa vaillance. Souhaitons-lui un prompt rétablissement."

L'ignoble prince de Navarre se penche vers elle d'un air courtoisement détendu. Mais son sourire comporte autant de menaces que d'encouragements. Il murmure à son oreille :

"Cessez de tergiverser, Votre Altesse, il est temps d'en venir *au fait* ! "»

Correspondances de Kergaël de Kosigan avec Charles Chevais Deighton. Maulnes, le 14 août 1899.

Charles,

Contrairement à ce que nous avions pensé dans un premier temps, le squelette d'animal que nous avons à présent entièrement dégagé n'est pas celui d'un chien. Ni même celui d'un loup. Personne n'a jamais entendu parler d'une bête pareille. Ses canines mesurent près de cinq centimètres de long ! Et il possède une seconde rangée de dents, effilées comme des rasoirs, à l'arrière de la première, ses griffes sont rétractiles et son crâne s'avère nettement plus allongé que celui de n'importe quel canidé, avec un maxillaire inférieur d'une taille impressionnante.

À terre, sous l'énorme bloc de granit fondu qui avait écrasé la gueule de l'animal, nous avons fait une découverte inespérée : la couverture d'un livre, à moitié calcinée, qui a vraisemblablement été arrachée par l'animal au reste de l'ouvrage. Derrière elle, la première page du texte, déchirée et noircie, y est restée miraculeusement attachée.

La neige redouble d'intensité.

Nous nous faufilons en essayant de demeurer les plus discrets possible, même si les espaces de jardin que nous traversons paraissent entièrement vides. Au fur et à mesure de notre avancée, les lumières magiques qui les illuminent se font plus nombreuses et plus belles. Au détour d'une haie qui nous masquait la vue, nous apercevons enfin les escaliers qui mènent à la grande terrasse, à moins de trente pas devant nous. À son extrémité se trouvent les larges baies vitrées qui ouvrent sur la salle d'honneur.

On y est presque.

Je jette un coup d'œil rapide aux alentours et crois deviner quelque chose bouger.

Il ne reste plus qu'à…

Un carreau d'arbalète se fiche avec violence dans un tronc à moins d'un pied de ma tête. Je dégaine immédiatement et Marc de Saulieu également, mais tout autour de nous, en arc de cercle, surgissent, du couvert des statues et des arbres, une bonne vingtaine de Français, dont la moitié portent des arbalètes de guerre pointées sur nos cœurs. À leur tête se trouvent le chevalier de l'ordre de l'Étoile, Aymeric de Plerval, ainsi que l'officier de Liancourt.

« Les jeux sont faits, messire le Bâtard ! Posez tous les deux vos armes et mettez-moi gentiment vos mains sur la tête, sinon vous êtes des hommes morts ! »

Troyes, grande salle de réception du palais de la comtesse de Champagne, au soir du 9 novembre de l'an de grâce 1339. Scène relatée par Gunthar von Weisshaupt.

« Le regard froid de la comtesse s'attarde un instant sur le vil prince de Navarre. Puis elle jette un dernier coup d'œil en direction des portes vitrées, avant de se résoudre à en finir :

"Ma fille Solenne a fêté ses dix-huit printemps il y a déjà deux mois de cela, il est plus que temps pour elle, aujourd'hui, de songer à convoler... À travers son mariage, c'est l'ensemble du comté de Champagne qui va se tourner vers une nouvelle alliance, mais également, je l'espère du fond du cœur, vers un avenir plus solide et plus serein. Levez-vous, Solenne de Troyes. Et vous aussi... Seigneur de Navarre !..." »

66

**Correspondances de Kergaël de Kosigan avec Charles
Chevais Deighton. Maulnes, le 15 août 1899.**

*Bon Dieu, Charles, ce que nous avons trouvé, c'est un mor-
ceau de journal écrit par mon ancêtre ! Je suis parvenu à
décrypter le mot chronique sur la couverture ! Et sur la page de
l'intérieur il y a un paragraphe entier, rédigé de sa main. Je
l'ai envoyé à Lavisse et à Delisle pour qu'ils m'en fassent une
traduction précise. En attendant, nous continuons à essayer de
déblayer le tunnel.*

Dieu seul sait quelles surprises il nous réserve encore...

Je dépose doucement mon épée dans la neige et le baron de Saulieu fait de même. Je scrute discrètement les alentours, cherchant des yeux Janvier ou Qu'un-Coup ou Dùn, ou l'aide que m'a promise la comtesse, ou quiconque d'autre pourrait nous prêter main-forte.

Bon sang, ce serait pas mal qu'ils se dépêchent un peu.

Le seigneur de Plerval pointe son épée vers un endroit situé dans notre dos.

« À présent, vers l'arrière, vite ! Il serait dommage que quelqu'un participant aux festivités ne sorte et ne vous aperçoive ici, n'est-ce pas ?...

— Attendez, Plerval ! Il doit bien y avoir des gardes de la maison de Champagne dans les environs... Vous ne pouvez pas espérer nous emmener comme ça sans que personne ne s'en rende compte ! »

Le chevalier français sourit.

« Pas d'inquiétude à ce propos, messire de Kosigan, nous nous sommes arrangés pour qu'ils aient d'autres choses à faire ailleurs. Vous ne verrez que des Français à plus de deux cents toises à la ronde ! Alors à présent, cessez de discuter et reculez ! »

Je souris un peu jaune et commence à obéir le plus lentement possible.

Mais qu'est-ce qu'ils foutent bon sang ?

Plerval et Liancourt nous suivent, à cinq ou six pas, les armes à la main. Quatre de leurs hommes sont à peu près à leur niveau et avancent en nous tenant en joue. Quant aux autres, ils se trouvent un peu plus en arrière à cause de la largeur du passage cloisonné par les haies.

Tandis que nous nous éloignons de plus en plus de la grande salle de réception, je me concentre sur la conversation des deux chevaliers. La chose n'est pas aisée car les cottes de mailles et les bottes ferrées des soldats font du bruit. Sans parler des torches qu'ils ont allumées et qui crépitent.

« On est peut-être suffisamment loin maintenant, messire.

— Oui, nous sommes complètement hors de... Mais mieux vaut quand même aller jusqu'à... sera... pour... disparaître les corps.

— Très bien... vous avoue que... n'aime pas tellement ça.

— C'est pour le roi, Liancourt... pour le roi !

— Je sais bien, mais tout de... ce n'est pas... comme s'ils étaient des criminels... »

Par les Puissances, les enfoirés ! Ils ont l'ordre de nous exécuter ! Ils sont simplement en train de nous emmener dans un endroit tranquille pour cela. Nous sommes sur le point d'arriver à une petite place avec une fontaine à trois niveaux au centre, un espace isolé et suffisamment large pour faire leur sale besogne.

Je réfléchis à toute allure tout en glissant à Saulieu :

« C'est foutu, baron, ils veulent nous tuer. Quand je crierai, vous vous mettrez à courir aussi vite que vous pourrez. Moi, je vais les retenir. »

Même si je ne sais pas encore comment.

Je le sens se raidir, mais il parvient à ne pas dire un mot. Il se contente de me lancer un bref regard en coin pour me signifier qu'il a compris, puis il jette un coup d'œil tendu en direction des Français, par-dessus son épaule.

Pour l'instant il n'y a encore que quatre arbalètes qui nous visent. Il faut agir tout de suite, tant que nous sommes sur le chemin, avant que les soldats n'aient l'opportunité de se déployer pour nous tirer dessus de tous les côtés !

Trois… Deux… Un…

Correspondances de Kergaël de Kosigan avec Charles Chevais Deighton. Maulnes, le 18 août 1899.

Les étudiants envoyés par Lavisse sont d'une aide appréciable. Grâce à eux, nous avons avancé beaucoup plus vite que prévu et nous avons déjà dégagé cinq cadavres supplémentaires du dessous de l'éboulement. Cinq chevaliers de l'Inquisition. Leurs boucles de cape abîmées, ainsi que les restes déchiquetés de leurs surcots, portent encore le dessin, sculpté ou tissé, de la croix et de l'épée de saint Dominique, ainsi que la devise de la branche romaine de leur ordre : «unus Deus, una fides, unum supplicium» [1].

Je pressens qu'il y a quelque chose de vraiment important de l'autre côté de ces éboulis, Charles. Nous touchons au but, j'en suis de plus en plus persuadé !

---

1. Un seul Dieu, une seule foi, une seule punition.

Je me retourne en hurlant de toutes mes forces pour essayer de surprendre les Français, et je me projette dans leur direction, comme un diable qui sort de sa boîte. Deux pas d'élan et une roulade à corps perdu qui fait jaillir un nuage de neige sur mon passage. Les carreaux d'arbalète sifflent au-dessus de ma tête, l'un d'eux me touche au dos, heureusement pour moi, l'angle est mauvais et il se contente de ricocher sans pénétrer les mailles de ma cotte. Je renverse littéralement Liancourt et Plerval dans mon élan. Exactement comme je le voulais.

Liancourt est le moins dangereux.

Mon poing s'écrase avec violence sur son visage et j'arrache son épée de sa main. Plerval, de son côté, se relève déjà en hurlant :

« Vous autres, récupérez le baron et abattez-le !! Vous m'entendez ?! Tout de suite !! C'est une priorité absolue !! »

Ce qui signifie que Saulieu a réussi à s'enfuir et que les quatre arbalétriers, soit n'ont pas tiré sur lui, soit l'ont manqué. *Précisément ce que j'espérais !* Edric ne doit pas être très loin, il pourra peut-être l'aider, et mes autres hommes également, avec un peu de chance. Quant à moi, plus les Français seront nombreux à courir à la chasse au prétendant bourguignon, moins il y en aura à me tourner autour pour essayer de me planter trois pieds d'acier dans le dos !

Je me relève rapidement en m'appuyant sur Liancourt pour ne pas glisser, et je le tiens fermement serré à la ceinture et surtout à la gorge, au creux du coude de mon bras d'épée. Malheureusement, j'ai sous-estimé sa résistance, le bougre n'est pas encore hors de combat et il réussit à m'assener un violent coup, au coin des côtes, qui m'arrache un grognement de douleur. Je resserre mon étreinte et lui tords le cou, en lui retirant brutalement son casque de la tête. Casque dont je me sers d'abord pour le frapper au visage, avant de le jeter, à la volée, sur l'un des huit Français restés autour de moi. Sans compter Plerval et Liancourt, je dénombre trois hommes d'armes et trois arbalétriers, lesquels m'encerclent, plus ou moins, au milieu de la neige dansante, en me regardant d'un air incrédule.

Il ne faut pas que je leur laisse le temps de réfléchir.

Les trois tireurs ont fait l'erreur de se placer côte à côte, je balance Liancourt de toutes mes forces dans leur direction et me précipite dans la foulée en sens inverse, sur le soldat sur lequel je viens de lancer le casque. Celui-ci tente de parer au dernier moment, mais ma diversion a accaparé son attention un instant de trop et mon élan me donne suffisamment de force pour que sa lame ne puisse que partiellement freiner la mienne : je transperce son ventre de part en part, et il s'effondre en hurlant. Seuls son sang et son arme ont le temps d'atteindre le sol enneigé ; de mon bras libre j'empoigne son corps avec vigueur et pivote vers les autres en me servant de lui comme d'un bouclier.

Un peu tard.

Plerval et les deux hommes d'armes restants sont déjà presque sur moi. Je recule rapidement en leur jetant leur camarade dans les jambes. Les soldats sont ralentis et l'un d'eux, déséquilibré, se tord la cheville et glisse au sol, mais Plerval parvient à sauter par-dessus et le coup fulgurant qu'il m'assène est mortel. Par pur réflexe, je pivote sur le côté et évite la lame qui fuse en hurlant à l'endroit précis où j'avais ma gorge. De justesse ! L'acier m'entaille profondément la joue avec le picotement cinglant d'un rasoir et mon sang gicle en petites gouttelettes un peu partout à la ronde.

Je devrais peut-être songer à me rendre.

D'un croc-en-jambe, je le fais valdinguer, emporté par son élan, jusqu'au milieu d'un gros buisson d'if épineux. Puis je fonce droit sur les soldats, bousculant celui qui est en train de se relever pour qu'il retombe brutalement à terre et engageant l'autre avec toute ma force et ma rage. Il parvient à parer mes deux premières attaques, mais pas la troisième. Et mon épée le traverse, manquant de peu la colonne vertébrale et ressortant de deux pieds par l'arrière de son dos. Il beugle de douleur. La lame enfoncée jusqu'à la garde dans son corps, je l'empoigne par le col de mon autre main, pivote à nouveau, et charge en hurlant, droit sur les trois arbalétriers.

Ils paniquent. Et deux d'entre eux commettent l'erreur de tirer afin d'essayer de m'arrêter, avec pour seul succès celui d'achever définitivement leur camarade. Je percute le troisième tireur avec violence. Au moment du choc il réussit à se protéger grâce au manche de son arbalète et à faire dévier la lame qui visait son cœur. Mais celle-ci lui cloue tout de même le ventre, et il braille comme un veau en rejoignant son camarade empalé sur mon épée, dans une sorte de brochette morbide. Le chaos de la collision et de l'élan me pousse cependant à trébucher et nos trois corps, bringuebalés, s'écroulent de concert dans la neige.

Se relever! Vite!

À genoux, les mains et le surcot couverts de sang, j'essaie de dégager mon arme, mais je sens quelqu'un qui se précipite sur moi par l'arrière. Le temps me manque pour réagir. Un choc brutal à la tête me fait dévisser avant que je n'aie pu me retourner. C'est Liancourt. *Encore heureux qu'il n'ait plus d'épée!* Je tente d'accompagner son coup de poing, dans l'espoir de pouvoir me relever dans la foulée, mais il me retient d'une main, tout en se laissant tomber à genoux pour me frapper plus facilement au visage. Mon bras gauche parvient à bloquer le sien et je l'attire à moi d'un coup sec. Il me tombe dessus brutalement, me coupant à moitié le souffle, et tente de m'étrangler, j'écarte ses deux bras par surprise, et mon front brise d'un violent coup de tête l'arête bien droite de son nez. Nous roulons dans la neige, éclaboussés de sang.

Comme il est un peu groggy, j'affermis ma prise et jette un coup d'œil autour de moi. Les choses sont en train de prendre une vilaine tournure. L'un des deux derniers tireurs est en passe de finir de retendre son arbalète, tandis que l'autre ramasse au sol l'arme encore chargée de son camarade tombé au combat. J'aperçois, à ras de terre, les jambes de Plerval et du troisième homme d'armes qui courent dans ma direction. Trois pas et ils m'auront atteint.

Ce coup-ci, ils vont me tuer !

Dans un mouvement désespéré, je m'allonge sur le dos et retourne Liancourt au-dessus de moi avant qu'ils frappent, immobilisant ses jambes avec les miennes et bloquant son cou dans une clef de coude potentiellement mortelle.

« Bon Dieu, Plerval, arrêtez ça !! Si vous tentez quoi que ce soit pour me tuer, je lui brise la nuque !! »

Le temps se fige quelques instants, mais les lames de Plerval et du dernier homme d'armes français se tendent, menaçantes, à une coudée de mon crâne. Quant aux deux arbalétriers, ils sont en train de se mettre à genoux, à moins d'une toise de moi, afin de mieux viser ma tête, l'un à mi-hauteur, l'autre au ras du sol. J'entends ma propre respiration haletante. Je sens mon cœur qui chahute dans ma poitrine. Et je vois d'en bas les flocons de neige continuer à tomber mollement depuis le ciel.

Cette fois on dirait bien que ça tourne au vinaigre.

La voix de Plerval est blanche, car le dilemme devant lequel je le place s'avère des plus graves pour un homme d'honneur tel que lui. Cependant, je devine par avance de quel côté de la balance son choix va finalement pencher.

« Désolé, Liancourt, vous savez aussi bien que moi que je me trouve *dans l'obligation* de donner l'ordre de le tuer. Croyez-moi, je m'occuperai de votre famille et je prierai pour le salut de votre âme. »

Reste à savoir si je brise le cou du jeune lieutenant français pour l'entraîner avec moi dans la mort. Ou pas.

Le seigneur de Plerval me regarde une dernière fois. Le temps de quelques battements de cœur. Puis il jette un coup d'œil aux arbalétriers et, le visage tendu, se décide finalement à leur donner l'ordre de tirer.

Dans un concert de douleur, deux flèches empennées de vert brisent les os de la main et se plantent profondément dans le bras des deux arbalétriers français. Une troisième transperce la jambe droite du dernier homme d'armes qui tombe au sol en hurlant.

Les Sillfayi'sin[1] de la Garde elfique de Troyes !

Enfin ! Bon Dieu, je ne suis pas mécontent de les voir, ceux-là !

Le chevalier Aymeric de Plerval comprend instantanément que la situation vient de basculer à son désavantage, mais les Elfes sont encore suffisamment loin pour lui laisser la possibilité d'agir. Il ne se retourne même pas et se fend directement dans ma direction pour tenter de me planter sa lame dans la tête. Si jamais le reste de ses hommes a réussi à éliminer le baron de Saulieu, il est capital pour les Français de faire taire mon témoignage.

Sans rien calculer, je repousse le corps de Liancourt dans sa direction et roule de côté dans la neige afin de me relever aussi vite que je le peux. Face

---

1. Littéralement, « Ceux du souffle de l'arc ».

à moi, le jeune lieutenant est resté au sol. La lame du seigneur de Plerval a transpercé son côté gauche, inondé de sang. Momentanément gêné, celui-ci n'a pas pour autant abandonné son funeste dessein, il est déjà sur moi. Une flèche qui visait son dos le manque de très peu. Il me fait reculer, et reculer encore. La pointe de son épée fend l'air à la rencontre de mon cœur, mais j'esquive, pénètre à l'intérieur de sa garde, et ses yeux s'ouvrent en grand alors que mon coude s'enfonce profondément dans son estomac et que mon corps, partiellement plié, le fait basculer au-dessus de moi, cul par-dessus tête. Sa chute est brutale et il s'affale de tout son long, le dos dans un nuage de neige fraîche maculée de taches de sang.

Je me jette sur son épée avant qu'il n'ait eu le temps de reprendre ses esprits, et place la pointe sur sa gorge.

« C'est fini, Plerval ! »

Autour de nous, un groupe d'une dizaine d'Elfes est en train de se déployer, leurs arcs longs torsadés sont bandés et les pointes mortelles de leurs longues flèches-lames ciblent clairement le cœur du chevalier de l'ordre de l'Étoile, ainsi que celui des autres Français encore valides. Toujours tendu, je fouille les alentours du regard et ressens un certain soulagement en constatant que les Elfes ont fait prisonniers les hommes qui s'étaient lancés à la poursuite de Saulieu. Le prétendant bourguignon se trouve d'ailleurs lui-même à leur côté, blessé à l'épaule et accompagné par Edric, Qu'un-Coup et Janvier.

Bon sang, est-ce qu'on a gagné ?

Laissant Plerval aux bons soins des Sillfayi'sin, je rejoins mes hommes. Janvier paraît, lui aussi, blessé à la jambe, mais cela ne semble pas trop grave.

«Vos gars se sont débrouillés pour me sauver la mise, messire de Kosigan.

— Ils sont payés pour cela, baron. Et plutôt bien, si vous voulez savoir. Je vois qu'ils ont quand même laissé aux Français une chance de vous blesser… »

Démentant la froideur de mes paroles, je remercie du regard mes hommes d'avoir évité au jeune baron de finir avec une mauvaise collection de trous dans la peau.

«Quoi qu'il en soit, le temps de se relâcher n'est pas encore venu, il nous reste encore du pain sur la planche avant de pouvoir mettre un point final à toute cette affaire ! »

Comme pour accompagner mon avertissement, venant de la grande arche qui débouche sur la cour centrale, on commence à entendre un bruit de cavalcade, qui s'accentue rapidement. Un, puis trois, puis dix, puis au moins cinquante chevaliers, pénètrent en trombe dans les jardins et se répandent bruyamment dans les allées et les massifs. Des Bourguignons. Partout des torches, des oriflammes et des blasons aux couleurs d'or, de gueule et d'azur du duc se déploient, ainsi que le symbole du bélier à cornes dorées des fameux chevaliers du Vieil Ordre.

«Bas les armes, les Français ! Ou vous creuserez vos propres tombes avec ! »

Les Sillfayi'sin fixent l'officier bourguignon qui vient de s'exprimer d'un air à la fois amusé et passablement méprisant, manière de lui signifier qu'il arrive tout de même un peu tard, et que les Français se trouvent *d'ores et déjà* hors d'état de nuire. Celui-ci ne s'en offusque pas, il hausse les épaules et sourit d'un air plutôt amical.

« Bref. Le temps nous est compté. Messires les Elfes, au nom du duc Eudes de Bourgogne et pour le salut de la Champagne, je vous prie de bien vouloir nous accompagner aussi vite que vous le pouvez avec vos… prisonniers ! Et vous également, seigneur de Saulieu, ainsi que vos amis. »

Alors que les surcots bleus à fleurs de lys commencent à se mettre en marche en direction de la salle de réception, encadrés par les archers de la Garde elfique et les chevaliers bourguignons, un groupe d'une quinzaine de cavaliers, portant l'immense étendard du duc et mené par cinq chevaliers du Vieil Ordre, passe au triple galop à côté de nous et pousse au plus vite jusqu'au large escalier qui mène à la salle d'honneur.

Ils mettent pied à terre, dégainent leurs armes et se précipitent en direction des baies vitrées.

Correspondances de Kergaël de Kosigan avec Charles Chevais Deighton. Maulnes, le 20 août 1899.

Très mauvaise nouvelle : le couloir que nous étions en train d'explorer s'est définitivement effondré ! Et Plessis – l'un des étudiants chercheurs envoyés par Lavisse – a bien failli y laisser la vie. Je ne comprends pas comment cela a pu arriver, nous avions pourtant correctement placé les étais aux points stratégiques pour consolider le passage.

Hennion jure avoir entendu une sorte d'explosion ! Or il est impossible qu'il puisse s'agir d'une poche de gaz car le sous-sol, à cet endroit, ne s'y prête absolument pas. Je sais comme toi qu'elle peut être l'autre hypothèse, mais franchement elle me paraît à peine plus plausible. Qui pourrait vouloir nous empêcher d'avancer ? Et pour quelle raison ? Je n'arrive pas à savoir ce qu'il faut en penser.

En tout cas, je vais être extrêmement prudent à partir de maintenant. Quant à nos recherches, déblayer l'ensemble du tunnel va nous prendre plusieurs mois. J'ai mandaté Hennion pour qu'il s'occupe de faire venir le matériel et la main-d'œuvre nécessaire, mais, en attendant, cela nous oblige à recentrer les fouilles à l'intérieur de l'enceinte du château.

Troyes, grande salle de réception du palais de la comtesse de Champagne, au soir du 9 novembre de l'an de grâce 1339. Scène relatée par Gunthar von Weisshaupt.

« À la demande de la comtesse Catherine, la courageuse Solenne de Troyes et l'ignoble prince de Navarre se lèvent de leurs chaises respectives, l'une avec grâce et tristesse, l'autre tout empreint d'une morgue insupportable, mâtinée de satisfaction vicieuse.

La comtesse poursuit son discours d'une voix ferme, mais son assurance apparente se trouve démentie par son regard, qui évite de croiser celui de quiconque autour d'elle.

Le silence de la salle est intense, l'assemblée tout entière a conscience que le moment capital est venu.

"... Ainsi, avec espoir et confiance dans un avenir plus calme et plus paisible, je vous annonce, ce soir, le futur mariage de ma fille, Solenne de Troyes... avec le grand sénéchal et cousin du roi de France... Son Altesse le prince de sang... Robert...

— CESSEZ CETTE MASCARADE !" »

Par les portes des cuisines, du hall et sur la terrasse, s'engouffrent à présent dans la pièce des poignées d'hommes d'armes aux couleurs de la Bourgogne. Les Français tirent l'épée et les quelques gardes champenois également, des invités se lèvent et portent la main à leur fourreau d'apparat.

Le félon de Navarre fulmine :

"Qui ose ?!

— MOI !"

Par les portes vitrées qui viennent d'être ouvertes à la volée, pénètre un homme de grande taille, au pas pressé, portant manteau noir et capuche par-dessus ses habits de guerre et son surcot bourguignon. La neige, soufflée par le vent, s'engouffre avec lui dans la pièce, y installant d'un coup un froid intense. D'une main ferme, l'homme révèle son visage : barbu avec quelques poils blancs, le nez fort et le visage solide, l'œil fier et le menton épais.

Certains murmurent :

"Le duc de Bourgogne !"

Eudes IV, si mes comptes sont exacts. Duc et comte des deux Bourgognes, descendant indirect de Lothaire et de Richard le Justicier par son père, et petit-fils du grand Saint Louis par sa mère.

Vous n'hésiterez pas à me dire si mes connaissances sont incomplètes ou si je fais la moindre erreur de généalogie, n'est-ce pas, capitaine ?

"Seigneur Eudes ? Que signifie cette intrusion ?"

L'infâme de Navarre est à la fois surpris et en colère. La comtesse quant à elle a du mal à en croire ses yeux.

"Je viens mettre un terme à votre *forfaiture*, prince de Navarre !"

Le visage du félon se fait rubicond.

"Par le saint Graal, de quoi parlez-vous? Vous-même, le roi et la comtesse, avez tous trois signé un Pacte de sang, et ni vous, ni sa majesté, n'avez le *droit* d'être présent en ces lieux tant que la comtesse Catherine n'a pas pris librement sa décision. Le Pacte de sang engage *la malédiction de vos familles sur deux générations* si jamais vous le rompez... Vous n'avez d'autre possibilité que de respecter votre parole!

— Le Pacte fait une exception pour les cas de trahison, figurez-vous!

— Mais, par tous les saints, de *quelle* trahison est-ce que vous parlez, seigneur duc?!

— J'étais tout à fait prêt à accepter le choix de dame Catherine. Mais il aurait fallu pour cela qu'elle en ait effectivement un!

— Sur mon honneur, seigneur Eudes, j'ignore ce qu'on vous a raconté, mais le roi ou moi-même ne sommes nullement responsables de la disparition de messire de Saulieu... En aucun cas!... Je vous en donne ma *parole*!

— Votre parole est comme votre haleine, Navarre, fétide et tout juste bonne pour le fumier, et tout le monde ici va en être témoin!"

Le duc tourne la tête vers les baies vitrées. De Plerval et Liancourt sont à l'approche, blessés et entravés, entourés par plusieurs chevaliers bourguignons et par des Elfes. Et j'ai la joie de vous apercevoir parmi eux, accompagné d'un homme dont je devine qu'il ne peut s'agir que du fameux baron de Saulieu.

"La vérité parle d'elle-même: nous sommes arrivés juste à temps pour tirer Marc de Saulieu des griffes de vos hommes!..."

L'ignoble Navarre accuse le coup. Il jette rapidement un coup d'œil calculateur sur la comtesse et sur sa fille. Puis sur moi-même. J'essaie de prendre un air aussi stupide et peu sûr de moi que possible, afin de l'encourager à tenter de s'en prendre à elles. Il me toise avec froideur pendant plusieurs secondes, mais finit par réaliser que tout mouvement agressif de sa part me donnerait un prétexte pour le déchiqueter à belles dents, et son visage se crispe en signe de renoncement.

Pas de chance, vraiment.

"Vous avez attiré mon neveu dans un piège, de Navarre, puis vous l'avez séquestré! Et lorsqu'il a réussi à s'évader vous avez *ordonné* sa mort! Qu'avez-vous à répondre à cela?!

— Je…"

La comtesse foudroie le vil Navarrais du regard.

"Je m'en doutais! Qu'Eqsi Aqsaëth[1] vous maudisse, Navarre!"

Elle attrape un couteau sur la table et le pose fermement sur sa paume, à deux doigts de s'entailler avec et de faire couler son propre sang. L'air prend soudain une intensité étrange autour d'elle, comme s'il s'imbibait d'énergie invisible. Mais sa fille l'arrête d'une main douce, placée au creux du bras. Elle a raison, le cardinal d'Orange à quelques places de là ne perd pas une miette du spectacle et il y a fort à parier qu'il apprécierait, plus que tout, de voir la comtesse elfique utiliser une magie de destruction en ces lieux.

1. Dieu elfique de la vengeance, ainsi que de tout ce qui est sombre et maléfique.

"Tout cela n'est qu'un tissu de mensonges!... Je... je suis innocent!"

Sur un geste du duc, deux chevaliers bourguignons s'approchent pour encadrer le vil Robert de Navarre. La tension électrise la pièce, mais aucun des Français armés ne bouge, chacun attendant visiblement les ordres du très respecté commandeur Thierry de Montrouge.

Le duc, pourtant, n'accorde même pas un regard à celui-ci, il continue à s'adresser au cousin du roi de France :

"Parlez à présent, Navarre ! Dites-nous que vous tenez vos ordres du roi Philippe en personne !"

À ces mots, le commandeur de Montrouge fait un pas brusque en avant. Nul doute que ce ne soit pour défendre l'honneur de son souverain !

"Nenni, monseigneur, je suis le seul à blâmer. L'idée de l'enlèvement était de moi et je dois assumer l'entière responsabilité du fait qu'elle ait été fort mauvaise !"

Le duc le regarde dans les yeux pour la première fois.

"Je n'en crois pas un traître mot, commandeur de Montrouge.

— Et pourtant c'est l'exacte vérité. La seule que vous obtiendrez de moi ce jour d'hui, en tout cas. Et si vous souhaitez aller plus loin et faire couler le sang..." Il porte la main à la garde de son épée et tous les Français présents font de même. "... Il faut le dire maintenant... Monseigneur..."

Le duc hésite. Les Bourguignons sont à un tiers plus nombreux. Mais ils ont *déjà* gagné. Et depuis le début de cette affaire, ce que chacun souhaite, si j'ai bien compris l'histoire de ce fichu Pacte de sang, c'est justement de l'éviter, cette foutue guerre.

"Je ne m'y abaisserai pas, Montrouge, la félonie est vôtre aujourd'hui, qu'elle pèse sur vos épaules et celles de votre roi ! À présent, si la comtesse en est d'accord, je vous somme de quitter ces lieux, avant que finalement elle ou moi ne décidions de changer d'avis et de vous y faire construire une tombe pour l'éternité !"

L'homme est un peu grandiloquent, mais cela n'est pas pour me déplaire. La comtesse ajoute d'une voix froide.

"Allez dire à votre maître que ce n'est pas aujour-d'hui que la Champagne tombera entre ses mains. Je vais m'attacher à respecter le Pacte de sang que j'ai signé. Regardez bien ma fille avant de quitter la pièce, c'est la dernière fois que vous verrez son visage !" »

73

Correspondances de Kergaël de Kosigan avec Charles Chevais Deighton. Paris, le 21 août 1899.

L'ancienne forteresse médiévale de Maulnes n'est plus que ruine. Certes, les restes de ses murs et de ses tours d'enceinte, ensevelis sous la terre et la végétation, ont plus ou moins subsisté jusqu'à deux ou trois mètres de hauteur, mais le donjon central, ainsi que les différents corps de logis, les écuries et les casernements, ont tous été rasés jusqu'au sol. Au point qu'il n'en demeure plus, aujourd'hui, la moindre trace visible. Un seul et unique bâtiment est encore à peu près repérable, avec son rez-de-chaussée accolé à l'enceinte intérieure nord. Nous allons commencer par là.

74

Alors que le commandeur Thierry de Montrouge et le prince Robert de Navarre quittent la grande salle d'honneur à la tête de leur délégation et de leurs hommes d'armes, ce dernier s'arrête un instant à mon niveau. Le rictus mauvais inscrit sur son visage découvre sa dent d'or d'un air menaçant.

« Vous, Kosigan, si un jour vous croisez à nouveau ma route, je peux vous jurer que je vous réserve un chien de ma chienne ! »

Je le toise avec le calme des vainqueurs, alors que ses hommes passent en masse derrière lui.

« Ne voyez rien de personnel à tout ce qui a pu arriver ce soir, seigneur de Navarre. Cela dit, si le chien de votre chienne est un bâtard, je serai ravi de l'accueillir !... »

Il continue à me regarder d'un œil torve tout en s'éloignant à reculons. « Je suis rancunier, Kosigan. Et maintenant que je sais à quoi m'en tenir sur votre compte, sachez que votre humour ne vous sauvera pas. » Et il disparaît dans la foule.

Un client de perdu, dix de retrouvés. À ce qu'on dit.

Je me retourne tranquillement. Derrière moi, les grandes tables de réception ne sont plus remplies qu'aux deux tiers. Un peu partout, les serviteurs s'affairent à modifier les places et les couverts, afin d'installer les plus importants des nouveaux arrivants bourguignons. Je note toutefois que si les comtes de Nevers et de Forez sont bien présents, ce n'est le cas, ni de mon oncle, ni du comte d'Albret, ni d'au moins trois autres des plus grands féaux du duc de Bourgogne. De son côté, la comtesse a pris un peu de recul et elle en train de parler intensément avec sa fille et Marc de Saulieu. Un peu plus loin, le cardinal d'Orange, qui a finalement choisi de rester – sans doute pour surveiller le déroulement des événements pour le compte du roi de France –, se trouve en grande conversation avec Georgine de Gloucester. Tout autour, les convives parlent, bruissent et s'affairent.

Le duc de Bourgogne s'approche de moi d'un pas calme, un air sombre et sévère accroché au visage. Je m'incline lorsqu'il est assez proche.

Il fallait bien que cela arrive...

« Votre Altesse.

— Kosigan. »

Il reste silencieux un instant en m'observant des pieds à la tête, d'un air mi-froid, mi-dédaigneux.

« J'ai entendu dire que vous aviez sauvé mon neveu, aux ordres de la comtesse Catherine de Champagne. »

J'acquiesce de la tête sans mot dire, tout en l'observant attentivement. Son visage ne se déride pas et son regard reste dur.

« N'ayez pas le moindre espoir que cela vous fasse obtenir ma grâce. »

Je produis la moue grave de celui qui est déçu

tout en étant suffisamment fier pour ne pas en être affecté.

« Votre surnom de guerre dit bien ce que vous êtes, Bâtard de Kosigan, rien de plus qu'un tueur sans noblesse, et, croyez-moi, *aucun* de vos crimes passés n'échappera à ma mémoire : George de Valençay, Dusan de Kosigan, Valériane de Rocroi, tous ont péri par votre faute ou par votre lame…

— Je suppose, monseigneur, que rien de ce que je pourrais dire… »

Il lève une main autoritaire pour m'arrêter immédiatement.

« Un jour ou l'autre, Bâtard de Kosigan, vous tomberez entre nos mains de façon honorable. Et ce jour-là, vous pourrez vomir toutes vos excuses ridicules aux juges que j'aurai choisis pour vous. Et puis ensuite, vous mourrez ! »

Nous nous observons un moment avant qu'il reprenne.

« Cependant aujourd'hui, je vous dois la vie de mon neveu. Je vous accorde donc un sursis *temporaire*. Il prendra fin dès demain, à la première heure du soleil. Veillez à avoir disparu d'ici là. »

Quelque chose me dit qu'il vaut mieux que je ne lui demande pas une petite récompense supplémentaire.

Je lui souris. Mais mon sourire ne s'adresse plus à personne. Déjà, il s'est retourné et quitte les lieux par les grandes baies vitrées. Sur la terrasse enneigée, je le regarde grimper à cheval, accompagné par les cinq chevaliers du Vieil Ordre qui composent sa garde rapprochée.

« J'aurai quitté Troyes aux premières lueurs du matin, Votre Altesse. Je m'y engage. »

Son cheval s'éloigne et il répond d'une voix forte mais sans se retourner.

« Il vaudrait mieux, Bâtard de Kosigan, il vaudrait mieux. Car ma clémence envers vous n'ira pas plus loin que cela ! »

Il disparaît doucement, à grand bruit de sabots claquant sur le marbre, avalé peu à peu par la neige et la nuit. Ainsi, j'imagine, respecte-t-il les engagements qu'il a pris en signant le Pacte de sang avec le roi et la comtesse : il sera absent lorsque celle-ci désignera librement le futur mari de sa fille.

Dans la pièce, la plupart des gens se sont assis à nouveau et les invités d'honneur ont repris leur place. Au loin, le premier coup de la mi-nuit résonne, alors que la comtesse prend la parole :

« Mes amis, il est temps de reprendre le cours de notre fête ! L'annonce du *mariage* entre la Champagne, que je lègue à ma fille, et la Bourgogne, que représente ici le jeune baron de Saulieu… doit être célébrée dignement ! »

L'adorable Solenne de Troyes plonge un regard éperdu dans celui d'un Marc de Saulieu, fatigué mais souriant, et tous les deux s'embrassent langoureusement.

Bonne idée de lui avoir prêté un manteau à mes couleurs. Voilà une réclame qui ne pourra que faire du bien à mes affaires.

Correspondances de Kergaël de Kosigan avec Charles Chevais Deighton. Maulnes, le 30 août 1899.

J'ai reçu ce matin une lettre de Delisle avec la traduction de la petite page manuscrite de mon ancêtre. Le chevalier de Kosigan avait rédigé ces quelques phrases en Champagne, à la fin du mois d'octobre 1339. À l'intérieur, il indique sa décision de mettre ses chroniques par écrit, sans pour autant en éclaircir précisément les raisons.

Si l'on en juge par les précautions dont il s'entoure, il semble qu'il se soit agi d'un homme de secret, une sorte d'espion au service de commanditaires puissants. Cette théorie aurait le mérite d'expliquer certaines choses, et notamment que mon ancêtre ait pu vouloir faire, lui-même, disparaître les traces de sa propre existence. J'ignore bien sûr tout de ce qui aurait pu le pousser à prendre une telle décision, et cela n'éclairerait en rien le fait que son nom ait mis plus de cinq siècles à réapparaître, accolé à mon patronyme, mais c'est une idée qui me paraît mériter d'être creusée.

Pour en revenir à nos recherches, elles avancent bien, à l'intérieur de ce qui subsiste du dernier bâtiment encore un tant soit peu debout de la forteresse. Il s'agit des vestiges du rez-de-

chaussée d'une petite chapelle romane, apparemment bien plus ancienne que le château lui-même. Le long du mur nord, celui qui s'appuie sur le rempart, nous avons mis au jour plusieurs fresques religieuses d'une grande beauté. Notamment une magnifique Vierge aux pieds nus qui, d'après Plessis, pourrait bien être la plus ancienne de ce type, connue pour cette période du Moyen Âge. Il s'agit d'une découverte d'autant plus exceptionnelle que la Vierge en question a été représentée avec des oreilles pointues d'esprit des forêts, ainsi qu'avec de nombreux attributs de la déesse celte Condwiramur. Cette découverte, si elle se trouve confirmée, remet en question l'idée communément admise selon laquelle les traditions et les croyances antiques avaient été entièrement éradiquées au milieu du Moyen Âge. Elle pourrait donner lieu à plusieurs publications.

Pour autant, tu t'en doutes, ce n'est pas l'essentiel. Nous venons de découvrir les éléments d'un petit mécanisme, au niveau d'un des détails de la fresque. Son utilité nous échappe pour l'instant, mais nous avons bon espoir qu'il nous permette d'ouvrir un nouveau passage secret. Avec un peu de chance, il pourrait être relié à celui que nous étions en train d'explorer, à partir du caveau.

Je t'en dirai davantage dès que je le pourrai.

En tout cas, mon instinct me dit que nous touchons de plus en plus au but, Charles, et j'en ressens une très forte excitation.

Les heures qui suivent la fin d'un contrat sont généralement consacrées à un repos bien mérité qui permet de faire le point et de gérer au mieux la chute brutale de la tension et du danger. Pourtant cette fois, il me reste encore une importante affaire à régler avant que le soleil ne se lève.

Les invités ont tous quitté le palais à présent, hormis ceux qui y ont leurs quartiers, et j'ai moi-même pris une petite heure afin de me rafraîchir et de remettre mes pensées dans le bon sens.

En réponse à un billet que je lui ai fait porter par l'intermédiaire d'Edric, la comtesse Catherine me retrouve dans la grande salle d'honneur – à présent vide et sombre – et me fait signe de la suivre. Nous nous éloignons par un corridor désert et passons derrière une tenture dissimulant un passage plus étroit. À la lueur d'une lanterne posée près de l'entrée, nous nous faufilons en silence dans un petit dédale de couloirs. À plusieurs reprises, elle me fait longer tel ou tel mur, ou m'indique d'enjamber telle ou telle partie du sol. L'endroit paraît truffé de pièges et, quel que soit le lieu vers lequel elle se dirige, peu de gens semblent avoir l'autorisation d'y accéder.

Au bout de quelques minutes nous arrivons devant une porte ferrée, épaisse et peinte d'un vert très sombre, aux armes de la maison d'Aëlenwil. Aucune poignée, ni serrure, simplement un espace plus clair en forme de main qui paraît être le système dédié à l'ouverture. La comtesse y pose délicatement sa paume et ses doigts. Le bruit est infime, mais je réussis tout de même à le percevoir : des lames, sans doute très petites, pénètrent sèchement sa chair à plusieurs endroits. Quelques gouttes de sang. La porte s'ouvre sur un étonnant salon aux fauteuils et canapés élancés, décorés de nuances de verts, de bruns et de vieil or. Le sol, couvert d'herbes folles, de trèfles et de mousse, y est comparable à celui d'une forêt, et les murs ainsi que le plafond abondent d'une sorte de lierre arborescent, ponctué çà et là de petites fleurs pâles. L'atmosphère, empreinte de lumière claire et d'une agréable odeur de printemps, est paisible.

En plein centre de la pièce, sur un autel de pierre moussue, se trouve un coffre de taille moyenne, en bois noir lustré et ferré de circonvolutions épaisses de métal. Je l'observe alors que la comtesse referme la porte derrière moi. Sa serrure, visiblement complexe, est placée en plein centre du haut du couvercle arrondi, avec, autour d'elle, un espace plus clair en forme de main. Exactement comme sur la porte d'entrée. Un fort bel objet. Relativement intrigant.

« Votre Altesse.

— Messire de Kosigan. »

Je m'incline respectueusement.

« On peut dire que vous avez su me faire languir ce soir, chevalier. J'ai même cru, un temps, que tout était perdu.

— À peine quelques fâcheux contretemps, Votre Grâce. Vous auriez dû me faire davantage confiance.

— Sans doute. En tout cas, je dois reconnaître avoir été profondément impressionnée par l'efficacité qui fut la vôtre. »

Je souris très légèrement.

« Est-ce que vous voulez dire… dans tous les domaines ?… »

Un éclair d'amusement traverse fugitivement son regard.

« Une dame réserve toujours son jugement pour ce genre de choses, chevalier… Cela étant, sans trop présager de l'avenir, je pense que vous avez rendu le plus grand service qui soit au comté de Champagne, à son peuple et à celle qui a l'honneur de le diriger. » Elle m'attire vers le coffre et prend doucement ma main gauche pour la placer sur le couvercle, au niveau de la serrure. « Voilà pourquoi j'ai décidé d'ajouter cet objet aux récompenses dont nous avions déjà convenu.

— Vous attisez mon intérêt, madame.

— Le sortilège d'ouverture réclame l'utilisation d'une clef de mots que vous devrez apprendre : *"Wi lempë Lepsëin aalnela Mâa-is"* en langage elfique, ou si vous préférez, "Comme les cinq doigts de la main" dans votre langue. »

À ces mots, une pointe de douleur me transperce le centre de la paume, comme si une fine aiguille d'un pouce de long venait de s'y enfoncer.

« Madame, que… ? »

Je tente de retirer ma main, mais la comtesse Catherine appuie dessus avec fermeté. La surface du bois, à l'origine lisse et solide, me donne à présent l'impression de fluctuer sous mes doigts, elle devient chaude et liquide, comme une mince flaque d'eau emprisonnée sous les rayons du soleil d'été.

« Nulle inquiétude, chevalier, gardez votre main là où elle est. L'enchantement doit apprendre à reconnaître votre "fluide vital".

— Mon fluide vital? S'agit-il de ce que certains Elfes appellent le *"Hyäal-nünmilithis*[1]"?

— Je constate avec plaisir que vous avez quelques notions concernant la magie ancienne de Palinör, mon ami. Le terme originel serait plutôt : *"Hyäal Singis qüil cotomër inde Vienis, nünslith graal Milithis"*, autrement dit, la-source-de-vie-qui-coule-dans-les-veines-dissimulée-en-dessous-du-flot-épais-du-sang. Mais, vous avez raison, on l'appelle en général "Hyäal-nünmilithis" ou parfois même "Hyäal", tout simplement. Lorsque nous en aurons fini, le coffre sera vôtre, chevalier, et seul votre "Hyäal" pourra permettre de l'ouvrir. »

Pendant qu'elle parle, cinq autres piqûres brûlantes, une au bout de chaque doigt, viennent compléter la première. La Faëdinane se met alors à murmurer des mots empreints de puissance magique et l'air s'illumine, s'emplissant peu à peu de fins crépitements, accompagnés de minuscules étincelles. Sa voix se fait plus forte. De plus en plus forte. Les herbes et les feuilles dans toute la pièce se mettent à bruisser et à frissonner, sous l'effet d'un vent puissant. Je ressens une douleur fulgurante, presque instantanée, comme si une bille de métal en fusion faisait, le temps d'un simple battement de cœur, le tour entier de mes veines. Sans pouvoir contenir un grognement, je marque un brusque mouvement de

1. Littéralement « la source sous le sang ».

recul. La comtesse me regarde d'un air d'y prendre quelque plaisir.

« Voilà, c'est fini. Était-ce douloureux ? »

Je lui souris de mon mieux. Mes yeux lui répondent qu'elle le sait très bien, mais que malgré tout, je n'ai pas l'intention de le reconnaître à haute voix. Et je lis dans les siens qu'elle n'en attendait pas moins de la part d'un homme aussi aguerri que moi.

Ces égratignures peuvent peut-être m'offrir une opportunité intéressante.

Je retourne lentement ma main pour en observer les coupures : les entailles qu'elles ont laissées sont profondes, mais elles ne mettent que quelques secondes avant de se refermer entièrement. Ainsi que je l'espérais, la comtesse observe le phénomène avec intérêt.

« Par les yeux de Seliarine, voilà un bien intéressant prodige, chevalier de Kosigan. Et sans nulle magie pour vous servir, à ce que je ressens. Comment l'expliquez-vous ? »

Mes yeux fixent les siens, avec cette expression qu'on peut parfois avoir lorsqu'on se demande si on peut faire confiance à quelqu'un. Puis je me lance.

Après tout il s'agit là de la raison essentielle pour laquelle j'ai demandé à la voir.

« Faëdinane Cathern an Aëlenwil, comtesse de Champagne et de Claret, ai-je raison de penser que vous me considérez à présent comme un *ami*, et plus seulement comme un simple mercenaire qui vous aura été utile le temps de surmonter vos difficultés ? »

Ses yeux doux se font plus sérieux.

« Messire, vous semblez prêt à me faire des confidences et par conséquent je vous dois la franchise…

J'ai apprécié la chaleur et l'étreinte de vos bras. Plus que tout depuis la mort de mon cher époux le comte Thibaut. Et je ne peux nier que votre aide m'a été infiniment précieuse au cours de la journée qui vient de s'écouler. Pour autant, je n'ai pas le droit d'oublier les devoirs qui sont les miens. Faëdinane ou comtesse de Champagne, je suis tenue d'être lucide et prudente : votre réputation est des plus sulfureuses et vous restez un mercenaire qui a su, dans cette affaire, mener sa barque avec brio et faire jouer ses intérêts. Cela m'attire et me plaît beaucoup, je crois que vous le savez, mais je ne suis pas certaine de pouvoir vous faire entièrement confiance. Vous, en revanche, vous pouvez compter sur moi en toute chose et si vous vous confiez à moi, faites-le sans aucune crainte, vous avez ma parole d'honneur que vos mots ne quitteront pas cette pièce… Du moins tant que de votre côté, vous ne vous laisserez pas glisser sur la pente d'une quelconque trahison, évidemment. »

Je hoche la tête en souriant.

« Évidemment. »

Il n'y a plus qu'à espérer qu'elle n'apprenne jamais les tenants et les aboutissants de toute cette histoire.

« Bien. Dans ce cas, madame, je vais vous confier un de mes secrets les plus importants et peut-être aurez-vous la possibilité de m'apporter votre aide. »

D'un geste gracieux de la tête, elle m'encourage à continuer.

« Il y a, à l'évidence, un héritage ancien qui coule dans mes veines. Je le sens, c'est presque un torrent. Seulement, je n'ai pas la moindre idée d'où il peut bien venir. D'apparence, je suis entièrement humain mais de toute ma vie, jamais je n'ai souffert de la moindre maladie, quant à mes blessures, aussi graves soient-elles, elles guérissent toutes à une allure surnaturelle. J'ai bien sûr pensé à du sang de troll, mais jusqu'à preuve du contraire, les trolls n'ont jamais pu se reproduire avec des humains. N'est-ce pas ?

— Les dieux nous en préservent ! Et vous voudriez que j'utilise ma magie pour chercher à en découvrir davantage sur vos étranges capacités, c'est bien cela ?

— Tout à fait. À ma connaissance, je ne les tiens ni de mon père, ni de ma mère.

— Voilà une situation fort étrange et particulièrement intéressante…

— Je ne vous le fais pas dire. Et vous pouvez sans aucun doute faire quelque chose pour moi. N'est-ce pas ? »

Elle me regarde quelques instants en silence. Puis s'approche de moi et pose délicatement un baiser sur mes lèvres.

« Cela paraît envisageable. Redonnez-moi votre main gauche. »

Je la lui tends, tout de même un peu hésitant au souvenir de la douleur de tout à l'heure.

« Est-ce que cela va encore me faire mal ? »

Elle me sourit en la prenant :

« Je pense que vous connaissez déjà la réponse. »

Correspondances de Kergaël de Kosigan avec Charles Chevais Deighton. Maulnes, le 2 septembre 1899.

Le Graal, Charles, j'ai découvert le Graal ! Ou tout au moins son équivalent.

La lumière de Wood, que nous utilisions pour étudier les anciennes peintures murales du mur nord de la chapelle, s'est révélée sans effet sur l'un des ongles de la Vierge aux pieds nus. Avec les plus grandes précautions, Plessis et moi avons testé et étudié la zone. À partir de ce moment-là, nous sommes allés de surprise en surprise !

D'abord, il s'est avéré que, sous la peinture, le petit espace semi-circulaire, insensible à la lumière noire, était fait d'acier au creuset, d'un type nécessitant d'excellentes qualités de mine-rai, et qui n'est censé avoir été découvert en Europe qu'au milieu du XVIIᵉ siècle ! Mais ce n'est pas tout, cette petite plaque d'acier recouvrait un mécanisme d'une grande finesse, lequel, malgré le temps et les siècles écoulés, a joué sans difficulté lorsque Plessis a décidé de le faire fonctionner. Le pan entier du mur sur lequel se trouvait la fresque a pivoté d'un coup, sans aucun craque-ment, grondement, crissement et pas la moindre vibration ! Une ouverture aussi fluide que celle d'un rideau de soie dans le vent.

Nous avons étudié tout cela en détail. Le métal qui compose les éléments du mécanisme d'ouverture est d'une grande pureté et parfaitement ciselé, c'est absolument incroyable : tout est agencé à la perfection, utilisant de très fines poulies, entourées de tissu, ainsi que des cordes tressées d'argent et renforcées de ce qui semble être un mélange de miel et de sève, lequel a des propriétés proches de celles du latex.

L'ouverture donnait sur une incroyable bibliothèque secrète, construite à l'intérieur même de l'énorme mur d'enceinte du château ! Là, il y avait tout un réseau de petites salles, reliées les unes aux autres par d'étroits corridors souterrains. La conception même de l'enceinte du château avait été prévue pour protéger, au maximum, les murs et le plafond de cet endroit, avec des épaisseurs de métal conséquentes, dissimulées derrière trois couches de briques et deux couches de gros moellons calcaires.

Aucune poussière ici, malgré les années écoulées, seulement une atmosphère incroyablement douce et sèche, et des manuscrits par centaines ! À n'en pas croire ses yeux. Je me suis même surpris à me pincer deux ou trois fois pour me convaincre que je ne rêvais pas.

Mille trois cent seize ouvrages en tout, livres, lettres, codex et manuscrits de toute sorte. Nous n'avons pour l'instant eu le temps d'en référencer qu'une centaine, mais la plupart sont des ouvrages uniques dont personne n'a jamais entendu parler. Je t'en cite quelques-uns au hasard, en choisissant les auteurs parmi ceux qui te sont sans doute les plus familiers. Il y a les cinq premiers tomes d'une ébauche d'encyclopédie des pouvoirs anciens, rédigée par Thomas d'Aquin ; un traité d'alchimie inédit, écrit de la main de Roger Bacon, un court opus sur l'art de la magie militaire chinoise à l'intention du doge de Venise, signé de Marco Polo ; des poésies et des ballades du grand musicien Guillaume de Machaut ; une version manuscrite du

Livre des merveilles du monde *de Jean de Mandeville ; des diatribes contre les papes d'Avignon et contre ceux de Rome, rédigées par Pétrarque, et un essai sur l'âme du Diable de Guillaume d'Ockham.*

Chacun de ces documents est un véritable trésor en lui-même, mais l'une de nos découvertes s'est avérée plus phénoménale encore. La lumière de Wood nous a permis de relever des traces de pas ensanglantées, datant de plusieurs siècles, débouchant d'un passage qui devait, selon toute probabilité, aboutir au couloir effondré du caveau. Leur taille laisse supposer qu'elles appartenaient à une femme, Dùneväa Il'lavaelle à ce que l'on peut en deviner. Les suivre nous a conduits jusqu'à un lutrin, dissimulé derrière une tenture, puis jusqu'au mur pivotant de la Vierge aux pieds nus. À l'évidence blessée, celle qui avait reçu l'ordre du chevalier de Kosigan d'incendier le château de Maulnes avait finalement rempli sa mission et réussi à échapper à l'Inquisition, tout en préservant le secret de la bibliothèque cachée, ainsi que du livre précis qu'elle souhaitait sauver.

Sur le lutrin, ses mains avaient déposé les restes du tome des chroniques de mon ancêtre, arrachés et maculés de son sang. Ils complètent aujourd'hui la première page que nous avions précédemment découverte dans les décombres du souterrain.

Tu imagines à quel point j'ai hâte que Plessis commence à traduire tout cela, afin de pouvoir l'étudier en détail dans les semaines à venir. Mon instinct me disait bien que nous étions à la veille d'une découverte majeure, mais j'étais loin de m'attendre à une chose pareille !

Pour autant, mon enthousiasme est tout de même partiellement entaché d'une pointe d'inquiétude. Il paraît de plus en plus évident que quelqu'un est caché dans l'ombre de ces découvertes. Quelqu'un qui m'a gentiment tenu la main pour que je finisse par trouver cet endroit et tout ce qui s'y trouve. Et cela, pour une raison qui m'échappe encore complètement.

Je pressens qu'il est vital que je réussisse à prendre l'initiative, afin de découvrir qui est cette personne. Ce qu'elle sait. Et ce qu'elle veut. Et, crois-moi, j'ai bien l'intention de tout mettre en œuvre pour y parvenir.

Amicalement.

K.

Une profonde nausée me recrache sur les rives de la conscience. J'ai vaguement le souvenir d'une explosion de douleur à l'intérieur de ma tête et puis, plus rien. Je recouvre mes esprits, allongé sur un banc de bois ouvragé, sans dossier, accolé à l'un des murs de verdure de la pièce. Mon bras gauche, ainsi que ma poitrine, me font particulièrement souffrir, mais c'est l'ensemble de mon corps qui paraît avoir été meurtri, comme si dix brigands s'étaient relayés pour me tabasser à grands coups de bâton. Je serre les dents et observe ce qui m'entoure. La belle comtesse est assise à mes côtés, un air inquiet sur le visage, et sa main fraîche tient la mienne avec fermeté. La douleur commence à s'estomper avec une rapidité encourageante.

« Bon sang, qu'est-ce que vous m'avez fait ?! »

Bon sang, qu'est-ce qu'elle m'a fait ?

Si jamais elle a réussi à pénétrer mon esprit... Son sourire et son calme me rassurent. Visiblement, elle n'a rien appris qui soit de nature à la mettre en colère.

Je tente de m'asseoir. Mais je dois m'y reprendre

à deux fois tant ma tête est lourde. Elle m'aide avec gentillesse mais son visage reste grave.

« Que… m'est-il arrivé ?

— J'ai cherché à découvrir ce que vous vouliez savoir…

— Et ?

— Et je ne sais pas. Cela a provoqué une sorte de… *chambardement.* Quelque chose que je n'avais jamais connu par le passé. »

Je l'observe plus attentivement et remarque la pâleur de son teint, ainsi que la fragilité atone de sa voix. Quant à ses yeux, d'habitude si perçants et si purs, ils paraissent cernés, légèrement voilés et ponctués, çà et là, de minuscules veinules rouges.

« Par les Furies, que s'est-il passé exactement ?

— J'ai accompli sur vous l'un des plus anciens rituels du savoir qui existent de par le monde. Et le contact de votre sang avec un noyau de magie pure a provoqué un nœud d'énergie si énorme que j'ai dû consacrer tout mon pouvoir à le juguler et à cloisonner la Source. Il s'en est fallu de bien peu que j'échoue et que je ne m'effondre avec vous.

— Qu'est-ce que cela signifie ? »

Elle hausse doucement les épaules.

« Cela signifie que, d'une part, nous avons failli mourir ensemble. Et que, d'autre part, je n'ai *pas réussi* à déterminer d'où provenait la puissance de cette énergie. Si ce n'est de vous. »

Je place doucement ma main sur mes yeux et les masse quelques instants, entre mon pouce et mon index. Ma tête est sacrément lourde. Et je sens une sorte de boule de déception dans ma gorge.

« Je suis tout de même en mesure de vous donner quelques informations importantes vous concernant,

Pierre Cordwain de Kosigan, la première, c'est que vous êtes indéniablement humain. Pour autant, votre intuition n'en était pas moins bonne, quelque chose *d'autre* se dissimule bel et bien en vous. Quelque chose de puissant et d'ancien qui court, *caché derrière ce qui est caché derrière le sang.* Je n'ai jamais vu cela, j'ignore totalement ce que c'est, et je ne sais pas plus que vous d'où cela peut provenir.

— Autrement dit, vous n'avez pas de réponses très précises à m'offrir.

— Non, en effet. Si ce n'est que la part non humaine de votre être se situe *uniquement* à l'intérieur de votre sang et de vos os.

— À l'intérieur de mon sang et de mes os ?! Mais qu'est-ce que cela signifie ?

— Je n'en ai malheureusement pas la moindre idée, chevalier, et vous m'en voyez désolée. Tout ce que je peux vous dire, c'est que je suis certaine de mon fait. Rien de plus.

— Votre Altesse. Vous êtes une Faëdinane, l'une des cinq dernières Étoiles de l'Ean-Taël[1]. Si *vous*, vous êtes incapable de m'en dire davantage, qui le pourra ? »

Elle soupire.

« Les pouvoirs des Elfes s'affaiblissent de plus en plus, mon ami, même les miens, et certains objets du passé nous manquent cruellement aujourd'hui. Il y a de cela un siècle, j'aurais sans doute pu vous aider davantage. Pour autant, ne perdez pas entièrement espoir, il subsiste encore de nombreux pouvoirs de par le monde, et certains bien plus puissants que les

---

1. Grand conseil réunissant autrefois les huit Étoiles elfiques d'Occident dans l'antique forêt de Stanin Dhuitis an Palinör.

miens. Peut-être un jour trouverez-vous les réponses que vous appelez de vos vœux. »

J'acquiesce doucement de la tête.

« N'ayez pas d'inquiétude, Votre Grâce, vous vous doutez bien que je ne suis pas de ceux qui se laissent abattre. Il y a longtemps que j'ai compris que je ne pouvais pas réussir tout ce que j'entreprenais. L'essentiel étant juste, quand on échoue, de pouvoir continuer à essayer. En attendant, il y a une autre question que je me pose. À propos de votre pouvoir, cette fois.

— Allez-y.

— Comment cela se fait-il que vous vous permettiez d'en faire usage aussi librement ? Je veux dire : avec les Interdits de l'Église et la présence d'un ancien cardinal de l'Inquisition dans le palais, il paraîtrait sage de votre part de vous montrer beaucoup plus prudente que vous ne l'êtes, non ?

— Ne vous en faites pas pour moi, chevalier. Je sais exactement ce que je fais. Croyez-moi sur parole, absolument rien de ce qui se passe à l'intérieur de cette pièce, magiquement ou non, ne peut être ressenti, entendu ou perçu à l'extérieur.

— Rien ?

— Rien. »

Je jette un coup d'œil intéressé autour de moi.

« J'imagine que cela a quelque chose à voir avec le lierre qui couvre les murs et le plafond… »

Elle sourit.

« Vous vous doutez que je ne vous en dirai pas plus, n'est-ce pas ? »

C'est de bonne guerre en effet.

« Et le coffre avec lequel vous m'avez… torturé, tout à l'heure ? Il est à moi à présent ?

— Absolument, chevalier de Kosigan, il est à vous, et j'ai placé à l'intérieur, comme vous devez vous en douter, la totalité de ce qui vous revient de droit en termes de récompense et de paiement.

— Y compris le rubis sacré de la couronne de Lothaire ?

— Il s'y tient bien sagement à côté de vos sept cents livres d'or de récompense pour le titre "d'Épée de l'hiver", de la lettre de recommandation pour mon frère à Verte Profonde, et de trois cents livres que ma fille a jugé bon de faire placer afin d'honorer ce qu'elle vous avait promis. J'ai de mon côté pris la liberté d'y ajouter une couverture elfique, tissée de soie d'Alcara et brodée de vélas, pour les rigueurs de l'hiver. À présent en voici les clefs. Elles permettent d'ouvrir les cinq serrures. »

Elle me tend un anneau de métal argenté portant deux clefs sombres et identiques, marquées de rayures et de multiples encoches.

« Cinq serrures ?

— Oui, les quatre gros coins métalliques du bas du coffre peuvent se retirer grâce à un ingénieux mécanisme. Ne les perdez pas.

— Mais je croyais que seul mon sang permettait l'ouverture.

— Pas uniquement. En réalité ce coffre a été créé il y a plus de trois siècles par le maître gnome et serrurier de Richard le Justicier, Destorévol Hégolin. D'où la complexité du système d'ouverture. Il appartient depuis cette époque à la famille des comtes de Champagne. Quant à l'enchantement de sang qui permet la lecture du fluide vital, je l'ai ajouté moi-même à votre seule intention.

— À ma seule intention ?

— Oui.

— Et vous affirmez que ce coffre se trouve dans la famille de feu votre époux depuis plus de trois cents ans ?

— Exactement.

— Votre Altesse. La couverture dont vous parliez tout à l'heure, et plus encore ce coffre merveilleux, sont des cadeaux d'une valeur inestimable. J'ai du mal à croire que vous me les offriez pour la simple beauté du geste. À moins, évidemment, que toutes vos faveurs n'aient pour but d'essayer de me faire penser que vous êtes tombée... *amoureuse* de moi ? »

Elle cligne une ou deux fois des yeux. Puis sourit d'un air amusé.

« Chevalier de Kosigan, dois-je vous rappeler que mon rang se trouve bien plus élevé que le vôtre ? Par ailleurs, le mot que vous évoquez a laissé des traces beaucoup trop amères dans mon cœur pour que je ne m'en protège pas en oubliant définitivement son sens. Quant à vous, à ce que je me suis laissé dire, il se peut que vous ne l'ayez même jamais connu. »

Surgis du passé, quelques souvenirs tristes s'amusent brièvement à perforer mon cœur et je songe à tout ce que, déjà, j'ai dû abandonner derrière moi.

« Croyez-moi, comtesse, il ne faut pas prêter foi à ce que les gens racontent à mon propos. Cela étant, si ce n'est pas pour mes beaux yeux, pour quelle raison étrange avez-vous décidé de me faire ces étonnants cadeaux ?

— Disons que ma fille vous a promis une forte récompense, eh bien, considérez que cela en fait partie.

— Cette explication ne me suffit pas, Votre Altesse. Je gagerais plutôt que vous souhaitez faire de moi votre débiteur, sans doute pour me demander quelque chose en retour. Si vous me disiez simplement de quoi il s'agit, cela nous ferait gagner du temps à tous les deux, vous ne pensez pas ? »

Elle me regarde avec cet air qu'elle a lorsque l'une de mes façons d'agir lui plaît.

« On ne peut décidément rien vous cacher, messire le maître espion. J'aime beaucoup cela ! Fort bien, je l'admets, je souhaitais effectivement vous demander une faveur. »

J'affiche tranquillement ma satisfaction.

« Dans ce cas, à mon tour de vous écouter, princesse.

— Je sais que vos affaires vous conduisent un peu partout en Occident et qu'elles vous amènent bien souvent à côtoyer des hommes de pouvoir. Ce que je voudrais, c'est que vous me teniez au courant de *tout* ce que vous pourriez apprendre concernant l'avancée des plans de l'Église, de l'Inquisition ou de toute autre puissance ayant des intentions néfastes à l'égard du peuple des Elfes, ou de *n'importe lequel* des autres peuples anciens.

— Vous voulez dire, en Champagne ?

— Non point. Je veux dire, dans tout l'Occident.

— Dans tout l'Occident ? Votre Grâce, en quoi le sort d'un quelconque peuple perdu de Moldavie, de Calabre ou de je ne sais où ailleurs, pourrait-il avoir la moindre importance à vos yeux ?

— Cela en a, croyez-moi. Et beaucoup plus que vous ne pourriez le penser, chevalier. Mais ne me demandez pas pourquoi, il m'est impossible de vous en révéler davantage pour l'instant !

— Ne me dites pas que vous avez l'intention de relever le gant des vieilles guerres de religion, des

484

croisades noires et de toutes ces foutaises, Votre Altesse. Ou pire, que vous vous êtes mise en tête de prendre la direction d'un soulèvement de l'ensemble des peuples anciens d'Europe contre les humains ? »

Elle cligne une ou deux fois des yeux et m'observe intensément pendant plusieurs secondes avant de répondre.

« Je ne vous le dis pas, en effet. »

Je la regarde sans ciller afin qu'elle comprenne que j'attends d'elle un peu plus d'explications que cela.

« Je ne vous le dis pas, chevalier, parce que ce n'est *nullement* le cas ! Moi et les miens avons des plans, je vous l'avoue bien volontiers, mais ils n'incluent en aucun cas la guerre, ni aucune violence que ce soit, envers qui que ce soit.

— À la bonne heure, mais de quoi peut-il bien s'agir dans ce cas ?

— Vous ne saurez rien de plus.

— D'un autre mariage, c'est ça ? Le vôtre peut-être. »

Elle reste silencieuse.

« Vous a-t-on déjà dit que vous pouviez parfois devenir stupide ou agaçant, messire de Kosigan ? Vous en savez déjà bien assez ! Acceptez-vous de m'aider, oui ou non ?

— Si je refuse, est-ce que je pourrai garder le coffre tout de même ? »

Des taches d'ombre noire assombrissent soudain son beau regard vert.

« Vous insinuez que je pourrais revenir sur ma parole ? Je plaisantais, Votre Altesse. Comme je vous l'ai dit, votre soutien compte énormément à mes yeux. Alors, je suis d'accord. Je vous tiendrai informée de la moindre parcelle d'information que je pourrai obtenir sur ce dont vous m'avez parlé. Est-ce que ce qui peut concerner les sorciers et les nécromants vous intéresse également ? »

Elle hésite.

« Dans une moindre mesure. Il ne s'agit que d'humains ambitieux et le plus souvent dénués de tout scrupule. Cela étant, je suppose qu'excès d'information ne peut pas nuire. Faites-moi savoir si vous apprenez que quelque chose se trame les concernant. »

Ainsi ce ne sont pas les *pouvoirs anciens* qui l'intéressent, mais uniquement les *peuples*. Si elle ne souhaite pas fomenter une révolte, je me demande ce qu'elle peut leur vouloir. À moins qu'elle ne me mente bien sûr, ce qui n'est jamais une possibilité à négliger. Quoi qu'il en soit, cette information ne me concerne pas directement pour l'instant. Peut-être aurai-je l'occasion d'en apprendre davantage sur cette question, ultérieurement.

Je prends doucement sa main, souris et y dépose un baiser.

« Il semblerait donc que je sois à nouveau à votre service, charmante comtesse. Néanmoins, je préfère clarifier les choses dès maintenant, afin qu'il n'y ait pas de quiproquo entre nous : votre beauté, vos yeux et vos cadeaux ne vous permettent d'obtenir *que* les renseignements fortuits sur lesquels je pourrais tomber par hasard. Si jamais vous aviez une mission plus précise à me confier, il faudrait m'embaucher de façon "formelle" et nous devrions alors convenir, vous et moi, d'un mode de paiement adéquat. Est-ce que nous sommes bien d'accord là-dessus ?

— Entièrement d'accord, chevalier de Kosigan... »

Les étoiles de son regard se font douces, et elle s'approche de moi, jusqu'à coller délicatement son corps contre le mien. Immédiatement, je prends conscience de sa chaleur, au travers du velours ajusté de sa robe.

« ... Pour autant, aussi longtemps que vous serez, ainsi, à mon service informel, et quels que soient nos rangs respectifs, je compte sur vous pour revenir fréquemment à Troyes... »

Ses ongles remontent avec grâce pour caresser la rugosité de mes joues, puis ils frôlent ma bouche et mon nez, avant de remonter sur mon front et de se perdre dans l'épaisseur de mes cheveux. Je sens monter en moi une chaleur intense au niveau du bas-ventre et mes bras la soulèvent, la portent sur quelques mètres et lui plaquent le dos au mur. Elle me sourit et m'embrasse comme sous le coup d'une impulsion. Puis me regarde d'un air empreint de malice, avec des yeux de jeune fille davantage que de comtesse de Champagne.

« J'attends de vous que vous me fassiez des rapports détaillés sur toutes vos éventuelles découvertes, chevalier... »

Mes mains défont les premiers œillets du laçage de son décolleté. Juste assez pour dénuder ses seins et pouvoir faire glisser d'un coup le haut de sa robe jusqu'à son nombril. Sa poitrine nue vient se frotter contre mon plastron de cuir et sa bouche brillante et langoureuse s'accroche fougueusement à la mienne, en murmurant d'un ton doux et autoritaire à la fois :

« ... Et je compte sur vous pour me faire ces

foutus rapports en personne, capitaine, j'espère que
vous m'avez bien comprise?»

Même lorsque, comme moi, on apprécie particulièrement sa liberté, il est certains ordres auxquels
on a, parfois, du plaisir à obéir.

Correspondances de Kergaël de Kosigan avec Charles Chevais Deighton. Maulnes, le 28 septembre 1899.

Mon vieil ami.

Je joins à ce colis l'ensemble des deux cent quatre-vingt-seize épreuves photographiques qui correspondent à chacune des pages écrites par mon aïeul. J'ai hâte d'avoir tes impressions sur ce que tu vas y lire. Vraiment. Parce que, pour ma part, je trouve que cela, ainsi que le contenu d'une bonne partie des ouvrages cachés dans la bibliothèque circulaire de Maulnes, dépasse littéralement l'entendement.

Tout indique que l'exemplaire des Chroniques du chevalier de Kosigan *est un original du XIV*e *siècle... Mais ce dont il parle... Charles, cela ne correspond pratiquement en rien à la réalité historique telle que nous la connaissons ! J'ai lu et relu les passages de la première traduction que Plessis m'en a faite. Je n'arrive pas à comprendre ! Des Elfes, de la sorcellerie, des dragons, mon ancêtre en parle comme s'ils étaient aussi réels que la pluie ou les armures qu'il porte sur le dos. Il écrit de manière cohérente sur des événements en apparence incohérents. Jamais la Champagne médiévale n'est censée avoir eu une telle* indépendance par rapport au royaume de France, et la dernière comtesse en titre s'est finalement remariée en 1284, soit plus de cinquante ans avant les événements décrits par Pierre Cordwain de Kosigan. Quant à la Bourgogne, c'est sensiblement la même chose, elle n'a jamais réussi à prendre réellement son indépendance avant le traité d'Arras, qui, lui, n'a été signé qu'en 1435. Tout cela est insensé.

L'œuvre d'un fou, me diras-tu ? Des écrits de fiction, peut-être ? C'est ce que j'aurais cru moi aussi, même si ce genre de textes, en prose, est rare à cette époque. Mais cette bibliothèque, mon ami, elle regorge d'autres ouvrages dans lesquels on peut trouver des centaines de références toutes aussi incroyables que celles du chevalier de Kosigan. Des créatures fabuleuses, des races oubliées, des pouvoirs anciens... Il y a même deux livres qui sont purement et simplement rédigés dans des langues que personne, nulle part, n'a jamais répertoriées ! Et encore, n'ai-je, pour l'instant, fait qu'effleurer l'immensité de tout ce qui se trouve ici.

Le Livre des merveilles du monde, *de Jean de Mandeville, parle de démons chinois et indiens, de génies tournoyant dans les sables du désert de Syrie et il évoque les clans de Sirènes, de Nymphes claires et autres dragons-tortues, qui peuplent les Cyclades ainsi que les petits archipels de la grande baie du Bengale.* Les Douze Lais et Ballades des Elfes des royaumes de l'Ouest, *de Guillaume de Machaut, racontent la déchéance progressive des peuples elfiques, les réserves dans lesquelles ils ont été enfermés et la fin des dernières principautés. Plus intéressant encore,* Le Grand Livre des Actes de scission du Paradis, *rédigé par le pape Clément V, en 1308, trois ans après qu'il a décidé de quitter Rome pour s'installer en Avignon, fait non seulement des références précises au* Codex prohibetur *de 1280 – celui qui est censé avoir condamné toute utilisation de sortilèges et de pouvoirs anciens en Occident – mais il comporte* également plusieurs développements sur les Croisades noires, et surtout, il évoque clairement, et à plusieurs reprises, le nom elfique de la maison d'Aëlenwil.

Je ne comprends vraiment rien à tout cela. Rien du tout. Si tous ces textes sont des faux, pourquoi en avoir produit autant, pourquoi les avoir cachés ? Et si jamais ils sont vrais... Charles, c'est de la folie, c'est complètement incompréhensible et en même temps, tellement extraordinaire ! Peu importe que quelqu'un soit caché derrière ces découvertes ou non, j'ai hâte de remonter à Paris pour que Lavisse et Delisle puissent me dire de vive voix ce qu'ils pensent de tout cela.

Nous allons peut-être changer la face de l'Histoire, mon ami, Et tu seras le premier informé,

Bien à toi,

K.

Marches du comté de Champagne, 11 novembre de l'an de grâce 1339.

Mon cheval souffle de la vapeur et chacun de ses pas arrache lourdement de la neige au chemin en pente douce qui mène jusqu'à la rive. Dans le ciel du petit matin, le jour s'apprête tout juste à se lever et le plafond de nuages moutonneux prend, çà et là, les teintes pâles de l'aurore. Le vent glacial me pousse à resserrer ma capuche de peau et j'utilise la chaleur de mes expirations pour réchauffer doucement le creux de ma mitaine gauche. Dans le même temps ma main droite tire sur les rênes, immobilisant tranquillement les sabots de ma monture à quelques pouces seulement de l'eau, à moitié gelée, du passage à gué de l'Arnance.

De l'autre côté de la rivière, à moins de deux toises de moi, les chevaux du duc de Bourgogne et du vieux sénéchal du roi d'Angleterre en font autant.

Chacun d'entre nous observe les environs, avec une certaine méfiance. Cette réunion doit absolument rester secrète et il ne serait de l'intérêt de personne que quiconque d'autre soit au courant.

Je commence.

« Voilà, messeigneurs, ainsi que je m'y étais engagé, le comté de Champagne est tombé aux mains du duc de Bourgogne sans que la guerre n'éclate contre le royaume de France. Et, avec l'alliance de la comtesse Catherine de Champagne, c'est une grande partie des peuples anciens qui va à présent être favorablement disposé à son égard. Il me semble donc que de mon côté, j'ai plus que rempli ma part du marché ! »

Le duc Eudes de Bourgogne me fixe froidement tout
en s'adressant à Guillaume le Maréchal d'une voix mesurée :

« J'avoue qu'au début l'idée de prendre cet *assassin* à mon service était loin de susciter mon enthousiasme, seigneur Guillaume. À mon sens, il aurait mieux valu l'étrangler, l'éviscérer et le jeter à la Saône. Mais en définitive, il faut bien reconnaître que vous avez bien fait d'user de votre influence pour me faire changer d'avis. Cela ne modifie guère mes sentiments à son égard, mais force est de constater que son travail a donné satisfaction. »

Je lui rends son regard avec l'air sombre et calme de celui qui sait que son interlocuteur le déteste profondément. Et qui s'en fiche royalement.

« Mon travail donne *toujours* entière satisfaction, Votre Altesse, c'est pour cette raison que l'on me paye aussi cher. Cela étant dit, la fausse missive de votre grand mestre des sceaux, prétendument signée du roi de France et ordonnant à Robert de Navarre d'enlever votre neveu, était un véritable chef-d'œuvre. Si un jour vous souhaitez vous passer de ses services, n'hésitez surtout pas à l'envoyer chez moi, à Bruges, je saurai comment récompenser ses talents à leur juste valeur.

« — Insinueriez-vous que ce n'est pas déjà ce que je fais, messire ?

— Non point, Votre Seigneurie. Je voulais juste dire qu'il était excellent. »

Visiblement le duc de Bourgogne est toujours loin de me porter dans son cœur. Mais cela n'a guère d'importance, je suis certain qu'il doit avoir compris à présent que je pouvais lui être *infiniment plus utile* vivant que mort. Voilà très exactement ce que j'espérais lorsque j'ai demandé à Guillaume le Maréchal de lui proposer mes services.

Le vieux sénéchal fouille dans les fontes de son cheval et en sort un étui de cuir noir, clouté d'or. Il me regarde avec un demi-sourire et me l'envoie d'un geste habile.

« De mon côté, je vous transmets les félicitations du roi Edward III d'Angleterre, messire le Bâtard de Kosigan. Une nouvelle fois, vous avez accompli pour lui un travail remarquable et la déroute diplomatique du Français en Champagne sera un atout des plus appréciables dans la main de l'Angleterre dans les mois à venir. »

J'attrape l'étui en vol et fais un petit signe de remerciement à Guillaume le Maréchal.

« Mes cinq mille livres sont là-dedans ?

— En lettre de crédit à votre nom propre, oui. Vous pourrez percevoir tout ou partie de cette somme dans n'importe quelle succursale de la famille Stratacelli, à Bruges, Lucques, Montpellier, Paris, ou bien sûr Londres, quand bon vous semblera.

— Fort bien. Le prince Edward, lui, n'est toujours au courant de rien ?

— Non. Et j'ai couvert votre petit passage chez sa

femme et sa maîtresse comme vous m'aviez demandé de le faire. »

Je hoche la tête d'un air satisfait.

« J'espère que votre chute durant le tournoi ne vous a pas fait trop mal.

— Ne vous inquiétez pas pour moi, mon garçon, malgré mon âge avancé, je suis encore solide. Je me demande juste comment vous vous y êtes pris pour faire craquer les sangles de ma selle. Elles étaient pratiquement neuves et je leur fais toujours ajouter des filaments de cuivre pour empêcher les éventuels sortilèges. De plus, je les vérifie moi-même scrupuleusement avant chaque joute : elles n'étaient ni élimées, ni cisaillées… »

Être dans la position de celui qui *sait* est toujours très agréable. Je bénis au passage l'enseignement de mon maître en poisons, acides et autres produits propres à réduire la résistance du cuir de façon aussi naturelle qu'invisible.

Je gratifie Guillaume le Maréchal d'un demi-sourire.

« Je crains que vous ne soyez dans l'obligation de continuer à vous le demander, sénéchal !

— Dommage, ce point précis m'aurait réellement intéressé. »

Mon regard se tourne vers le duc.

« Et vous, monseigneur, ai-je votre parole que vous avez respecté vos engagements ? »

L'homme qui souhaite ma mort depuis des années reste quelques instants silencieux. Ce que j'ai le temps de lire au fin fond de ses yeux sombres ne me dit rien qui vaille.

« Mes hommes ne sont pas loin, Bâtard de Kosigan. Dites-moi juste pourquoi je ne devrais pas les appeler et vous faire trucider, ici même et à l'instant! Cela ferait disparaître définitivement tout lien entre moi et ce que vous avez accompli en Champagne... Cela me ferait économiser dix mille livres... Et cela vengerait par la même occasion la mort de mon oncle... Sans parler du spectacle, qui serait pour moi des plus réjouissants!»

Il fait un large mouvement en hauteur avec son bras et à une trentaine de pas derrière lui, une vingtaine d'arbalétriers sortent brusquement des fourrés enneigés. Immédiatement il tend sa main ouverte vers l'arrière, leur intimant ainsi l'ordre de ne rien faire pour l'instant.

Mon visage se ferme et je le toise avec calme et froideur.

«Vous ne leur direz pas de me tuer parce que vous êtes un homme d'honneur, monseigneur, de ceux qui respectent leurs engagements. Et puis j'imagine que vous aurez toujours l'occasion de me faire trucider un autre jour, si jamais le cœur vous en dit.

— Je sais d'expérience que ce n'est pas si simple, messire le Bâtard. Vous êtes un poisson particulièrement difficile à attraper, et on m'a toujours dit que remettre les choses au lendemain n'était jamais une très bonne idée.»

Il fait un nouveau signe de la main à ses hommes et ils se mettent les uns après les autres en position de tir. Ils sont loin, parce que le duc n'a pas envie qu'ils entendent ce que nous sommes en train de nous dire, mais le danger qu'ils représentent est tout de même réel. Je raffermis ma prise sur les rênes, au cas où.

«Agir dans la précipitation ne servira pas davantage vos intérêts, monseigneur. Si vous m'ôtez la vie aujourd'hui, je n'aurai plus la possibilité de vous servir demain. Or, je suis persuadé que des "demains" où vous aurez besoin que quelqu'un intervienne, sans que quiconque sache que l'action vient de vous, il y en aura très certainement. Je suis l'outil idéal pour ce genre de situations. En considérant cela, je pense que vous savez pertinemment que me tuer serait du gaspillage.

— Gaspillage des plus plaisants, s'il en est ! »

Il chauffe doucement le creux de ses mains avec son haleine tout en m'observant d'un air pensif. À ces côtés, Guillaume le Maréchal pousse son cheval des genoux pour venir lui glisser un mot. Je réussis presque à entendre ce qu'il lui dit, mais sa voix est très faible, il a placé sa main entre sa bouche et l'oreille du duc et le vent souffle dans la mauvaise direction. Je crois qu'il insiste sur les arguments que j'ai évoqués en les appliquant plus ou moins à l'Angleterre.

« Le Maréchal prend votre défense, Bâtard. Décidément, il semble que vous lui deviez beaucoup dans cette affaire. »

Je fais un bref signe de tête en remerciement.

« Cela signifie-t-il que vous allez respecter vos engagements, monseigneur ? »

Il hésite encore quelques secondes et son regard se perd un très court instant sur un point situé derrière moi, sur la droite. Je comprends d'un seul coup quelque chose : les arbalétriers ne sont qu'un leurre, le véritable danger, quel qu'il soit, se situe dans mon dos... J'ignore de quoi il s'agit exactement, mais en tout cas, ça ne doit pas être très loin de moi... Si le duc hésite encore cinq secondes de plus, il faudra que

je me lance dans une manœuvre de repli en catastrophe.

Un...

Deux...

« Très bien, je vais respecter mes engagements,
Kosigan. Je vous rassure, c'est d'ailleurs ce que
j'avais décidé de faire depuis le début : le coffre des
archives de votre père, Gregor, a été livré *hier* à
votre hôtel particulier de Bruges. Quant à la clef et à
l'argent que vous avez *mérités*, les voici ! »

Il tend mollement une sacoche en cuir brun dans
ma direction.

« Me la lanceriez-vous, monseigneur ? »

Il sourit froidement et se contente d'attendre en
silence.

À l'évidence il souhaite souligner ma position
d'infériorité en me forçant à traverser jusqu'à lui. A-
t-il conscience que je pourrais en profiter pour lui
passer mon épée au travers du corps ?

*Sans doute. Et il a peut-être pris des précautions
pour l'éviter.*

Avant d'avancer, je jette un coup d'œil appuyé
vers l'arrière. Il me semble apercevoir une fluctua-
tion fort peu naturelle de la lumière. Je m'y attarde.
Et tant pis si cela se remarque. L'air paraît vibrer à
certains endroits et j'arrive à repérer deux formes.
Non, trois plutôt. De tailles approximativement
humanoïdes. Quel que soit ce qui réussit à se cacher
ainsi sans aucun bruit à quelques pas de moi, cela a
pris le soin de se rendre invisible...

Autant ne pas rester ici.

Je talonne doucement ma monture qui traverse en
quelques foulées, pleines d'éclaboussures gelées, le lit
de la petite rivière à gué. Les yeux du duc me disent à

quel point il est satisfait de réussir à jouer ainsi avec ma nervosité.

Une maigre compensation à lui donner en échange de ma vie.

« Merci, monseigneur… »

Je prends la sacoche avec une tranquillité affichée que je suis bien loin de ressentir au fond de moi. À la fin de chaque contrat je multiplie habituellement les précautions, pour faire en sorte que mon paiement se déroule dans les meilleures conditions de sécurité possible. Mais cette fois, la nécessité du secret absolu qui entourait mes commanditaires a fait que je n'ai pas pu mettre en place une équipe de soutien, prête à me tirer de là au cas où. C'est la première fois que je me retrouve seul, dans une situation aussi tendue, *après* avoir réussi et terminé une mission. Et pour tout dire, je n'aime pas ça du tout.

Ma main s'approche de la lanière de cuir qui sert d'ouverture à la sacoche avec suffisamment de lenteur pour avoir une chance de ressentir la présence d'une éventuelle source d'énergie magique. Rien. On dirait bien que les choses sont en ordre de ce côté-là. Quant à un éventuel poison de contact, mes doigts sont recouverts d'un fin film transparent d'huile de pelviane. Cela devrait suffire, le temps que je sois suffisamment tranquille pour pouvoir faire des tests plus approfondis.

J'ouvre la sacoche avec prudence.

Ce que j'y trouve me rassure en partie. Pour autant, je reste très attentif aux bruits qui, derrière moi, pourraient trahir le passage de quelqu'un, en train d'essayer de traverser discrètement la petite eau tumultueuse du gué.

À l'intérieur, une lettre de crédit d'un montant de

dix mille livres, prise sur le compte des établisse-
ments marchands de Jacques Castaing à Bruges. Je
connais l'homme de réputation, c'est un très riche
bourgeois de Champagne qui a fait sa fortune en
Flandres dans le commerce de la laine avec l'Angleterre. C'est ce dont nous avions convenu.

À côté de la lettre se trouve une clef de métal. Son
panneton est formé de quatre blocs, un peu comme
un fer à marquer les chevaux, et sa surface est couverte de minuscules runes argentées. *La clef des
archives de mon père.* Je l'effleure du bout des doigts,
avant de la prendre et de la soupeser. Elle est lourde
mais paradoxalement une réelle sensation de légèreté émane des runes de vif-argent, tissées depuis
l'anneau ouvragé qui sert à la prendre en main, jusqu'à son museau, foré pour s'enfiler sur l'axe de la
serrure.

« Votre père a toujours aimé s'entourer de mystère.

— Vous le connaissiez sans aucun doute beaucoup mieux que moi, Votre Altesse. »

Je referme doucement la sacoche et en enroule la
bandoulière autour du pommeau de ma selle. On
dirait bien que le duc de Bourgogne cherchait seulement à me faire peur, finalement.

Je m'autorise un sourire en m'adressant à mes
interlocuteurs :

« Eh bien, messeigneurs, tout semble être pour le
mieux. Notre anonymat mutuel est garanti par le fait
que les dames de Champagne sont persuadées que je
travaillais pour elles, et même messire de Saulieu
ignore tout du petit numéro de jonglerie que nous
avons effectué dans son dos. Quant au faux message

qui est à l'origine de tout, je l'ai détruit pendant que j'étais l'invité du Seigneur de Navarre. »

Guillaume le Maréchal réajuste ses fourrures.

« Vous avez bien fait. De cette manière, Robert de Navarre aura encore plus de mal à se justifier devant le roi Philippe.

— Messire le Maréchal, je sais que rien de tout cela ne transpirera de votre côté. En revanche, je dois avouer que je m'inquiète sur les risques que notre affaire ne s'ébruite du vôtre, messire le duc de Bourgogne. Il est très possible que d'Auxois ait des doutes lorsqu'il se remettra, et chacun des hommes de la petite armée que vous avez cru bon d'amener ici avec vous a une langue. Or, chacun sait que la langue des hommes d'armes peut parfois être bien pendue. Surtout si on y met du vin… »

Il me fixe droit dans les yeux d'un air toujours peu amène.

« D'Auxois n'a jamais rien su de nos plans et votre poison lui a, de toute façon, complètement brouillé l'esprit.

— Cela ne durera pas. D'ici quelques jours il aura recouvré l'ensemble de ses facultés mentales. Si tant est qu'on puisse utiliser ce genre de terme en parlant de lui.

— Il ne sait rien et ne dira rien. J'y veillerai. Quant aux hommes qui sont ici, ils pensent que je vous ai tendu un traquenard et que vous êtes à présent à ma merci.

— Et comment comptez-vous faire en sorte qu'ils n'aient pas des idées qui leur viennent en tête lorsqu'ils verront que finalement vous me laissez partir libre ? »

Il sourit d'un air mauvais.

Et je comprends d'un coup son plan.

« Ils ne verront rien du tout, messire le Bâtard. J'ai tenu mes engagements et à présent je ne vous dois plus rien. À cet instant, je vais compter jusqu'à trois, à la suite de quoi je donnerai l'ordre à mes hommes de vous tirer dessus et de vous trucider. Ils sont loin et il y a des arbres et des buissons entre eux et vous. Si vous êtes à moitié aussi bon que vous le dites, je suis sûr que vous trouverez le moyen de vous en sortir brillamment. Après quoi ces braves soldats n'hésiteront pas à jurer devant Dieu et les Puissances réunis à quiconque le leur demandera, que vous et moi sommes toujours les pires ennemis du monde. Et si jamais par malheur vous deviez perdre accidentellement la vie en essayant de vous enfuir... Alors ma foi... C'est que les dieux en auront décidé ainsi... N'est-ce pas ? »

Quel enfoiré ! Arbres ou pas, un carreau d'arbalète va au moins cinq fois plus vite qu'un cheval au galop ! Et je ne parle même pas des trois « invisibles » qui ne sont sûrement pas là pour me lancer des boules de neige.

Je réagis quasi instantanément. *Il veut que ses hommes me voient m'enfuir ? Eh bien, il va être servi* : à peine a-t-il le temps d'ouvrir la bouche pour prononcer « un », que je le frappe d'un coup d'une rare violence au visage, mon poing lui déboîtant presque le menton. Il crie de douleur, et la surprise, tout comme le choc, le font vaciller. Sans perdre une seule seconde, j'agrippe d'une main ferme la fourrure du col de son manteau et le tire vers moi avec brutalité. Il cherche à se débattre et on sent à ses gestes qu'il est bon combattant, mais il est déjà à moitié sonné et son cheval fait un écart qui achève de le déséquilibrer. Il s'affale lourdement en travers de ma selle, le souffle entièrement coupé par le choc violent du pommeau en plein creux de son estomac. L'attrapant sans ménagement par les cheveux d'une main, je sors prestement ma dague et en place la pointe sur sa nuque. Des genoux je maîtrise ma monture pour éviter qu'elle ne rue, tout en me tenant prêt à la pousser en avant, dès que ce sera nécessaire.

Je hurle :

« Armes à terre, vous tous, sinon votre putain de duc est un homme mort !!... Et c'est valable aussi pour vous, seigneur le Maréchal ! Quant aux trois autres *invisibles*, là-bas, de l'autre côté de la rive, vous restez gentiment où vous êtes, sinon vous allez devoir trouver un nouveau suzerain ! » Les soldats hésitent, le temps de deux ou trois battements de cœur. C'est Guillaume le Maréchal qui, le premier, laisse doucement tomber son épée dans la neige. De l'autre côté de l'Arnance, les formes fluctuantes hésitent, à moins d'un pas du bord.

« Messire de Kosigan, vous ne devriez pas...

— La ferme, sénéchal ! Et les arbalétriers, vous *déchargez* vos armes avant de les poser ! Tout de suite !! »

Encore une ou deux secondes de tension, puis ils commencent à s'exécuter. Le son des vingt carreaux d'arbalète se fichant dans la terre, ou dans l'épaisseur des bois des chênes alentour, fait résonner la forêt et couvre momentanément le petit bruit cascadant de l'eau. Je jette un coup d'œil pour vérifier que les trois invisibles n'en profitent pas pour essayer de passer le gué de la rivière.

« B-bon Dieu, Kosigan, vous... vous allez me tuer ?! »

Le duc a plus ou moins repris son souffle. Il parle à mi-voix, mais on sent quand même, et la trouille, et la colère, dans ses mots balbutiés. Sans répondre à sa question, je continue à le maintenir par les cheveux tout en m'adressant à ses hommes :

« Si quelqu'un fait *un seul* pas dans ma direction, je le décanille !! » Je commence à pousser doucement mon cheval en direction de la rivière en faisant attention que ma dague ne s'enfonce pas accidentellement dans le cou du duc. « Voilà ce qui va se passer maintenant : je vais prendre trente pas d'avance et ensuite je relâcherai votre *puissant* duc de Bourgogne ! Vous pouvez considérer ça comme un cadeau ! Mais je le dis devant Dieu : si jamais vous les Bourguignons, continuez à me pourchasser, je reviendrai, et cette fois votre duc ferait mieux d'avoir bien préparé son héritier à prendre la relève ! »

J'ai une assez bonne connaissance de l'endroit dans lequel nous nous trouvons puisque c'est là que j'ai tendu l'embuscade au messager du roi de France, il y a dix jours. De ce fait, j'avais pu prévoir, avant d'arriver, deux voies de repli, au cas où les choses tourneraient précisément comme elles sont en train de tourner. Après une courte hésitation, je choisis celle qui remonte le long de la rivière, parce que c'est elle qui présente le moins d'arbustes et d'obstacles le long de la rive. J'y engage mon cheval, au pas allongé, ce qui n'est pas une mince affaire puisque je ne peux utiliser que mes genoux.

« Attention derrière, pas de bêtise ! Sinon ma lame lui aère directement tout l'arrière de la tête !! »

Une fois les trente pas parcourus, je range prestement ma dague, reprends les rênes de ma main droite et, de la gauche, tords brutalement le bras du duc dans son dos. Quant à le faire descendre, comme je l'avais promis, pas question… Je lance au contraire mon cheval au galop.

« Yaaah !! »

Un sourire involontaire me monte aux lèvres alors que le vent froid s'engouffre dans ma capuche et que, loin derrière moi, j'entends les Bourguignons se mettre à hurler comme des gorets. Le duc, lui, commence à paniquer :

« Bon Dieu, Kosigan, arrêtez vos conneries ! Vous aviez dit que vous alliez me relâcher ! »

Accentuant momentanément la torsion sur son bras, je le laisse mariner encore quelques secondes, le temps que le galop de ma monture me fasse prendre un peu plus le large.

« Ne vous plaignez pas, *monseigneur*. Je suis en train de me débrouiller pour que votre plan marche encore mieux que ce que vous aviez prévu : vos hommes vont croire dur comme fer que j'ai finalement décidé de vous enlever dans le but de vous rançonner. Mais vous allez réussir à vous échapper et comme ça, vous passerez pour un héros. Attention. Avec la distance, ils ne nous voient presque plus maintenant, alors je vais relâcher votre bras et vous allez vous débrouiller pour sauter à terre !… Vous êtes prêt ?… Maintenant ! »

On peut sans doute dire du duc Eudes de Bourgogne que c'est un sale con arrogant qui n'écoute personne. Mais il faut lui reconnaître qu'il est fier et courageux. Au lieu de se tortiller pour sauter et fuir le plus vite possible, comme auraient fait la plupart des grands seigneurs que je connais, il se retourne d'un coup, et me balance avec force son poing sur la figure.

« Ainsi, nous sommes quittes, Bâtard ! »

Là-dessus, il se jette sur le côté et roule-boule dans la neige en évitant de justesse un gros rocher saillant. J'accentue volontairement mon titubement pour qu'il se voie de loin avant de ralentir l'allure et de tirer sur les rênes pour arrêter ma monture et lui faire faire volte-face.

Le duc est un peu groggy et il trébuche plus ou moins en essayant de se relever. Les soldats bourguignons, de leur côté, ont réagi rapidement : ils sont déjà en train de courir à toute allure dans notre direction.

J'adopte l'attitude agitée de celui qui hésite. Dois-je descendre de cheval pour essayer de récupérer mon otage ? Ou bien ai-je plutôt intérêt à fuir sans demander mon reste ? Les hommes d'armes bourguignons penseront que j'ai prudemment opté pour la seconde option. J'assène tout de même un violent coup de pied au duc, pour le remercier de son excellent plan de sortie, avant de prendre le large.

« Sans rancune, monseigneur ! Ça a été un plaisir de faire affaires avec vous ! N'hésitez pas à me recontacter... »

Il s'affale une fois encore dans la neige, à moitié assommé.

« ... Si jamais vous avez à nouveau besoin de mes services ! Yaaah !! »

Mes talons pressent les flancs noirs de ma monture et celle-ci s'envole au triple galop en direction de l'amont de la rivière. Il était temps. Deux projectiles invisibles, de nature inconnue, sifflent dangereusement à mes oreilles et me manquent de justesse.

J'accélère encore pendant près d'une dizaine de secondes, bondis au-dessus de la rivière, grimpe prestement une petite colline forestière et rejoins un chemin de terre qui mène en direction du comté de Valois, de l'autre côté de la frontière.

Comme convenu, à une lieue de là, mes hommes me rejoignent, et la compagnie se met en route. En direction du nord.

Finalement, j'ai eu tort de m'inquiéter, tout s'est déroulé à merveille !

ÉPILOGUE

Lettre du centre hospitalier Saint-Germain-d'Auxerre à Charles Chevais Deighton. Le 3 octobre 1899.

Monsieur Chevais Deighton,

Nous nous trouvons au regret de vous informer que M. Michaël Konnigan a été hospitalisé d'urgence dans notre établissement, ce lundi 2 octobre à 23 h 42 (registre des entrées n° 79). Votre nom a été trouvé dans ses papiers en tant que personne à prévenir.

D'après les premiers examens, ses jours ne paraissent pas en danger, cependant la cause de son coma n'a, pour l'instant, pas pu être déterminée avec exactitude.

Vous trouverez ci-joint, le montant des premiers frais à régler.

Veuillez agréer, monsieur, nos salutations distinguées.

ANNEXE 1 :
MONNAIES ET PRIX.

Cette annexe a pour but de donner des équivalences approximatives entre les valeurs des différentes monnaies et des différentes époques. Elle ne peut en aucun cas être considérée comme exacte.

1899 :
1 franc = 10 euros
1 livre sterling = 25 francs = 250 euros

1339
1 écu d'or = 3 livres parisis = 3 000 euros
1 livre parisis = 1 000 euros
1 livre = 20 sous (ou « gros ») d'argent = 240 deniers de billon[1] (divisibles en 4 quarts)
1 gros, sol ou sou = 50 euros
1 denier = 4 euros
1 quart = 1 euro

---

1. Alliage de cuivre, d'argent et de plomb.

ANNEXE 2 :
UNITÉS DE MESURES
DES DISTANCES.

Les valeurs données changent selon les périodes et selon les régions et les villes, elles ne sont donc qu'approximatives et correspondent à celles choisies pour ce livre.

1 lieue = 3,5 km
1 toise = 2 m
1 pas = 62 cm (1 000 doubles pas valent un mile)
1 coudée = 52 cm
1 pied = 32 cm = 4 mains = 12 pouces = 16 doigts
1 empan = 20 cm
1 main = 8 cm
1 pouce = 2,64 cm
1 doigt = 0,68 cm

1 livre (poids) = 450 g

DU MÊME AUTEUR

Composition : IGS-CP à L'Isle-d'Espagnac (16)
Achevé d'imprimer par Novoprint
à Barcelone, le 15 novembre 2019
Dépôt légal : novembre 2019
1ᵉʳ dépôt légal dans la collection : avril 2017

Imprimé en Espagne.

363060